Omhelsd door angst

Marina Nemat

Omhelsd door angst

Een jonge vrouw overleeft
haar gevangenschap

Vertaald door
Jorien Hakvoort en
Albert Witteveen

Artemis & co

2 7. 07. 2007

ISBN 978 90 472 0005 5
© 2007 Marina Nemat
© 2007 Nederlandse vertaling Artemis & co, Amsterdam,
Jorien Hakvoort en Albert Witteveen
Oorspronkelijke titel *The Martyr's Prisoner*
Oorspronkelijke uitgever Penguin, Canada
Omslagontwerp Janine Jansen
Omslagillustratie © foto: Barbara Davidson/Dallas Morning News/Corbis,
© roos: Markus Kirchgessner/Bilderberg

Verspreiding voor België:
Veen Bosch & Keuning uitgevers n.v., Wommelgem

Voor Andre, Michael en Thomas,
voor alle politieke gevangenen van Iran,
in het bijzonder voor Sh.F.M., M.D., A.Sh. en K.M.
en voor Zahra Kazemi

And if I pray, the only prayer
That moves my lips for me
Is, 'Leave the heart that now I bear,
And give me liberty!'
Yes, as my swift days near their goal,
'Tis all that I implore
In life and death, a chainless soul,
With courage to endure.

EMILY BRONTË

Noot van de auteur

Hoewel dit geen literair verhaal is, heb ik namen gewijzigd om de identiteit van mijn medegevangenen veilig te stellen en heb ik hun geschiedenis aangevuld met wat andere gevangenen me hebben verteld; zo heb ik levens samengevoegd en opnieuw vormgegeven. Hierdoor kan ik veilig verhalen van leven en dood binnen de muren van Evin en kan ik trouw blijven aan wat we hebben doorstaan, zonder iemand in gevaar te brengen en zonder inbreuk te maken op iemands privacy. Ik ben er echter van overtuigd dat mijn medegevangenen zich er gemakkelijk in zullen herkennen.

Bij het schrijven van dit boek heb ik moeten vertrouwen op mijn herinneringen, die, zoals bij iedereen, de gewoonte hebben te vervagen of rare grappen met je uit te halen. Sommige dingen weet ik nog heel goed, alsof ze een week geleden gebeurd zijn, maar andere herinneringen zijn fragmentarisch en wazig. Het is per slot van rekening al meer dan twintig jaar geleden.

In ons dagelijks leven communiceren we over het algemeen in dialogen met elkaar, en ik ben van mening dat die dialoogvorm noodzakelijk is om de herinneringen op een doeltreffende manier tot leven te brengen. Ik heb de dialogen in dit boek naar mijn beste kunnen gereconstrueerd en ben zo dicht mogelijk bij de waarheid gebleven.

1

Een oud Perzisch gezegde luidt: 'Waarheen je ook gaat, de kleur van de lucht blijft gelijk.' Maar de Canadese lucht was anders dan de lucht die ik me van Iran herinnerde, hij was veel blauwer en leek te willen wedijveren met de horizon door zich eindeloos uit te strekken.

Op 28 augustus 1991 kwamen we op Pearson Airport bij Toronto aan. Het was een mooie, zonnige dag en mijn broer kwam ons afhalen. Mijn man, ons zoontje van tweeënhalf en ik zouden bij hem inwonen totdat we een appartement hadden gevonden. Hoewel ik mijn broer in geen twaalf jaar gezien had – ik was veertien toen hij naar Canada vertrok – herkende ik hem onmiddellijk. Zijn haar was grijs en een beetje dun geworden, maar hij was nog altijd twee meter lang en stak met zijn hoofd boven de enthousiaste menigte van wachtende mensen uit.

Toen ik tijdens onze autorit vanaf Pearson naar buiten keek, verbaasde ik me erover hoe ver het land zich uitstrekte. Het verleden lag achter me en het was voor iedereen het beste dat ik het van me afzette. We moesten een nieuw bestaan opbouwen in dit onbekende land dat voor ons een toevluchtsoord was toen we nergens anders heen konden. Ik had al mijn energie nodig om te zorgen dat we het hier zouden redden. Dat was ik mijn man en mijn zoontje verplicht.

En we bouwden een nieuw bestaan op. Mijn man vond een goede baan, we kregen nog een zoon en ik leerde autorijden. In juli 2000, negen jaar nadat we naar Canada waren gekomen, kochten we uiteindelijk een woning met vier slaapkamers in de buitenwijken van Toronto en werden we trotse, burgerlijke Canadezen, die de tuin onderhielden, de jongens naar zwemles, voetbal en pianoles brachten en vrienden te eten kregen.

Toen kon ik niet meer in slaap komen.

Het begon met losse beelden van herinneringen die door mijn hoofd flitsten zodra ik naar bed ging. Ik probeerde ze af te weren, maar ze bleven me overvallen en begonnen behalve mijn nachten nu ook mijn dagen te beheersen. Het verleden won terrein en ik kon het niet op afstand houden. Ik moest het wel onder ogen zien want anders zou ik er geestelijk aan onderdoor gaan. Als ik het niet kon vergeten, was de oplossing misschien wel om het me te herinneren. Ik begon te schrijven over mijn tijd in Evin – de beruchte politieke gevangenis in Teheran –, over martelingen, pijn, dood en al het leed waarover ik nooit had kunnen praten. Mijn herinneringen werden woorden en ontsnapten uit de winterslaap waarin ze noodzakelijkerwijs waren terechtgekomen. Ik geloofde dat ik me beter zou voelen als ik ze eenmaal aan het papier had toevertrouwd... maar dat was niet zo. Ik had meer nodig. Ik kon mijn manuscript niet ergens onder in een la verborgen houden. Ik was een getuige en ik moest mijn verhaal vertellen.

Mijn man was mijn eerste lezer. Ook hij was niet op de hoogte van wat er tijdens mijn gevangenschap allemaal was voorgevallen. Toen ik hem eenmaal het manuscript had gegeven, legde hij het aan zijn kant onder het bed, waar het drie dagen onaangeroerd bleef liggen. Ik vond het doodeng. Wanneer zou hij het lezen? Zou hij het begrijpen? Zou hij me vergeven dat ik zulke geheimen voor mezelf gehouden had?

'Waarom heb je me dat nooit eerder verteld?' vroeg hij toen hij het eindelijk gelezen had.

We waren al zeventien jaar getrouwd.

'Ik heb het geprobeerd, maar ik kon het niet... kun je het me vergeven?' vroeg ik.

'Er valt niets te vergeven. Kun jíj het míj vergeven?'

'Wat?'

'Dat ik nooit iets heb gevraagd.'

Als ik al twijfels had gehad over het naar buiten brengen van mijn verhaal, dan verdwenen die in de zomer van 2005, toen ik tijdens een etentje bij vrienden een Iraans echtpaar ontmoette. We konden goed met elkaar overweg en hadden het over alledaagse dingen: ons werk, de huizenmarkt en de opvoeding van onze kinderen. Toen het later op de avond te fris werd om buiten te zitten, gingen we naar binnen voor het dessert. Bij het inschenken van de koffie vroeg de gastvrouw me hoe het met mijn boek ging en de Iraanse vrouw, Parisa, wilde weten waarover ik schreef.

'Op mijn zestiende ben ik gearresteerd en toen heb ik twee jaar als politieke gevangene in Evin gezeten. Daar schrijf ik over,' zei ik.

Ze trok helemaal wit weg.

'Gaat het wel?' vroeg ik.

Ze was even stil en zei toen dat ze zelf een aantal maanden in Evin had gezeten.

Iedereen in de kamer zweeg en keek naar ons.

Parisa en ik ontdekten dat we in dezelfde tijd gevangen hadden gezeten in verschillende delen van hetzelfde gebouw. Ik noemde de namen van een aantal van mijn medegevangenen, maar die zeiden haar niets, en zij vertelde me over haar vriendinnen in de gevangenis, maar die kende ik niet. We hadden echter wel herinneringen gemeen aan bepaalde gebeurtenissen die de meeste gevangenen van Evin goed kenden. Ze zei dat dit de eerste keer was dat ze met iemand over haar ervaringen in de gevangenis had gesproken.

'Mensen praten er gewoon niet over,' zei ze.

Dat was nu precies het stilzwijgen dat mij meer dan twintig jaar gevangen had gehouden.

Na mijn vrijlating uit Evin deed mijn familie alsof er geen vuiltje aan de lucht was. Niemand had het over de gevangenis. Niemand vroeg: 'Wat is er met je gebeurd?' Ik wilde hun heel graag vertellen hoe het me in Evin was vergaan, maar ik wist niet waar ik moest beginnen. Ik wachtte totdat ze mij iets zouden vragen, iets wat me de gelegenheid bood om mijn verhaal te doen, maar het leven ging door alsof er niets bijzonders was gebeurd. Mijn familie wilde me waarschijnlijk blijven zien als het onschuldige meisje van vóór mijn tijd in de gevangenis. Ze waren doodsbenauwd voor de pijn en de gruwelen van mijn verleden en deden daarom alsof het er niet geweest was.

Ik moedigde Parisa aan me op te bellen en we spraken elkaar enkele keren. Haar stem beefde altijd wanneer we samen herinneringen aan onze medegevangenen ophaalden en vriendschappen memoreerden die ons hadden geholpen ons erdoorheen te slaan.

Een paar weken later liet ze weten dat ze me niet meer wilde spreken; ze wilde er niet meer aan terugdenken.

'Ik kan het niet. Het is te zwaar. Het is te pijnlijk,' zei ze met een door tranen verstikte stem.

Ik begreep het en ging niet met haar in discussie. Zij had haar keuze gemaakt – en ik de mijne.

2

Op 15 januari 1982 werd ik gearresteerd, om ongeveer negen uur 's avonds. Ik was zestien.

Eerder die dag was ik wakker geworden voordat het licht werd en kon ik de slaap niet meer vatten. Het leek alsof mijn slaapkamer donkerder en kouder was dan gewoonlijk en daarom bleef ik onder mijn kameelharen dekbed liggen wachten op de zon, maar het leek wel alsof het donker zou blijven. Op dagen dat het zo koud was als nu wenste ik altijd dat ons appartement beter verwarmd was – twee petroleumkachels waren niet genoeg –, maar mijn ouders zeiden dan tegen mij dat ik de enige was die het huis 's winters te kil vond.

De slaapkamer van mijn ouders bevond zich naast die van mij en de keuken was aan de andere kant van de smalle gang die de beide delen van ons appartement met elkaar verbond. Ik luisterde naar mijn vader die zich klaarmaakte om naar zijn werk te gaan. Hoewel hij heel voorzichtig en zachtjes deed, kon ik op grond van de vage geluiden die hij maakte toch bepalen waar hij was, eerst in de badkamer en daarna in de keuken. De ketel floot. De koelkast ging open en dicht. Hij at waarschijnlijk brood met boter en jam.

Uiteindelijk schemerde er een flauw licht door mijn slaapkamerraam. Mijn vader was al naar zijn werk vertrokken en mijn moeder sliep nog. Ze stond meestal pas om negen uur op. Ik lag te woelen en te draaien en wachtte. Waar was de zon? Ik probeerde te bedenken wat ik die dag zou gaan doen, maar dat lukte niet. Het was net alsof ik buiten de tijd was komen te staan. Ik stapte mijn bed uit. De linoleumvloer was nog kouder dan de lucht en de keuken was donkerder dan mijn slaapkamer. Het was alsof ik het nooit meer warm zou krijgen. Misschien zou de zon wel nooit meer opgaan. Nadat ik een kop thee had gedronken, was een bezoek aan de kerk het enige wat ik kon verzinnen om te doen. Ik deed de lange bruine wollen jas aan die mijn moeder voor me had gemaakt, bedekte mijn haar met een grote beige omslagdoek en daalde de vierentwintig grijze stenen treden af van de trap naar de voordeur, die ons appartement scheidde van de drukke straat door het centrum. De winkels waren nog dicht en er was weinig verkeer. Ik liep naar de kerk zonder om me heen te kijken. Er was niets te zien. Op de meeste muren waren foto's van ayatollah Khomeini aangebracht en hatelijke leuzen als DOOD AAN AMERIKA, DOOD AAN DE COMMUNISTEN EN ALLE VIJANDEN VAN DE ISLAM en DOOD AAN DE ANTIREVOLUTIONAIREN.

Ik deed er vijf minuten over om naar de kerk te lopen. Toen ik mijn hand op de zware houten deur van de hoofdingang legde, daalde er een sneeuwvlokje op mijn neus neer. Teheran zag er altijd onschuldig en mooi uit wanneer het schuilging onder de misleidende rondingen van de sneeuw en hoewel het islamitische regime de meeste mooie dingen had uitgebannen, kon het niet verhinderen dat er sneeuw uit de lucht kwam vallen. De regering had bevolen dat vrouwen hun haar moesten bedekken en had verordeningen uitgevaardigd tegen muziek, make-up, schilderijen van ongesluierde vrouwen en westerse boeken, die allemaal als satanisch werden bestempeld en daarmee onwettig waren. Ik trad de kerk binnen, sloot de deur achter mij en ging in een hoekje zitten kijken naar het beeld van Jezus aan het kruis. De kerk was leeg. Ik probeerde te bidden, maar de woorden zwierven zonder enige betekenis door mijn hoofd. Na ongeveer een halfuur ging ik naar het kantoortje om de priesters even gedag te zeggen en daar stond ik ineens oog in oog met Andre, de knappe organist. We hadden elkaar een paar maanden eerder ontmoet en ik zag hem regelmatig in de kerk. Iedereen wist dat we op elkaar gesteld waren, maar we waren beiden te verlegen om het toe te geven, misschien wel omdat Andre zeven jaar ouder was dan ik. Blozend vroeg ik hem waarom hij daar zo vroeg op de ochtend al was en hij vertelde dat hij was gekomen om een kapotte stofzuiger te repareren.

'Ik heb je in geen dagen gezien,' zei hij. 'Waar heb je gezeten? Ik heb een paar keer naar je huis gebeld en je moeder zei dat je je niet lekker voelde. Ik zat eraan te denken om vandaag bij je thuis langs te gaan.'

'Ik was niet helemaal fit. Gewoon een verkoudheid of zoiets.'

Hij vond dat ik er te bleek uitzag en dat ik beter nog een paar dagen in bed had kunnen blijven, en ik was het met hem eens. Hij bood aan me met de auto thuis te brengen, maar ik had frisse lucht nodig en ging lopend naar huis. Als ik me niet zo druk had gemaakt en me niet zo terneergeslagen had gevoeld, was ik dolgraag met hem meegegaan, maar sinds mijn schoolvriendinnen Sarah en Gita en Sarahs broer Sirus waren gearresteerd en naar de Evin-gevangenis waren gebracht, was ik niet meer in staat normaal te functioneren. Sarah en ik waren al vanaf de eerste klas boezemvriendinnen en Gita was al meer dan drie jaar een goede vriendin van mij. Gita was half november gearresteerd en Sarah en Sirus op 2 januari. Ik zag Gita voor me met haar zijdeachtige, lange bruine haar en Mona Lisa-glimlach, zoals ze vaak op een bankje bij het basketbalveld zat. Ik vroeg me af wat er met Ramin was gebeurd, de jongen op wie ze een oogje had. Ze had nooit meer iets van hem vernomen na de zomer van 1978, de laatste zomer vóór de revolutie, vóór het nieuwe regime. Nu zat ze al twee maanden in Evin en haar ouders hadden haar niet mogen bezoeken. Ik belde ze één keer per week op en Gita's moeder moest altijd huilen aan de telefoon. Zij stond elke dag uren bij de voordeur naar de voorbijgangers te kijken in de hoop dat Gita naar huis kwam. Sarahs ouders waren vele malen naar de gevangenis geweest met het verzoek om hun kinderen te zien, maar dat werd steeds afgewezen.

Al sinds de tijd van de sjah was Evin een politieke gevangenis. Van de naam alleen al sloeg iedereen de schrik om het hart: hij was synoniem met marteling en dood. De vele gebouwen van de gevangenis stonden verspreid op een groot terrein ten noorden van Teheran aan de voet van het Elboersgebergte. De mensen spraken nooit over Evin; het onderwerp was met een angstig stilzwijgen omgeven.

De avond dat Sarah en Sirus gearresteerd werden, lag ik op mijn bed een dichtbundel van Forugh Farrokhzad te lezen, toen mijn slaapkamerdeur werd opengegooid en mijn moeder in de deuropening verscheen.

'Sarahs moeder belde net...' zei ze.

Ik had het gevoel alsof ik ijssplinters inademde.

'Een uur geleden hebben agenten van de Revolutionaire Garde Sarah en Sirus gearresteerd en naar Evin overgebracht.'

Alle gevoel was uit mijn lichaam verdwenen.

'Wat hebben ze gedaan?' vroeg mijn moeder.

Arme Sarah en Sirus. Ze moesten doodsangsten hebben uitgestaan. Maar het zou wel goed met hen komen. Het moest goed komen.

'Marina, geef antwoord. Wat hebben ze gedaan?'

Mijn moeder deed de deur van mijn slaapkamer achter zich dicht en leunde ertegenaan.

'Niets. Nou ja, Sarah heeft niets gedaan, maar Sirus heeft zich aangesloten bij de moedjahedien.' Mijn stem klonk me zwak in de oren en leek van heel ver te komen. De Mujahedin-e Khalq was een progressieve islamitische groepering die zich sinds de jaren zestig van de twintigste eeuw tegen de sjah had verzet. Na het welslagen van de Islamitische Revolutie verzetten de leden van deze organisatie zich tegen ayatollah Khomeini's onbegrensde macht als de opperste leider van Iran en bestempelden ze hem als een dictator. Daarom verklaarde de islamitische regering dat hun partij onrechtmatig was.

'Ik begrijp het. Misschien hebben ze Sarah dan meegenomen vanwege Sirus.'

'Misschien wel.'

'Die arme moeder van hen. Ze was buiten zichzelf van angst.'

'Zeiden de bewakers ook iets?'

'Ze zeiden tegen hun ouders dat ze zich geen zorgen hoefden te maken, dat ze hun alleen een paar vragen wilden stellen.'

'Worden ze dan misschien snel weer vrijgelaten?'

'Nou, op grond van jouw verhaal denk ik dat ze Sarah wel snel zullen vrijlaten. Maar Sirus... nou ja, hij had beter moeten weten. Maak je nou maar niet ongerust.'

Mijn moeder ging mijn kamer uit en ik probeerde na te denken, maar slaagde er niet in. Volkomen uitgeput sloot ik mijn ogen en viel in een droomloze slaap.

Na deze gebeurtenis sliep ik twaalf dagen lang het grootste deel van de tijd. Zelfs de gedachte aan de simpelste klusjes riep een gevoel van vermoeidheid en hopeloosheid op. Ik had geen honger en geen dorst. Ik wilde niet lezen, ik wilde nergens naartoe en ik wilde met niemand praten. Elke avond vertelde mijn moeder me dat er geen nieuws was over Sarah en Sirus. Sinds hun arrestatie wist ik dat ik de volgende zou zijn. Mijn naam stond op een adreslijst die mijn scheikundelerares, *khanoem* Bahman, in het kantoor van de directrice had zien liggen. En die directrice, khanoem Mahmudi, was lid van de Revolutionaire Garde. Khanoem Bahman was een goed mens en zij had me ervoor gewaarschuwd dat deze lijst bestemd was voor de Rechtbanken van de Islamitische Revolutie. Ik kon echter weinig anders doen dan afwachten. Ik kon me niet verbergen. Waar zou ik heen moeten? De revolutionaire bewakers waren meedogenloos. Als zij naar een huis toe gingen om iemand te arresteren en de persoon in kwestie was niet thuis, dan namen ze zomaar iemand anders uit dat huis mee. Ik kon het leven van mijn ouders niet op het spel zetten om mezelf te redden. In de afgelopen paar maanden waren er honderden mensen gearresteerd op grond van de beschuldiging dat ze zich op de een of andere manier tegen de regering hadden verzet.

Om negen uur 's avonds stond ik op het punt om in bad te gaan. Toen ik de kraan opendraaide en het water begon te stromen weerklonk de deurbel door het huis. De schrik sloeg me om het hart. Niemand belde om deze tijd bij ons aan.

Ik draaide de kraan dicht en ging op de rand van het bad zitten. Ik hoorde hoe mijn ouders de deur opendeden en een paar ogenblikken later riep mijn moeder mij. Ik deed de badkamerdeur van het slot en opende hem. Twee gewapende, bebaarde revolutionaire bewakers in donkergroen legeruniform stonden in de gang. Een van hen richtte zijn geweer op me. Ik had het gevoel alsof ik buiten mijn lichaam was getreden en naar een film keek. Dit overkwam mij niet, maar iemand anders, iemand die ik niet kende.

'Jij blijft hier bij hen terwijl ik het appartement doorzoek,' zei de tweede bewaker tegen zijn collega. Daarna richtte hij zich tot mij en vroeg: 'Waar is je kamer?' Zijn adem stonk naar uien en maakte me misselijk.

'De gang in, de eerste deur rechts.'

Mijn moeder trilde over haar hele lichaam en ze was wit weggetrokken. Ze had haar hand voor haar mond geslagen alsof ze een immer aanhoudende kreet wilde smoren. Mijn vader hield zijn ogen strak op mij gericht; hij zag eruit alsof ik stervende was door een plotselinge ongeneeslijke ziekte en hij niets kon doen om me te redden. Tranen stroomden over zijn wangen. Ik had hem niet meer zien huilen sinds mijn oma's overlijden.

De andere bewaker kwam al snel terug met een handvol boeken van mij, allemaal westerse romans.

'Zijn deze van jou?'

'Ja.'

'We nemen er een paar mee als bewijs.'

'Als bewijs waarvan?'

'Van je activiteiten tegen de islamitische regering.'

'Ik ben het niet eens met de regering, maar ik heb er niets tegen ondernomen.'

'Ik ben hier niet om te beslissen of je schuldig bent of niet. Ik ben hier om je te arresteren. Trek een chador aan.'

'Ik ben christen. Ik heb geen chador.'

Ze waren verrast. 'Dat is goed,' zei een van hen. 'Doe een sjaal om en ga mee.'

'Waar brengen jullie haar naartoe?' vroeg mijn moeder.

'Naar Evin,' antwoordden ze.

Met een van de bewakers achter me aan ging ik naar mijn kamer, pakte mijn beige kasjmieren omslagdoek en bedekte mijn haar ermee. Het was een erg koude avond en het leek me dat de omslagdoek me warm zou houden. Toen we op het punt stonden de kamer te verlaten, viel mijn oog op mijn rozenkrans die op mijn bureau lag. Ik pakte hem op.

'Hé, wacht even. Wat is dat?' vroeg de bewaker.

'Mijn gebedssnoer. Mag ik dat meenemen?'

'Laat zien.'

Ik gaf hem de rozenkrans. Hij bestudeerde hem uitvoerig waarbij hij elk van de lichtblauwe kralen en het zilveren kruis afzonderlijk bekeek.

'Die mag je meenemen. Bidden is precies wat je moet doen in Evin.'

Ik liet de rozenkrans in mijn zak glijden.

De bewakers voerden me mee naar een zwarte Mercedes die voor onze deur geparkeerd stond. Ze openden het achterportier en ik stapte in. De auto zette zich in beweging. Ik keek achterom en ving een glimp op van de helverlichte vensters van ons appartement, die op de duisternis uitkeken en van de schaduwen van mijn ouders die in de deuropening stonden. Ik wist dat ik doodsbang zou moeten zijn, maar dat was ik niet. Ik werd omhuld door een koude leegte.

'Ik kan je een goede raad geven,' zei een van de bewakers. 'Het is in je eigen belang om elke vraag die je gesteld wordt naar waarheid te beantwoorden, anders zul je ervoor boeten. Je hebt waarschijnlijk wel gehoord dat ze in Evin zo hun manieren hebben om mensen aan het praten te krijgen. Je kunt je die pijn besparen door de waarheid te vertellen.'

De auto reed snel in noordelijke richting naar de Elboersbergen. Op dat tijdstip waren de straten bijna verlaten, er waren geen voetgangers en slechts een paar auto's. Vanaf grote afstand was steeds te zien hoe stoplichten van rood op groen sprongen en weer rood werden. Na ongeveer een halfuur zag ik in het bleke maanlicht de muren van Evin zich als een kronkelend lint in de heuvels aftekenen. De ene bewaker vertelde de andere over het ophanden zijnde huwelijk van zijn zuster. Hij was er erg blij mee dat de bruidegom een hoge functie bij de Revolutionaire Garde had en afkomstig was uit een gegoede traditionele familie. Ik dacht aan Andre. Ik voelde een doffe pijn in mijn buik die zich naar mijn botten uitbreidde, maar het was alsof er met hem iets vreselijks gebeurde en niet met mij.

We reden een smalle kronkelstraat in en aan onze rechterkant verschenen de hoge, rode bakstenen muren van de gevangenis. Om de zoveel meter schenen felle zoeklichten vanaf uitkijktorens het donker in. We naderden een groot metalen hek en hielden daarvoor halt. Overal waren bebaarde en gewapende bewakers te zien. Het prikkeldraad boven op de muur wierp een grillige schaduw op de straat. De bestuurder stapte uit en de bewaker die op de passagiersplaats zat, gaf me een dikke strook stof en droeg me op mezelf te blinddoeken. 'Zorg dat je hem goed voor je ogen doet, anders kom je in de problemen,' blafte hij. Nadat ik mijn blinddoek had omgedaan, reed de auto door het hek en bleef nog een paar minuten doorrijden totdat hij opnieuw stopte. De portieren gingen open en ik kreeg opdracht om uit te stappen. Iemand bond mijn polsen met een touw aan elkaar en trok me voort. Ik struikelde ergens over en viel.

'Ben je soms blind?' vroeg een stem en hierop klonk gelach.

Al gauw voelde het warmer en wist ik dat we een gebouw waren binnengegaan. Er verscheen een smalle streep licht onder mijn blinddoek en ik zag dat we door een gang liepen. Het rook er naar zweet en braaksel. Ik moest op de grond gaan zitten en wachten. Ik kon voelen dat er andere mensen vlak bij me zaten, maar ik kon ze niet zien. Iedereen was stil, maar er klonken vage, boze stemmen vanachter gesloten deuren. Af en toe kon ik er een paar woorden uit opmaken: 'Je liegt!' 'Zeg op!' 'Namen!' 'Schrijf op!' En soms hoorde ik mensen het uitschreeuwen van de pijn. Mijn hart begon zo snel te kloppen dat het tegen mijn borst drukte en pijn deed, daarom legde ik mijn handen op mijn borst en duwde terug. Na een poosje beval een barse stem iemand om naast me te gaan zitten. Het was een meisje en ze huilde.

'Waarom huil je?' fluisterde ik.

'Ik ben bang,' zei ze. 'Ik wil naar huis.'

'Ik weet het, ik ook, maar je moet niet huilen. Dat helpt niets. Ik weet zeker dat ze ons snel naar huis laten gaan,' loog ik.

'Niet waar, dat doen ze niet,' huilde ze. 'Ik ga hier dood. We gaan hier allemaal dood.'

'Je moet flink zijn,' zei ik en ik had er meteen spijt van dat ik dat zei. Misschien hadden ze haar wel gemarteld. Hoe kon ik zomaar zeggen dat ze flink moest zijn?

'Dat is heel interessant,' zei een mannenstem. 'Marina, jij gaat met mij mee. Sta op en doe tien passen vooruit. Ga dan naar rechts.'

Het meisje snikte nu hardop. Ik deed wat me gezegd werd. De stem droeg me op nog vier passen naar voren te doen. Er ging een deur achter me dicht en ik moest op een stoel gaan zitten.

'Je was erg dapper zonet. Dat zien we maar weinig in Evin. Ik heb hier vele sterke mannen de moed zien verliezen. Jij bent dus Armeens?'

'Nee.'

'Maar je zei tegen de bewakers dat je christen was.'

'Ik ben christen.'

'Ben je dan Assyrisch?'

'Nee.'

'Ik snap er niks van. Christenen zijn ofwel Armeens ofwel Assyrisch.'

'De meeste Iraanse christenen wel, maar niet allemaal. Mijn beide grootmoeders zijn na de Russische Revolutie vanuit Rusland naar Iran geëmigreerd.'

Mijn grootmoeders waren met Iraniërs getrouwd die in Rusland werkten vóór de communistische revolutie van 1917, maar na de revolutie waren hun mannen gedwongen de Sovjet-Unie te verlaten omdat het geen Russische staatsburgers waren en mijn grootmoeders kozen ervoor om met hen mee te gaan naar Iran.

'Het zijn dus communisten.'

'Als het communisten waren zouden ze toch nooit hun land verlaten? Ze zijn weggegaan omdat ze het communisme verafschuwden. Ze waren beiden overtuigd christen.'

De man vertelde me dat een deel van de heilige Koran handelde over Maria, de moeder van Jezus. Hij zei dat moslims geloofden dat Jezus een groot profeet was en dat ze veel respect hadden voor Maria. Hij bood aan om dat deel van de Koran aan mij voor te lezen. Ik luisterde naar de Arabische tekst die hij voorlas. Hij had een diepe en zachtmoedige stem.

'En, wat denk je ervan?' vroeg hij toen hij klaar was met voorlezen. Ik wilde dat hij doorging omdat ik wist dat ik veilig was zolang hij maar doorlas, maar ik wist ook dat ik hem niet kon vertrouwen. Hij was waarschijnlijk een lid van de Revolutionaire Garde en een gewelddadige man die meedogenloos onschuldige mensen martelde en vermoordde.

'Het was heel mooi. Ik heb de Koran bestudeerd en ik heb die passage al eens gelezen,' zei ik. Het kwam er enigszins hortend uit.

'Heb je de heilige Koran bestudeerd? Het wordt steeds interessanter! Een dappere christin die ons boek heeft bestudeerd. En je bent nog steeds christen, ook al heb je weet van onze profeet en zijn leer?'

'Zo is het.'

Mijn moeder had altijd tegen mij gezegd dat ik niet nadacht bij wat ik zei. Daar kwam ze mee als ik eerlijk antwoord gaf op vragen en mijn best deed om niet verkeerd begrepen te worden.

'Interessant!' zei de koranlezer met een lach. 'Ik zou dit gesprek graag op een geschikter tijdstip voortzetten, maar nu wil broeder Hamehd je een paar vragen stellen.'

Het leek erop dat hij het werkelijk een onderhoudend gesprek had gevonden. Misschien was ik de enige christen die hij ooit in Evin was tegengekomen. Hij had waarschijnlijk verwacht dat ik net zo zou zijn als de meeste islamitische meisjes uit traditionele families – stil, verlegen en onderdanig –, maar ik bezat geen van die eigenschappen.

Ik hoorde hem opstaan uit zijn stoel en het vertrek uitgaan. Ik voelde me verdoofd. Misschien was ik de angst voorbij en verkeerde ik in een toestand waarin alle normale menselijke emoties verstikt werden zonder de luxe van zelfs maar een strijd.

Terwijl ik wachtte, bedacht ik me dat ze geen reden hadden om me te martelen. Dat deden ze gewoonlijk alleen om informatie los te krijgen. Ik wist niets waaraan ze iets hadden, ik behoorde tot geen enkele politieke groepering.

De deur ging open en dicht, ik schrok op. De koranlezer was teruggekomen. Hij stelde zich voor als Ali en vertelde me dat Hamehd bezig was iemand anders te ondervragen. Ali legde uit dat hij werkte voor de zesde divisie van de Rechtbanken van de Islamitische Revolutie, die mijn zaak onderzocht. Hij klonk kalm en geduldig maar waarschuwde me dat ik de waarheid moest vertellen. Het was erg vreemd om een gesprek met iemand te voeren zonder hem te kunnen zien. Ik had er geen idee van hoe hij eruitzag, hoe oud hij was of in wat voor vertrek we waren.

Hij vertelde me dat hij wist dat ik op school antirevolutionaire ideeën had verkondigd en dat ik in de schoolkrant artikelen had geschreven die tegen de regering gericht waren. Dat ontkende ik niet. Het was geen geheim of een misdaad. Hij vroeg me of ik voor een of andere communistische groepering werkte en ik zei van niet. Hij wist van de staking die ik op school in gang had gezet en meende dat iemand zoiets onmogelijk alleen kon organiseren zonder connecties met illegale politieke partijen te hebben. Ik legde hem uit dat ik helemaal niets georganiseerd had, wat de waarheid was. Ik had alleen de wiskundelerares gevraagd wiskunde te onderwijzen in plaats van politiek. Zij had me de klas uitgestuurd; ik was weggegaan en mijn klasgenoten waren me gevolgd. In een mum van tijd wisten de meeste leerlingen wat er was gebeurd en weigerden ze naar hun klas terug te gaan. Hij kon niet geloven dat het zo eenvoudig was geweest. Hij zei dat de informatie die hij had ontvangen, deed vermoeden dat ik nauwe banden met communistische groeperingen onderhield.

'Ik weet niet waar u die informatie vandaan hebt,' zei ik, 'maar er klopt helemaal niets van. Ik heb het communisme bestudeerd net zoals ik de islam heb bestudeerd en ik ben er net zomin communist door geworden als moslim.'

'Dat vind ik nou leuk!' zei hij lachend. 'Als je me de namen van alle communisten of andere antirevolutionairen van je school geeft, geloof ik dat je niet liegt.'

Waarom moest ik hem de namen van mijn medescholieren geven? Hij wist van de staking en van de schoolkrant, dus khanoem Mahmudi moest met hem gepraat hebben en hem haar lijst hebben gegeven. Maar ik kon het risico niet nemen hem iets te vertellen omdat ik niet wist wie er behalve ikzelf op die lijst stonden.

'Ik geef u geen namen,' zei ik.

'Ik wist dat je aan hun kant stond.'

'Ik sta aan niemands kant. Als ik u namen geef, dan arresteert u die personen. Dat wil ik niet.'

'Ja, dan arresteren we hen om erachter te komen of ze iets doen wat tegen de regering gericht is, en als dat niet zo is laten we hen gaan. Maar als dat wel zo is, dan moeten we hen ervan weerhouden. Dan hebben ze dat ook aan zichzelf te wijten.'

'Ik geef u geen namen.'

'Hoe zit het met Shahrzad? Ontken je dat je haar kent?'

Even begreep ik niet over wie hij het had. Wie was Shahrzad? Maar al snel wist ik het weer. Ze was een vriendin van Gita en lid van een communistische groepering die Fadayian-e Khalq heette. Ongeveer twee weken voor de zomervakantie had Gita me gevraagd of ik eens met haar wilde spreken, in de hoop dat Shahrzad me kon overreden me bij hun groepering aan te sluiten. Ik had haar maar één keer gesproken en haar uitgelegd dat ik christen was en er geen interesse in had me bij een communistische groepering aan te sluiten.

Ali vertelde me dat ze Shahrzad in de gaten hadden gehouden, maar dat ze had gemerkt dat ze werd geobserveerd en toen was ondergedoken. Ze waren enige tijd naar haar op zoek geweest en dachten dat ze misschien wel weer met mij had afgesproken. Ali zei dat Shahrzad vast een betere reden had gehad om met mij te spreken dan om te proberen mij bij de Fadayian te krijgen. Ze was veel te belangrijk binnen de organisatie om op die manier haar tijd te verdoen. Hoe ik ook mijn best deed hem uit te leggen dat ik niets met haar te maken had, hij wilde me niet geloven.

'We moeten haar verblijfplaats weten,' zei hij.

'Ik kan u niet helpen, omdat ik niet weet waar ze is.'

Hij was rustig gebleven tijdens de ondervraging en had geen enkele keer zijn stem verheven. 'Marina, luister goed. Ik kan zien dat je een dapper meisje bent en daar heb ik respect voor, maar ik moet weten wat jij weet. Als je niet bereid bent me dat te vertellen, zal broeder Hamehd erg ontstemd zijn. Het is niet zo'n geduldige man. Ik wil je niet graag zien lijden.'

'Het spijt me, maar ik heb u niets te zeggen.'

'Dat spijt mij ook,' zei hij en hij nam me mee de kamer uit en drie of vier gangen door. Ik hoorde een man schreeuwen. Ik moest op de grond gaan zitten. Ali zei dat de man die zo schreeuwde, net als ik geen informatie wilde geven, maar dat hij snel van gedachten zou veranderen.

Kreten van intense pijn klonken overal om mij heen. Zwaar, diep en wanhopig sneden ze door mijn huid en drongen door tot in elke vezel van mijn lichaam. De arme man werd uit elkaar gereten. De wereld drukte als een loden last op mijn borst.

De luide, onverbiddelijke klap van de zweep. De schreeuw van de man. Een fractie van een seconde stilte. En het begon weer van voren af aan.

Na een paar minuten vroeg iemand de man of hij bereid was om te praten. Zijn antwoord was: 'Nee.' Het geselen begon weer. Hoewel mijn polsen vastgebonden waren, probeerde ik mijn oren met mijn armen te bedekken om het geschreeuw af te weren, maar dat had geen zin. Het ging maar door, slag na slag, schreeuw na schreeuw.

'Stop... Alstublieft... Ik praat wel...' riep de gemartelde man uiteindelijk.

Het hield op.

Niets deed ertoe behalve het feit dat ik besloten had geen namen te noemen. Ik was niet hulpeloos. Ik zou weerstand bieden.

'Marina, hoe is het met je?' vroeg de stem die de gemartelde man had ondervraagd. 'Ali heeft me over je verteld. Je hebt indruk op hem gemaakt. Hij wil niet dat we je pijn doen, maar zaken zijn zaken. Heb je die man gehoord? In het begin wilde hij me niets vertellen, maar uiteindelijk deed hij het toch. Het zou een stuk slimmer zijn geweest als hij me meteen had verteld wat ik wilde weten. Dus, ben jij bereid om te praten?'

Ik zuchtte eens diep. 'Nee.'

'Jammer dan. Sta op.'

Hij greep het touw dat om mijn polsen was gebonden, trok me een paar stappen mee en duwde me toen tegen de grond. Mijn blinddoek werd afgetrokken. Een dunne, kleine man met kort bruin haar en een snor stond over me heen gebogen en hield mijn blinddoek in zijn hand. Hij was begin veertig en droeg een gewone bruine broek en een wit overhemd. Het vertrek was leeg op een kaal houten bed met een metalen hoofdeind na. Hij maakte mijn polsen los.

'Touw is niet goed genoeg, we hebben iets stevigers en sterkers nodig,' zei hij. Hij haalde een paar handboeien uit een van zijn zakken en deed die om mijn polsen.

Iemand anders kwam het vertrek binnen. Het was een lange, stevige man van achter in de twintig met heel kort zwart haar en een kortgeknipte zwarte baard.

'Hamehd, heeft ze gepraat?' vroeg hij.

'Nee, ze is nogal koppig, maar maak je niet druk, die praat snel genoeg.'

'Marina, dit is je laatste kans,' zei de nieuwkomer. Ik herkende zijn stem. Ali. Zijn neus was iets te groot, zijn bruine ogen waren expressief en zijn wimpers waren lang en dik.

'Uiteindelijk ga je toch wel praten, en dus kun je het beter meteen doen. Geef je ons de namen?'

'Nee.'

'Ik wil weten waar Shahrzad is.'

'Ik weet niet waar ze is.'

'Kijk, Ali, ze heeft heel dunne polsen. Die glijden uit de handboeien,' zei Hamehd. Hij wrong mijn beide polsen in één handboei en trok me naar het bed. De metalen handboei sneed in mijn botten. Er ontsnapte me een schreeuw, maar ik verzette me niet omdat ik wist dat mijn situatie hopeloos was en het er alleen maar erger op zou worden als ik weerstand bood. Hij maakte de vrije handboei aan het metalen hoofdeinde vast. Nadat hij mijn schoenen had uitgedaan, bond hij vervolgens mijn enkels aan het bed.

'Ik ga met deze kabel op je voetzolen slaan,' zei Hamehd terwijl hij een stuk zwarte kabel van ongeveer 2 centimeter dik voor mijn gezicht heen en weer zwaaide.

'Hoeveel slagen zijn er volgens jou nodig om haar aan het praten te krijgen, Ali?'

'Niet veel.'

'Ik zeg tien.'

Met een scherp, dreigend gegier sneed de kabel door de lucht en kwam toen op mijn voetzolen neer.

Pijn. Ik had nog nooit zoiets gevoeld. Dit had ik me niet eens kunnen voorstellen. De pijn explodeerde in mij als een bliksemschicht.

Tweede klap: mijn adem stokte me in de keel. Hoe kon iets zoveel pijn doen? Ik probeerde een manier te verzinnen om het voor mezelf draaglijk te maken. Ik kon niet schreeuwen omdat er niet meer genoeg lucht in mijn longen zat.

Derde klap: ik hoorde het gieren van de kabel en voelde de allesverterende pijn die erop volgde. Het 'Wees gegroet' kwam bij me op.

De klappen bleven komen, de een na de ander, en ik bad in mijn gevecht tegen de pijn. Ik wilde graag buiten bewustzijn raken, maar dat gebeurde niet. Elke slag hield me klaarwakker voor de volgende.

Tiende klap: ik smeekte God om de pijn te verzachten.

Elfde klap: deze deed meer pijn dan alle slagen ervoor.

God, alstublieft, laat me niet alleen. Ik kan het niet aan.

Het bleef maar doorgaan. Een eindeloze foltering.

Ze houden wel op als ik hun een paar namen geef... Nee, ze houden niet op. Ze willen informatie over Shahrzad. Ik weet hoe dan ook niets over haar. Die geseling kan niet eeuwig duren. Ik neem de klappen een voor een.

Na zestien zweepslagen telde ik niet meer.

Pijn.

'Waar is Shahrzad?'

Ik zou het gezegd hebben als ik het wist. Ik zou alles gedaan hebben om het te laten ophouden.

Zwiep.

Ik had eerder al verschillende soorten pijn ervaren. Ik had mijn arm ooit gebroken. Maar dit was erger. Veel erger.

'Waar is Shahrzad?'

'Ik weet het echt niet.'

Ondraaglijke pijn.

Stemmen.

Toen Hamehd ophield, kon ik het nog net opbrengen om mijn hoofd te draaien en hem het vertrek te zien verlaten. Ali deed de handboeien af en maakte mijn enkels los. Mijn voeten deden zeer, maar de martelende pijn was weg en had plaatsgemaakt voor een kalmerende leegte die zich door mijn aderen verspreidde. Een ogenblik later voelde ik mijn lichaam nauwelijks meer en werden mijn oogleden zwaar. Er spatte iets kouds tegen mijn gezicht. Water. Ik schudde mijn hoofd.

'Je valt flauw, Marina. Toe, ga overeind zitten,' zei Ali.

Hij trok aan mijn armen en ik ging overeind zitten. In mijn voeten voelde ik een priemende pijn alsof ze door talloze bijen waren gestoken. Ik keek ernaar. Ze waren rood en blauw en erg gezwollen. Ik was er verbaasd over dat mijn huid niet kapot was gegaan.

'Heb je me nu iets te vertellen?' vroeg Ali.

'Nee.'

'Dit is het niet waard!' Hij keek me boos aan. 'Wil je weer een afranseling? Je voeten zullen er nog slechter uit gaan zien als je niks zegt.'

'Ik weet niks.'

'Dit is niet dapper meer, dit is gewoon dom. Je kunt zonder meer worden geëxecuteerd omdat je weigert mee te werken met de regering. Doe dat jezelf niet aan.'

'Doe dat míj niet aan,' corrigeerde ik hem.

Voor het eerst keek hij me recht in de ogen en vertelde me dat ze alle namen van mijn school hadden. Khanoem Mahmudi had hun de lijst gegeven. Hij zei dat mijn medewerking niets zou uitmaken voor mijn vrienden, maar dat het mij voor marteling zou behoeden. Hij zei dat mijn vrienden hoe dan ook gearresteerd zouden worden, of ik nu wel of niet meewerkte, maar als ik hun namen zou opschrijven, hoefde ik niet langer te lijden.

'Ik geloof dat je de waarheid spreekt over Shahrzad,' zei hij. 'Probeer niet de held uit te hangen, dat kan je je leven kosten. Hamehd is ervan overtuigd dat je lid bent van de Fadayian, maar ik geloof van niet. Dan had je niet tot Maria gebeden toen je gemarteld werd.'

Ik had me niet gerealiseerd dat ik hardop had gebeden.

Ik vroeg of ik naar het toilet mocht en hij nam me bij de arm en hielp me omhoog. Ik voelde me draaierig. Hij zette een paar rubberen slippers op de grond voor het bed. Ze waren minstens vier maten te groot voor mij, maar door de zwelling waren ze te klein. Het deed pijn om ze aan te trekken. Hij hielp me door het vertrek te lopen. Ik kon moeilijk mijn evenwicht bewaren. Toen we eenmaal bij de deur waren, liet hij mijn arm los, gaf me mijn blinddoek en zei me dat ik die voor moest doen. Dat deed ik. Hij gaf me een stuk touw in mijn handen en leidde me naar de deur van het toilet. Ik stapte naar binnen, draaide de kraan open en waste mijn gezicht met koud water. Er kwam een plotselinge golf van misselijkheid opzetten, mijn maag trok samen en ik gaf over. Ik had het gevoel alsof ik met een mes door-midden was gesneden. Mijn oren gonsden enorm en ik werd door het duister opgeslokt.

Toen ik mijn ogen opendeed wist ik niet waar ik was. Toen mijn hoofd langzamerhand helderder werd, besefte ik dat ik niet meer op het toilet was, maar dat ik op het houten bed lag waar ik was gemar-teld. Ali zat op een stoel naar mij te kijken. Mijn hoofd deed pijn en toen ik het aanraakte, voelde ik een grote bult aan de rechterkant van mijn voorhoofd. Ik vroeg Ali wat er was gebeurd en hij zei dat ik geval-len was en mijn hoofd had gestoten. Hij zei dat de dokter me had on-derzocht en dat mijn toestand niet al te ernstig was. Toen hielp hij me in een rolstoel, deed mijn blinddoek weer voor en duwde me het ver-trek uit. Toen hij de blinddoek afdeed, waren we in een heel klein ver-trek zonder ramen, met een toilet en een wastafel in de hoek. Er lagen twee grijze legerdekens op de vloer. Hij hielp me te gaan liggen en spreidde een van de dekens over me uit. Deze was ruw en stijf en rook schimmelig, maar dat kon me niets schelen. Ik had het ijskoud. Hij vroeg me of ik pijn had, en ik knikte terwijl ik me afvroeg waarom hij zo aardig tegen mij was. Hij ging weg, maar kwam na een paar minu-ten terug met een man van middelbare leeftijd die een legeruniform droeg en die hij aan mij voorstelde als dokter Sheikh.

De dokter gaf me een injectie in mijn arm en Ali en hij verlieten de cel. Ik sloot mijn ogen en dacht aan thuis. Ik had in mijn oma's bed willen kruipen zoals ik vroeger als klein meisje altijd had gedaan, zo-dat zij me kon zeggen dat er geen reden was om bang te zijn, dat het allemaal een boze droom was geweest.

3

Als kind hield ik veel van de vroege ochtenden in Teheran: de slaperige stilte en de dromerige kleuren gaven me een licht en vrij gevoel, bijna alsof ik onzichtbaar was. Dit was het enige tijdstip van de dag dat ik door mijn moeders schoonheidssalon kon zwerven; ik kon tussen de behandelstoelen en droogkappen door lopen zonder haar boos te maken. Op een ochtend in augustus 1972, toen ik zeven was, pakte ik haar lievelingsasbak van kristal. Hij was bijna zo groot als een bord. Ze had me al talloze malen bezworen dat ik er niet aan mocht komen, maar hij was zo mooi en ik wilde mijn vingers over de fijne patronen laten gaan. Ik begreep wel waarom ze er zo op gesteld was. Hij had wel iets van een grote sneeuwvlok die nooit smolt. Voor zo lang als ik me kon herinneren, stond deze asbak al midden op de glazen tafel en tikten mijn moeders klanten, vrouwen met lange rode nagels, die zaten te wachten in de stoelen met een bekleding van krullige witte stof, de as van hun sigaret erin af. Soms misten ze en viel de as op de tafel. Mijn moeder had er een hekel aan als de tafel vies werd. Als ik iets vies maakte, ging ze tegen me tekeer en moest ik het schoonmaken. Maar wat voor zin had het om iets schoon te maken? Dingen werden aldoor vies.

Ik hield de asbak omhoog. Een wazig gouden licht viel door het enige raam in het vertrek, dat meer dan de helft van de zuidelijke muur besloeg. Het licht weerkaatste tegen het witte plafond en verspreidde zich in het schitterende doorzichtige voorwerp. Toen ik de asbak schuin hield om hem onder een andere hoek te bekijken, glipte hij uit mijn vingers. Ik probeerde hem op te vangen, maar het was te laat: hij kwam op de vloer terecht en spatte uiteen.

'Marina!' riep mijn moeder vanuit de slaapkamer van mijn ouders die zich naast de salon bevond.

Ik rende linksaf de deur door die toegang verschafte tot de donkere smalle gang, stormde naar mijn kamer en kroop onder mijn bed. Het rook er stoffig en mijn neus begon te kriebelen, daarom hield ik mijn adem in om te voorkomen dat ik zou gaan niezen. Hoewel ik mijn moeder niet kon zien, kon ik het geluid van haar rubberen slippers op de linoleumvloer horen; hun kwade roffel maakte dat ik me nog dichter tegen de muur aandrukte. Steeds opnieuw riep ze mijn naam, maar ik bleef zo roerloos mogelijk liggen. Toen ze mijn kamer binnen kwam en naast mijn bed stond, hoorde ik mijn oma vragen wat er gebeurd was. Mijn moeder vertelde haar dat ik de asbak had gebroken en mijn oma zei dat ik dat niet had gedaan; maar dat zij hem had laten vallen toen ze aan het schoonmaken was. Ik kon mijn oren niet geloven. Oma had me altijd gezegd dat leugenaars naar de hel gingen als ze stierven.

'Hebt ú hem gebroken?' vroeg mijn moeder.

'Ja, ik stofte de tafel af. Het ging per ongeluk. Ik ruim het straks wel op,' antwoordde mijn oma.

Na een poosje kraakte mijn bed doordat er iemand op ging zitten. Ik tilde mijn oude beige beddensprei een paar centimeter van de vloer en zag mijn oma's bruine slippers en haar dunne enkels. Ik kroop onder het bed vandaan en ging naast haar zitten. Haar grijze haar zat zoals altijd in een strak knotje achter op haar hoofd gebonden. Ze droeg een zwarte rok en een keurig gestreken witte blouse en keek recht voor zich naar de muur. Ze zag er niet kwaad uit.

'*Baboe*, u hebt gelogen,' zei ik.

'Ik heb gelogen.'

'God zal niet boos op u worden.'

'Waarom niet?' Ze trok haar wenkbrauwen op.

'Omdat u mij hebt gered.'

Ze glimlachte. Mijn oma glimlachte bijna nooit. Het was een ernstige vrouw die altijd precies wist hoe alles moest. Ze had altijd een oplossing voor de ingewikkeldste problemen en wist elke buikpijn te verhelpen.

Oma was de moeder van mijn vader en ze woonde bij ons. Ze ging elke ochtend rond acht uur boodschappen doen en meestal ging ik dan met haar mee. Op die dag pakte ze zoals zo vaak haar tas en ik volgde haar naar beneden de trap af. Zodra ze de roze houten deur opendeed, drong de wirwar van geluiden van auto's, voetgangers en verkopers tot in de hal door. Het eerste wat ik zag, was de tandeloze lach van Akbar *agha* die minstens tachtig was en bananen vanuit een kapotte kar verkocht.

'Bananen vandaag?' vroeg hij.

Mijn oma inspecteerde de bananen; ze zagen er mooi geel uit, zonder bruine plekken. Ze knikte, stak acht vingers omhoog en Akbar agha gaf ons acht bananen.

We sloegen linksaf op de Rahzi-laan, een smalle eenrichtingsstraat met stoffige trottoirs. In het noorden zag ik de blauwgrijze Elboersbergen tegen de lucht afsteken. Het was het einde van de zomer en de sneeuwkappen van de bergen waren allang verdwenen. Alleen de slapende vulkaan Damavand had een toefje wit op zijn top. We staken de weg over en liepen de grote stoomwolk in die uit de geopende deur van de stomerij kwam drijven en indringend rook naar schoon, gestreken linnengoed.

'Baboe, waarom zei u geen acht in het Perzisch? Dat kunt u wel.'

'Je weet heel goed dat ik niet graag Perzisch spreek. Russisch is een veel mooiere taal.'

'Ik hou van Perzisch.'

'Wij spreken alleen Russisch.'

'In het najaar, wanneer ik naar school ga, zal ik leren lezen en schrijven in het Perzisch en dan leer ik het u.'

Mijn oma zuchtte.

Ik sprong vooruit. De straat was rustig, er was nauwelijks verkeer. Twee vrouwen liepen voorbij en zwaaiden met hun lege boodschappentas langs hun lichaam. Toen ik de kleine supermarkt binnen stapte, was de eigenaar, *agha-ye* Rostami, een man met een grote zwarte snor die vreemd stond bij zijn smalle vriendelijke gezicht, in gesprek met een vrouw met een zwarte chador die haar van hoofd tot voeten bedekte zodat alleen haar gezicht te zien was. Een andere vrouw in een minirok en een strak T-shirt wachtte haar beurt af. Dit was in de tijd van de sjah toen de vrouwen zich niet volgens de islamitische voorschriften hoefden te kleden.

Ook al was het maar een kleine winkel, er lagen vele verschillende waren op de planken opgetast: langkorrelige rijst, specerijen, gedroogde kruiden, boter, melk, kaas uit Tabriz, snoep, springtouwen en plastic voetballen. Agha-ye Rostami gaf me glimlachend vanachter de toonbank een pakje chocolademelk terwijl hij de vrouw met de chador een bruine papieren zak overhandigde. Terwijl ik mijn melk met grote slokken dronk en van het zachte koele gevoel genoot, kwam mijn oma binnen en wees alles aan wat ze nodig had. Op de terugweg zagen we agha Taghi, de oude man die elk jaar rond deze tijd de straten afliep onder het roepen van: 'Ik kaard kamelenwol en katoen!' Vrouwen deden hun raam open en vroegen hem binnen te komen en hun dekbedden winterklaar te maken door de wollen of katoenen draden ervan te kammen.

Toen we thuiskwamen van de winkel liep ik oma achterna de keuken in. Ons tweepits petroleumstel stond links, de witte koelkast rechts en de bordenkast stond tegen de muur tegenover de deur. Met oma en mij in de keuken kon je bijna geen kant meer op. Het kleine keukenraam zat dicht bij het plafond buiten mijn bereik en keek uit op het plein van een jongensschool. Oma zette de oude roestvrijstalen ketel op het vuur om thee te zetten en deed toen de kast open.

'Je moeder is hier weer bezig geweest en nu kan ik helemaal niets vinden. Waar is de koekenpan?'

Vanuit de andere kant van de kast vielen de potten en pannen op de vloer. Ik snelde toe om mijn oma te helpen ze op de juiste plek terug te zetten. De keuken was het domein van mijn oma en zij was degene die voor me zorgde en al het huishoudelijke werk deed. Mijn moeder bracht ongeveer tien uur per dag door in haar schoonheidssalon en had een hekel aan koken.

'Niets aan de hand, baboe. Ik help wel.'

'Hoe vaak heb ik haar niet gezegd dat ze er niet aan moet komen?'

'Heel vaak.'

Al snel stond alles weer op zijn plek.

'Kolya!' Mijn oma riep mijn vader, die waarschijnlijk in zijn dansstudio was. Maar er kwam geen antwoord.

'Marina, ga je vader eens vragen of hij ook thee wil,' zei oma terwijl ze een deel van de boodschappen in de koelkast deed.

Ik liep door de donkere gang tegenover mijn moeders schoonheidssalon naar de dansstudio van mijn vader, een grote L-vormige ruimte met een bruine linoleumvloer en afbeeldingen van elegant geklede, dansende paren aan de muren. In het midden van de wachtruimte, de kleine poot van de 'L', stond een ronde salontafel met tijdschriften erop en vier zwarte leren stoelen eromheen. Mijn vader zat op een ervan de krant te lezen. Het was een gezonde man van ongeveer 1,75 meter. Hij had grijze haren en lichtbruine ogen in een altijd gladgeschoren gezicht.

'Goedemorgen, papa. Baboe wil weten of u ook een kop thee wilt.'

'Nee,' snauwde mijn vader zonder me aan te kijken en ik draaide me om en droop af.

Soms als ik 's ochtends vroeg wakker werd en alle anderen nog sliepen, ging ik naar mijn vaders dansstudio. In gedachten hoorde ik de muziek, meestal een wals omdat ik die het mooist vond, en dan zwierde en danste ik het vertrek rond terwijl ik me voorstelde dat mijn vader in een hoek stond te klappen en zei: 'Goed zo, Marina! Je kunt echt goed dansen!'

Toen ik de keuken binnen kwam, was mijn oma uien aan het snijden en de tranen rolden haar over de wangen. Mijn ogen begonnen ook te branden.

'Ik haat rauwe uien,' zei ik.

'Als je ouder wordt, zul je ze wel weten te waarderen. Als je dan moet huilen en je wilt niet dat iemand weet dat je huilt, dan kun je gewoon uien gaan snijden.'

'U huilt toch niet echt?'

'Nee, natuurlijk niet.'

Toen mijn ouders in de Tweede Wereldoorlog trouwden, huurden ze een eenvoudig appartement op de noordwesthoek van de kruising van de Sjah-laan en de Rahzi-laan in het centrum van Teheran, de hoofdstad van Iran en de grootste stad van het land. Daar, boven een kleine meubelzaak en een klein restaurant, opende mijn vader zijn dansstudio. Aangezien er tijdens de oorlog veel Amerikaanse en Britse soldaten in Iran verbleven, werd de westerse cultuur populair bij de hogere klassen en mijn vader kreeg daardoor vele trouwe leerlingen die als westerlingen wilden leren dansen.

In 1951 bracht mijn moeder mijn broer ter wereld. Toen hij ongeveer twee jaar was, ging mijn moeder naar Duitsland om een kappersopleiding te volgen, ook al sprak ze geen Duits. Toen ze zes maanden later terugkeerde had ze een plek nodig voor haar nieuw te openen schoonheidssalon. Naast het appartement van mijn ouders was er nog precies zo een, dat ze toen ook gingen huren. Daarna verbonden ze de beide appartementen met elkaar.

Ik werd op 22 april 1965 geboren. Sinds 1941 was de prowesterse en autocratische Mohammed Reza Sjah-e Pahlavi het staatshoofd van Iran. Vier maanden voor mijn geboorte werd de Iraanse eerste minister Hassan Ali-e Mansur vermoord door vermeende volgelingen van de sjiitische fundamentalistische leider ayatollah Khomeini, die een theocratie in Iran wilde vestigen. In 1971 organiseerde emir Abbas-e Hoveida, die toen eerste minister was, extravagante festiviteiten te midden van de oude ruïnes van Persepolis, ter ere van de 2500ste verjaardag van de stichting van het Perzische Rijk. 25.000 gasten uit de hele wereld, onder wie koningen en koninginnen, presidenten, premiers en diplomaten, woonden dit feest bij, waarvan de kosten opliepen tot 300 miljoen dollar. De sjah liet weten dat het doel van dit feest was de wereld te tonen welke vooruitgang Iran de afgelopen jaren had geboekt.

Toen ik vier werd, ging mijn broer het huis uit om aan de Pahlavi-universiteit te studeren in de stad Shiraz, in het midden van Iran. Ik was erg trots op mijn lange, knappe broer, maar hij was er maar zelden en bleef ook nooit erg lang. Op die zo gekoesterde gelegenheden dat hij langskwam, stond hij in de deuropening van mijn slaapkamer naar me te glimlachen en vroeg me: 'Hoe gaat het met mijn kleine zusje?' Ik genoot ervan dat die heerlijke geur van zijn eau de cologne in de lucht bleef hangen. Hij en oma waren de enige mensen die me ooit cadeautjes gaven met kerst. Mijn ouders vonden het kerstfeest absoluut zonde van de tijd en het geld.

Oma nam me elke zondag mee naar de kerk. De enige Russisch-orthodoxe kerk in Teheran was twee uur lopen van ons appartement. De weg naar de kerk voerde ons door de straten van het centrum van Teheran met aan weerszijden winkels, straatventers en oude esdoorns. De verrukkelijke geur van geroosterde zonnebloem- en pompoenpitten hing in de lucht. De Nahderi-laan met zijn speelgoedwinkels en bakkerijen was mijn lievelingsstuk van de tocht. De geur van pasgebakken taart, vanille, kaneel en chocola was bedwelmend. En er waren vele geluiden die door elkaar klonken en in de straat bleven hangen: toeterende auto's, verkopers die hun waar aanprezen en met hun klanten marchandeerden, en luide traditionele muziek. Oma kocht nooit speelgoed voor me, maar ze gaf me wel altijd iets lekkers.

Op een zondag gingen we zo vroeg weg dat we nog op bezoek konden bij een vriendin van mijn oma die in een klein appartement woonde. Het was een oude, opgedirkte Russische vrouw met korte blonde krullen, die altijd rode lippenstift en blauwe oogschaduw op had en naar bloemen geurde. Haar appartement stond vol met oude meubels en allerlei snuisterijen en ze had een ronduit schitterende collectie porseleinen beeldjes. Ze stonden overal: op bijzettafeltjes, boekenplanken, vensterbanken en zelfs in de keuken. Ik was vooral dol op de engeltjes met hun tere vleugels.

Ze schonk thee in de mooiste porseleinen kopjes die ik ooit had gezien. Ze waren wit en doorzichtig en er waren roze roosjes op geschilderd. Ze legde een klein gouden lepeltje naast elk kopje. Ik vond het geweldig om de suikerklontjes in mijn thee te laten vallen en de belletjes omhoog te zien komen als ik erin roerde.

Ik vroeg haar waarom ze zoveel engeltjes had en zij vertelde me dat ze haar gezelschap hielden. Ze vroeg me of ik wist dat iedereen een beschermengel had en ik zei dat ik dat van mijn oma had gehoord. Ze keek me aan met haar lichtblauwe ogen, die er merkwaardig groot uitzagen achter haar dikke bril, en legde uit dat we allemaal weleens onze beschermengel hebben gezien, maar dat we zijn vergeten hoe die eruitziet.

'Vertel me eens,' zei ze, 'is het je ooit overkomen dat je op het punt stond om iets te doen wat eigenlijk niet mocht en dat je een fluisterstem in je hart gewaarwerd die je zei dat je het niet moest doen?'

'Ja... ik geloof het wel.' Ik dacht aan de asbak.

'Nou, dat was je engel die tegen je sprak. En hoe beter je naar die stem luistert, hoe beter je hem zult horen.'

Ik wenste dat ik me mijn engel kon herinneren. De vriendin van mijn oma zei dat ik maar eens al haar beeldjes moest bekijken, en ze verzekerde me dat mijn engel eruitzag als het beeldje dat ik het mooiste vond. Een tijdlang bestudeerde ik de beeldjes en uiteindelijk vond ik mijn lievelingsexemplaar: een knappe jongeman in een lang wit gewaad. Ik ging ermee naar mijn oma om hem aan haar te laten zien en zij zei dat hij er niet echt als een engel uitzag omdat hij helemaal geen vleugels had, maar ik zei dat zijn vleugels onzichtbaar waren.

'Je mag hem houden, liefje,' zei de vriendin van mijn oma en ik was er helemaal verguld mee.

Oma nam me elke dag mee naar het park. Het was een groot park, dat het Valiahd-park heette, op ongeveer twintig minuten lopen van ons huis. We konden er uren ronddwalen en de oude bomen en zoetgeurige bloemen bewonderen. Als we op een warme zomerdag verkoeling zochten, gingen we er op een bank een ijsje eten. In het midden van het park was een ondiep bassin met een fontein in het midden die het water hoog de lucht in spoot, en vele kleine fonteintjes die eromheen klaterden. Ik ging altijd dicht bij het bassin staan en liet de wind het water over me heen sproeien. Rond het bassin stonden bronzen beelden van jongetjes die allemaal verschillend waren. Een stond rechtop en keek naar de hemel, een ander zat naast het water geknield en keek erin alsof hij op zoek was naar iets waardevols wat erin was gevallen, de volgende hield een koperen stok naar het water gericht en een ander stond met een been opgetrokken, alsof hij op het punt stond om erin te springen. De beelden kwamen op de een of andere manier vreselijk triest en eenzaam over. Ze zagen er levensecht uit, maar waren voor eeuwig gestold in een donkere, vaste toestand waaruit ze zich niet konden bevrijden.

De grootste pret had ik op de schommel. Oma wist dat ik het leuk vond om heel hoog te gaan en ze duwde me altijd zo hard als ze kon. Ik vond het heerlijk hoe de wind door mijn haren speelde en hoe de wereld verdween wanneer ik boven in de lucht was. In mijn ogen van zevenjarige zou het leven altijd zo blijven.

Op een middag was ik door het park aan het rennen toen mijn oma me uit de verte riep om te zeggen dat het tijd was om naar huis te gaan, maar ze had een verkeerde naam geroepen, ze had me Tamara genoemd. Verward rende ik naar haar toe en vroeg haar wie Tamara was. Ze verontschuldigde zich en zei dat we beter naar huis konden gaan omdat het te warm voor haar was, en dus gingen we op pad. Ze zag er moe uit, wat gek was omdat ze nooit eerder zwak of moe was geweest.

'Wie is Tamara?' vroeg ik opnieuw.

'Tamara is mijn dochter.'

'Maar u hebt geen dochter, alleen mij maar, baboe, uw kleindochter.'

Ze legde uit dat ze wel een dochter had, Tamara, die vier jaar ouder was dan mijn vader, en ik leek heel veel op haar, alsof we een tweeling waren. Tamara was op zestienjarige leeftijd met een Russische man getrouwd en was met hem terug naar Rusland gegaan. Ik vroeg waarom ze ons nooit kwam opzoeken en mijn oma zei dat het Tamara niet was toegestaan Rusland te verlaten: de sovjetoverheid liet haar burgers niet zomaar naar andere landen reizen. Mijn oma had Tamara altijd mooie kleren gestuurd, en ook zeep en tandpasta omdat die spullen daar moeilijk te krijgen waren, totdat ze een brief kreeg van de SAVAK, de geheime dienst van de sjah, waarin stond dat het niet was toegestaan om contact te hebben met iemand in de Sovjet-Unie.

'Waarom niet?' wilde ik weten.

'De politie hier denkt dat Rusland een slecht land is en daarom zeiden ze tegen ons dat we Tamara niet meer mochten schrijven en haar ook niets meer mochten sturen.'

Terwijl ik deze nieuwe informatie probeerde te verwerken over een tante die ik nooit had gekend, ging mijn oma verder alsof ze in zichzelf praatte. Ik begreep niet veel van wat ze zei. Ze noemde namen van mensen en plaatsen waarvan ik nooit eerder had gehoord en ze gebruikte vreemde woorden die ik niet kende, waardoor ik haar zinnen maar voor een deel begreep. Ze vertelde dat zijzelf op haar achttiende verliefd was geworden op een jongeman die later ten tijde van de Russische Revolutie omkwam. Ze beschreef een huis met een groene deur aan een smalle straat, een brede rivier en een grote brug en ze had het over soldaten te paard die op een menigte schoten.

'... Ik draaide me om en zag dat hij gevallen was,' zei ze. 'Hij was neergeschoten. Hij zat onder het bloed. Ik hield hem vast. Hij stierf in mijn armen...'

Ik wilde niet meer naar haar luisteren, maar ze hield niet op. Ik kon mijn handen niet voor mijn oren houden, dat zou onbeleefd zijn en haar van streek maken. Misschien kon ik sneller gaan lopen en de afstand tussen ons groter maken, maar er was iets mis. Ze voelde zich niet goed en ik moest voor haar zorgen. Uiteindelijk begon ik te neuriën en mijn stem hield de woorden uit mijn hoofd. Ze had me altijd verhaaltjes verteld wanneer ik naar bed ging, maar al die verhaaltjes liepen goed af en er werd nooit iemand in doodgeschoten. Ik wist dat goede mensen naar de hemel gingen als ze stierven, dus de dood kon niet heel erg zijn – maar ik bleef het heel eng vinden. Het was alsof je het allerdiepste donker binnenliep waar de vreselijkste dingen met je konden gebeuren. Ik hield niet van het donker.

We waren bijna thuis. Uiteindelijk hield ze op met praten en keek snel om zich heen, ze zag er verward uit. Hoewel we er bijna waren, moest ik haar hand pakken en haar de rest van de weg begeleiden. De sterke vrouw die ik mijn hele leven gekend had, de vertrouwde metgezel op wie ik altijd had gebouwd, degene die altijd voor mij had klaargestaan, was plotseling kwetsbaar geworden. Ze was als een kind, net als ik. Zij die altijd had geluisterd en zelden meer dan een paar woorden tegelijk had gesproken, had me haar levensverhaal verteld. Haar woorden over bloed, geweld en dood hadden me geschokt. Ik had me altijd veilig gevoeld bij haar, maar nu had ze me verteld dat niets blijvend was. Op de een of andere manier voelde ik dat mijn oma stervende was. Dat had ik in haar ogen gezien, alsof iemand het me in het geheim had toegefluisterd.

Thuis hielp ik haar in bed. Ze at 's avonds niet met ons mee en de volgende ochtend kwam ze ook niet haar bed uit. Mijn ouders gingen die dag met haar naar de dokter en toen ze terugkwamen, ging mijn oma meteen weer naar bed en antwoordden mijn ouders op geen van mijn vragen over haar ziekte.

Ik ging naar haar kamer. Ze sliep en daarom ging ik op een stoel naast haar zitten en wachtte ik een hele tijd totdat ze eindelijk bewoog. Pas toen drong het tot me door hoe mager en broos ze was geworden.

'Wat is er aan de hand, baboe?' vroeg ik.

'Ik ga dood, Marina,' zei ze, alsof dit een gewone dagelijkse aangelegenheid was.

Ik vroeg haar wat er met ons gebeurde wanneer we doodgingen. Ze vertelde me dat ik zorgvuldig naar een schilderij moest kijken dat voor zover ik me kon herinneren altijd al aan de muur in haar slaapkamer had gehangen. Ik moest haar vertellen wat ik allemaal zag op dat schilderij. Ik zei dat het een afbeelding was van een oude dame met grijs haar en een wandelstok. Ze wandelde op een pad in een donker woud en aan het einde van het pad was een helder licht.

Oma legde me uit dat ze net als die oude vrouw was. Ze had vele jaren in haar leven gelopen en was erg moe. Ze zei dat haar leven duister en moeilijk was geweest, dat ze vele hindernissen op haar pad had gevonden, maar dat ze het nooit had opgegeven.

'Nu is het gewoon mijn beurt om heen te gaan en eindelijk Gods aangezicht te aanschouwen.'

'Maar baboe,' wierp ik tegen, 'waarom kunt u Gods aangezicht niet hier bij mij aanschouwen? Ik beloof u dat ik u zal laten uitrusten en dat u nergens heen hoeft te gaan.'

Ze glimlachte. 'Kind, met deze ogen kunnen we God niet zien,' zei ze terwijl ze met bevende vingers mijn wimpers aanraakte. 'Dat kan alleen met onze ziel. Je moet weten dat de dood slechts een stap is die we moeten zetten om de andere wereld te bereiken en verder te leven, maar dan op een andere manier.'

'Ik wil niet dat er iets verandert, ik vind het fijn zoals het nu is.'

'Je moet flink zijn, Marina.'

Ik wilde niet flink zijn. Ik was bang en verdrietig. Flink zijn klonk als liegen, doen alsof alles in orde was. Maar alles was helemaal niet in orde.

Ze haalde sidderend adem en gaf me opdracht om naar haar toilettafel te gaan en de linker bovenla te openen. Er zat een gouden kistje in. Ik gaf het haar. Toen zei ze dat ik onder haar bed moest kruipen en een paar zwarte schoenen moest pakken. In de linkerschoen zat een klein gouden sleuteltje.

Terwijl de tranen over haar wangen stroomden, gaf ze me het kistje en het sleuteltje.

'Marina, ik heb mijn levensverhaal opgeschreven en ik heb het in dit kistje gestopt. Het is nu van jou. Ik wil het aan jou geven en ik wil dat je aan me blijft denken. Zul je er goed op passen voor baboe?'

Ik knikte.

'Berg het kistje ergens veilig op. Ga nu maar en maak je geen zorgen. Ik heb nu even rust nodig.'

Ik liet haar alleen en nam mijn toevlucht tot mijn kamer, die nu eenzamer aandeed dan ooit tevoren. Ik verborg het kistje onder mijn bed, deed de glazen deur naar het balkon open en stapte naar buiten. De lucht was warm en zwaar en de drukke straat was net als altijd. Er was niets veranderd, maar alles voelde anders.

Oma werd niet meer wakker. Ze stierf aan leverkanker. Mijn moeder vertelde me dat ze in coma lag. Oma bleef bijna twee weken in coma en mijn vader liep de gang op en neer en huilde. Ik zat minstens twee uur per dag naast mijn oma om haar gezelschap te houden en om me niet zo eenzaam te voelen. Haar gezicht was kalm en vredig, maar erg mager en bleek. Naarmate de dagen verstreken, hield ik mijn tranen in uit angst dat ze haar dood zouden bevestigen en die naderbij zouden brengen.

Op een ochtend werd ik heel vroeg wakker en kon ik niet meer in slaap komen en daarom ging ik naar oma's kamer. Ik deed het licht aan en daar lag ze. De kleur was uit haar gezicht verdwenen. Ik raakte haar hand aan; hij voelde koud aan. Ik stond er stilletjes naast, ik wist dat ze dood was, maar ik wist niet wat ik moest doen. Ik moest iets tegen haar zeggen, maar ik wist niet zeker of ze me kon horen, of de barrière die de dood tussen ons had opgeworpen eigenlijk wel te overwinnen viel.

'Vaarwel, baboe. Ik hoop dat u nu een goed leven bij God hebt, waar hij ook mag zijn.'

Ik had het vreemde gevoel dat er iemand anders bij ons in de kamer was. Ik rende terug naar mijn eigen kamer, sprong in mijn bed en zei alle gebeden op die ik me kon herinneren.

De volgende dag werd oma's lichaam opgehaald. De hele dag had ik mijn vader horen huilen. Ik hield mijn handen tegen mijn oren en keek rond in mijn kamer; ik kon nergens anders heen. Oma was mijn steun en toeverlaat geweest wanneer er iets ergs gebeurde, en nu was ze weg. Uiteindelijk pakte ik mijn engelenbeeldje van de commode en verborg me onder het bed. Ik begon te bidden: 'Wees gegroet Maria, vol van genade, de Heer is met u. Gij zijt de gezegende onder de vrouwen en gezegend is Jezus, de vrucht van uw schoot. Heilige Maria, Moeder van God, bid voor ons, zondaars, nu en in het uur van onze dood.'

De deken werd van de zijkant van mijn bed getild en een golf van licht overspoelde het duister van mijn schuilplaats. Een onbekend gezicht keek me aan. Het was het gezicht van een jongeman met zwart krullend haar en donkere ogen, de donkerste ogen die ik ooit had gezien. Zijn gezicht stak uitzonderlijk wit af bij zijn haar en zijn glimlach was warm en vriendelijk. Ik wilde hem vragen wie hij was, maar ik kon geen woord uitbrengen.

'Hallo,' zei hij.

Zijn stem was vriendelijk en zacht en gaf me de nodige moed. Ik kroop onder het bed vandaan. Hij droeg een lang wit gewaad en had blote voeten. Ik raakte zijn tenen aan. Ze voelden warm aan. Hij boog zich voorover en tilde me op, hij ging op mijn bed zitten en zette me op zijn schoot. Een milde geur drong tot mij door, het rook als narcissen op een regenachtige dag.

'Je riep me en ik ben gekomen,' zei hij terwijl hij me over mijn haar streelde. Ik deed mijn ogen dicht. Zijn vingers die door mijn haren gleden, deden me denken aan de lentebries die de warmte van de zon tussen de takken van ontwakende bomen vlecht. Ik leunde tegen zijn borst, ik had het gevoel dat ik hem kende, dat we elkaar al eens eerder hadden ontmoet, maar waar of wanneer wist ik niet. Ik keek naar hem op en hij glimlachte naar me, een diepe, warme glimlach.

'Waarom draagt u geen slippers?' vroeg ik.

'Die heb ik niet nodig waar ik vandaan kom.'

'Bent u mijn beschermengel?'

'Wat denk jij?'

Ik keek hem een ogenblik aan. Alleen engelen hadden zulke ogen. 'U bent mijn beschermengel.'

'Zo is het.'

'Hoe heet u?'

'Ik ben de Engel des Doods.'

Mijn hart stond bijna stil.

'Doodgaan is soms moeilijk, maar het is nooit erg of eng. Het is eigenlijk een reis naar God, en omdat mensen gewoonlijk maar één keer sterven, kennen ze de weg niet en daarom begeleid ik hen en help ik hen verder.'

'Bent u hier om mij mee te nemen?'

'Nee, nu niet.'

'Hebt u baboe geholpen?'

'Dat heb ik gedaan, ja.'

'Is ze gelukkig?'

'Ze is heel gelukkig.'

'Kunt u een poosje bij me blijven?'

'Dat is goed.'

Ik leunde opnieuw tegen zijn borst en sloot mijn ogen. Ik had me altijd afgevraagd hoe de vogels zich voelden als ze zich badend in het zonlicht op de wind lieten meevoeren en één werden met de lucht. Nu wist ik het.

Toen ik de volgende ochtend wakker werd, lag ik in mijn bed en waren er geen engelen.

4

Ik werd wakker uit een droomloze slaap met een stekende pijn in mijn rechterschouder. Iemand riep mijn naam. Ik zag alleen maar wazig. Hamehd stond over mij heen gebogen en schopte tegen mijn schouder. Ik herinnerde me dat Ali me in een cel had achtergelaten, maar ik had geen idee hoe lang ik daar al lag.

'Ja, ja!' zei ik.

'Sta op!'

Mijn knieën waren bibberig en mijn voeten brandden.

'Je gaat met mij mee om te zien hoe we je vrienden arresteren,' zei Hamehd. 'De mensen die jij probeerde te beschermen. We hadden hun namen en adressen de hele tijd al. We moesten alleen meer over jou weten en je hebt ons laten zien dat je een vijand van de revolutie bent. Je bent een gevaar voor de islamitische samenleving.'

Ik werd opnieuw geblinddoekt. Hamehd bond mijn polsen aan elkaar met een stuk touw en sleurde me mee. Ik werd in een auto geduwd en na een paar minuten deed iemand me mijn blinddoek af. We hadden het gevangenisterrein verlaten. Ik wist niet wat voor dag het was of hoe laat het was, maar het leek erop alsof het vroeg in de avond was. De lucht was bewolkt en schemerig, maar niet volkomen duister. We reden zuidwaarts over een smalle kronkelweg. Er waren nauwelijks auto's of voetgangers. Aan weerszijden van de weg stonden oude muren van klei en baksteen, die de omheining vormden van grote percelen, waardoor de weg op een droge rivierbedding leek. Kale bomen staken de lucht in en bewogen heen en weer op de wind. Al snel draaiden we de Jordanië-weg op en reden verder zuidwaarts. Dit was een nieuwere, gegoede buurt. Er stond een hoog flatgebouw op een van de heuvels met daaromheen huizen van twee verdiepingen en grote bungalows. Ik keek naar de chauffeur. Hij had een volle zwarte baard en droeg het groene legeruniform van de Revolutionaire Garde. Hamehd zat op de passagiersplaats. Ze zaten beiden zwijgend voor zich uit te kijken. Toen we voor een stoplicht stonden, lachte vanaf de achterbank van een witte auto die naast ons gestopt was, een meisje van een jaar of drie à vier naar me. Voor in die auto zaten een man en een vrouw met elkaar te praten. Ik vroeg me af wat mijn ouders deden. Probeerden ze me te helpen of hadden ze de hoop opgegeven? Ik wist heel goed dat ze niets konden doen. Hoe zou het met Andre zijn? Dacht hij aan me?

We kwamen in hartje centrum. Het verkeer was er behoorlijk druk en op de trottoirs en in de winkels waren veel mensen. Op alle muren stonden strijdkreten van de islamitische regering te lezen en citaten van Khomeini. Een ervan trok mijn aandacht: 'Als men een ongelovige toestaat zijn rol van bederver van de aarde voort te zetten, zal het morele leed van de ongelovige alleen maar erger worden. Als men de ongelovige doodt en hem er zo van weerhoudt zijn misdaden voort te zetten, zal zijn dood een zegen voor hem zijn.' Ja, in Khomeini's wereld kon moord worden beschouwd als een goede daad, een 'zegen'. Dus Hamehd kon een pistool tegen mijn hoofd zetten, de trekker overhalen en geloven dat hij mij een dienst had bewezen en dat hij er zelf voor naar de hemel zou gaan.

Voetgangers staken tussen de auto's door de straat over. Bij een kruising keek een jongeman onze auto in en toen hij de bewaker achter het stuur zag, deed hij een stap achteruit en keek hij naar me. Het was gaan sneeuwen.

De auto stopte. We waren bij het huis van Minu, een schoolvriendin van mij. Er parkeerde nog een zwarte Mercedes naast ons. Twee bewakers stapten uit, gingen naar de deur van Minu's huis en belden aan. Iemand deed open. Het was haar moeder. De bewakers gingen het huis binnen. Hamehd overhandigde me een vel papier. Ik keek ernaar. Er stonden zo'n dertig namen op. Ik kende ze allemaal. Het waren leerlingen van mijn school. Ik herkende de handtekening van de directrice die eronder stond. Het vel papier dat ik in mijn handen hield, was de lijst van de meest gezochte personen van mijn school.

'We kunnen ze niet allemaal vanavond arresteren, maar binnen drie dagen moeten we ze toch wel hebben,' zei Hamehd glimlachend.

De bewakers kwamen na een halfuur weer naar buiten. Minu was bij hen. Hamehd stapte de auto uit, deed het achterportier open en beval haar om naast mij te gaan zitten. Ik zag dat haar moeder huilde en tegen een bewaker sprak. Hamehd zei tegen Minu dat ik een paar dagen eerder was gearresteerd. Van hem moest ik tegen Minu zeggen dat ze moest meewerken als ik niet wilde dat ze pijn zou lijden.

Minu keek me met angstig opengesperde ogen aan.

'Vertel hun alles wat ze willen weten,' zei ik terwijl ik naar mijn voeten wees. 'Ze...'

'Dat is genoeg,' kwam Hamehd tussenbeide.

Minu keek naar mijn voeten, sloeg haar handen voor haar gezicht en begon te huilen.

'Waarom huil je?' vroeg Hamehd haar, maar ze gaf geen antwoord.

We leken wel urenlang in de auto te zitten. We gingen van huis naar huis. Vier van mijn schoolkameraden werden die avond gearresteerd. Ik probeerde tegen Minu te fluisteren dat ze de bewakers een paar namen moest geven tijdens haar verhoor. Ik probeerde haar te vertellen dat ze een lijst hadden en dat ze alles al wisten, maar uiteindelijk was ik er niet zeker van of ze me begrepen had.

We werden geblinddoekt zodra we bij de ingang van de gevangenis kwamen. Toen de auto stilhield, ging het portier aan mijn kant open en beval Hamehd me uit te stappen. Ik strompelde achter hem aan een gebouw in en hij gebood me op de vloer in de gang te gaan zitten. Ik zat daar een hele tijd en luisterde naar het huilen en schreeuwen van de gevangenen. Mijn hoofd bonkte en ik was misselijk.

'Opstaan, Marina.' Hamehds stem deed me opschrikken. Ik was even weggesuft.

Ik slaagde erin mijn evenwicht te bewaren door steun tegen de muur te zoeken. Hij zei dat ik me moest vasthouden aan de chador van het meisje dat voor me stond. Ik hield haar vast, zij zette zich in beweging en ik strompelde achter haar aan. Mijn voeten brandden alsof ik over glasscherven liep. Al snel waren we buiten en daar liepen we verder; de koude wind striemde tegen me aan. Het meisje voor me begon te hoesten. De sneeuw op de grond ging in mijn rubberen slippers zitten, verdoofde mijn voeten en hielp tegen de pijn, maar ik raakte langzamerhand het gevoel in mijn benen kwijt en elke stap was moeilijker dan die ervoor. Ik struikelde over een steen en viel. Terwijl ik mijn hoofd op de bevroren grond liet rusten, likte ik aan de sneeuw in een wanhopige poging de bittere smaak in mijn droge mond te verzachten. Ik had het nog nooit zo koud gehad en ik had nog nooit zo'n dorst gehad. Mijn lichaam schokte onbeheerst en het geluid van mijn klapperende tanden weerklonk door mijn hoofd. Ruwe handen tilden me van de grond en dwongen me weer op mijn voeten te staan.

Waar brengen ze me naartoe?

'Gewoon lopen of ik schiet je hier meteen neer!' blafte Hamehd.

Ik kwam met moeite vooruit. Uiteindelijk moesten we stoppen en deed iemand mijn blinddoek af. Een fel licht scheen in mijn gezicht, verblindde me en veroorzaakte een pijnscheut die in mijn hoofd uiteenspatte. Enkele ogenblikken later keek ik om me heen. Een lichtbundel doorsneed de nacht als een witte, glinsterende rivier. Zwarte heuvels die in spookachtige schaduwen opgingen, omringden ons. Het leek alsof we ergens op een totaal verlaten plek stonden, er waren geen gebouwen in de buurt. Aan de nachtelijke hemel waren wolkenflarden te zien en een paar sneeuwvlokjes zweefden lichtjes door de lucht in een poging hun kristallen vlucht voort te zetten voordat ze een aardse dood vonden. Er waren nog vier andere gevangenen: twee meisjes en twee jongemannen. Vier revolutionaire bewakers hielden hun geweer op ons gericht, met uitdrukkingsloze gezichten alsof ze uit de duisternis waren gebeeldhouwd. 'Ga bij de palen staan!' riep Hamehd en zijn stem weerkaatste tegen de heuvels. Zo'n zes meter verderop staken een paar houten palen uit de grond, die ongeveer net zo lang waren als ik. Ze stonden op het punt om ons te executeren. Het koude gevoel in mijn borst verlamde me.

Nu ga ik sterven. Niemand verdient het om zo dood te gaan.

Een van de twee mannelijke gevangenen begon in het Arabisch een deel van de Koran op te zeggen waarin God om vergeving wordt gevraagd. Zijn stem was diep en krachtig. De andere jongeman keek naar de palen. Een van zijn ogen was zo gezwollen dat het dicht zat en er zaten bloedvlekken op zijn witte overhemd. 'En nu bij de palen staan!' riep Hamehd nogmaals en zwijgend gehoorzaamden wij. Treurnis vulde mijn hart en mijn longen als een dikke verstikkende vloeistof.

Lieve Jezus, help mij. Laat mijn ziel niet in het duister verloren gaan. 'Al gaat mijn weg door een donker dal, ik vrees geen gevaar, want u bent bij mij.'

Een van de meisjes rende weg. Iemand riep: 'Stop.' Maar ze rende verder. Een geweerschot doorkliefde de nacht en ze viel op de grond. Ik deed een stap naar voren, maar mijn benen begaven het. Het meisje ging op haar zij liggen en haar rug kromde zich van pijn. 'Alsjeblieft... maak me niet dood,' kreunde ze. De sneeuw die haar chador bedekte, schitterde in het helderwitte licht. Hamehd stond over haar heen gebogen met een geweer op haar gericht. Ze bedekte haar hoofd met haar armen.

Het meisje naast mij begon te huilen. Haar diepe uithalen leken haar borst uiteen te scheuren. Ze viel op haar knieën.

'Bind de anderen aan de palen vast!' schreeuwde Hamehd.

Een van de bewakers tilde me van de grond en een ander bond me aan de paal vast. Het touw sneed in mijn vlees.

Ik was ontzettend moe.

Doet doodgaan net zoveel pijn als gegeseld worden?

Hamehd hield zijn geweer nog steeds op het gewonde meisje gericht.

'Bewakers! Klaar om te vuren!'

De dood is slechts een plek waar ik nog nooit geweest ben. En de engel zal me helpen de weg te vinden. Dat moet. Er is licht achter dit vreselijke duister. Ergens achter de sterren komt de zon op.

Ze richtten hun geweren op ons en ik deed mijn ogen dicht.

Ik hoop dat Andre weet dat ik van hem hou. Wees gegroet, Maria, vol van genade, de Heer zij met u...

Ik hoorde een auto snel op ons af rijden en ik deed mijn ogen open. Even dacht ik dat we overreden zouden worden. Er klonk een hard gierend geluid en een zwarte Mercedes kwam precies voor de bewakers tot stilstand. Ali stapte uit. Hij liep direct op Hamehd af en overhandigde hem een document. Ze spraken een ogenblik. Hamehd knikte. Met zijn ogen op de mijne gericht, liep Ali op me af. Ik wilde vluchten. Ik wilde dat Hamehd me zou neerschieten en een einde aan mijn leven zou maken. Ali maakte me van de paal los. Ik zakte in elkaar. Hij ondersteunde me, tilde me op en liep met me naar de auto. Ik kon zijn hartslag tegen mijn lichaam voelen. Tevergeefs probeerde ik me uit zijn armen los te worstelen.

'Waar brengt u me naartoe?'

'Het is in orde. Ik doe je niets,' fluisterde hij.

Mijn ogen vonden de ogen van het meisje dat aan de paal naast mij was vastgebonden.

'God...' schreeuwde ze en ze sloot haar ogen.

Ali liet me op de passagiersplaats zakken en sloeg het portier dicht. Ik probeerde het open te maken, maar dat lukte niet. Hij sprong achter het stuur. Ik verzamelde al mijn kracht en begon hem te stompen, maar hij hield me met één hand tegen. Er klonken geweerschoten toen we wegreden.

Ik deed mijn ogen open in het licht van een peertje. Het plafond was grijs. Ik probeerde me te bewegen, maar mijn lichaam was gevoelloos.

Ali zat in een hoek naar me te kijken. We waren in een kleine cel en ik lag op de grond.

Ik deed mijn ogen dicht en wilde dat hij weg zou gaan, maar toen ik mijn ogen een paar minuten later weer opendeed, zat hij er nog steeds. Hij schudde zijn hoofd en zei dat ik dit allemaal over mezelf had afgeroepen door zo koppig te zijn. Hij zei dat hij naar ayatollah Khomeini was gegaan, die een goede vriend van zijn vader was, en dat hij hem gevraagd had mijn doodstraf om te zetten in een levenslange gevangenisstraf. De ayatollah had opdracht gegeven mijn leven te sparen.

Ik wilde niet dat de ayatollah mij spaarde. Ik wilde niet dat wie dan ook mij spaarde. Ik wilde dood.

'Ik ga nu iets te eten voor je halen. Je hebt al heel lang niets gegeten,' zei hij zonder zijn ogen van me af te wenden. Maar hij kwam niet in beweging. Omdat ik zijn blik zwaar op mijn huid voelde rusten, hield ik de deken die over me heen lag zo stevig vast dat mijn vingers er pijn van deden. Uiteindelijk stond hij op. Elke spier in mijn lichaam zette zich schrap.

'Ben je bang voor mij?' vroeg hij.

'Nee.' Ik verbeet me.

'Je hoeft niet bang voor mij te zijn.'

Het verlangen in zijn ogen was intens en oprecht. Ik had pijn in mijn buik. Ik merkte dat ik op het punt stond in schreeuwen uit te barsten, maar hij draaide zich om en liep de cel uit. Mijn lichaam schokte met elke traan die langs mijn wangen rolde. Ik haatte hem.

Ali kwam terug met een kom soep en ging naast me zitten.

'Huil alsjeblieft niet.'

Ik kon er niet mee ophouden.

'Moet ik weggaan?'

Ik knikte.

'Ik ga alleen weg als je me belooft dat je de soep opeet. Beloof je dat?'

Ik knikte opnieuw.

Bij de deur stond hij even stil, hij draaide zich om en zei: 'Ik kom straks nog even bij je kijken.' Zijn stem klonk zwaar en vermoeid.

Waarom had hij me van het vuurpeloton weggehaald? Wat ging er met me gebeuren?

Voordat ik in slaap viel, dacht ik als laatste aan Sarah. Ik hoopte dat het goed met haar ging. Het enige wat ik kon doen was bidden voor ons allebei, voor Sirus en Gita en al mijn andere vrienden die gearresteerd waren.

Nog niet eens zo heel lang geleden zaten we allemaal op school en speelden we in de pauze tikkertje en verstoppertje. Nu waren we politieke gevangenen.

5

Ik ging naar een lagere school met rode bakstenen muren die met wijnranken waren begroeid. Dat was tijdens het bewind van de sjah. Mijn school stond op tien minuten lopen van ons huis en daarom ging ik er zelfstandig heen. Het oude schoolgebouw was oorspronkelijk een herenhuis van twee verdiepingen en mijn vrienden hadden me verteld dat het hoofd, khanoem Mortazavi, die in het buitenland had gestudeerd, er een school van had gemaakt zodra ze weer in Iran was teruggekeerd. Elk leslokaal had hoge ramen, maar door de oude esdoorns die op het plein stonden, was het altijd donker binnen; meestal moesten we het licht aandoen om het schoolbord te kunnen zien. Elke dag na de laatste bel liepen Sarah en ik samen de school uit en staken we samen de straat over, maar daarna sloeg zij linksaf en ik rechtsaf. Dan ging ik verder zuidwaarts over de Rahzi-laan en liep ik langs de hoge bakstenen muren van de Vaticaanse ambassade, langs restaurant Ashna waar de geur van aromatische rijst en gegrild rundvlees in de lucht hing en langs een kleine lingeriewinkel waar verfijnde kanten nachthemden in de etalage lagen. Zonder mijn moeder die me voorttrok en me aanspoorde om door te lopen, deed ik soms alsof ik een wit wolkje was dat door de blauwe lucht zweefde, of een ballerina die voor een groot publiek danste of een boot die over een sprookjesrivier voer.

Zolang ik maar niet te laat thuiskwam, hoefde ik me niet te haasten, maar ik moest altijd zorgen dat ik mijn moeder niet van streek maakte. Als ze klanten had, mocht ik niet in de schoonheidssalon komen en als ze geen klanten had, moest ik heel stil zijn omdat ze vaak hoofdpijn had. Ik was onhandig en moest goed oppassen dat ik niets brak en dat ik geen troep maakte wanneer ik een boterham smeerde, en wanneer ik ijsthee of cola in een beker schonk, moest ik ervoor zorgen dat ik niet morste. Mijn moeder had nogal een opvliegend karakter, en ze was ook heel mooi. Ze had bruine ogen, een volmaakte neus, volle lippen en lange benen en ze droeg graag jurken met een blote hals die haar zachte witte huid goed deden uitkomen. Elke lok van haar korte donkere haar zat altijd keurig in het gareel. Als ik haar boos maakte, sloot ze me op het balkon van mijn slaapkamer op. Mijn balkon was omheind met bamboeschermen die tegen twee horizontale en een paar verticale metalen palen steunden. Hiervandaan keek ik naar de auto's en voetgangers op straat, de verkopers die hun waar aanprezen en de bedelaars die hun hand ophielden. De verharde weg met vier rijstroken kolkte van het verkeer tijdens de spits en het rook er naar uitlaatgassen. Aan de overkant van de straat stond Hassan Agha, de verkoper die maar één arm had, zure groene pruimen te verkopen in de lente, perziken en abrikozen in de zomer, gekookte rode bieten in de herfst en allerlei soorten koekjes in de winter. Ik was dol op de gekookte bietjes, ze stonden zachtjes te sudderen in een grote ondiepe pan op de vlammen van een draagbare brander, en het plakkerige sap borrelde en stoomde en verspreidde een zoete geur. Op de andere hoek van de kruising stond van 's ochtends vroeg tot 's avonds laat een oude blinde man in een rafelig smerig pak, die zijn knokige handen naar de voorbijgangers uitstak en riep: 'Help me in de naam van God.' Voor ons appartement stond een kantoorgebouw van vijftien verdiepingen met grote spiegelramen die glinsterden in de zon en die de voorbij drijvende wolken weerkaatsten. 's Avonds gingen de felle neonlichten van de winkels aan en kleurden het duister.

Op een dag bedacht ik dat elke straf beter was dan op het balkon opgesloten zitten. Ik keek omlaag; springen kon niet. Ik kon gillen, maar ik wilde geen scène maken en de hele buurt laten weten dat mijn moeder me op het balkon opsloot. Ik keek rond en mijn oog viel op de kleine plastic zak waarin mijn moeder haar houten wasknijpers bewaarde. Ik keek opnieuw omlaag naar het drukke trottoir. Als ik de wasknijpers op voorbijgangers liet vallen, zou hun niets overkomen, maar dan zouden ze wel willen weten wat er uit de lucht op hun hoofd was gevallen. Dan kon ik hun vertellen van de wasknijper en hun smeken aan te bellen en mijn moeder te vragen me binnen te laten. Ik wist dat mijn moeder boos zou zijn, maar dat kon me niet schelen. Ik kon mijn eenzame opsluiting niet langer verdragen. Het was winter en er was een koude wind opgestoken. Al snel verdween de zon achter de wolken en vielen er sneeuwvlokken op mijn gezicht. Ik raapte al mijn moed bij elkaar en pakte een wasknijper die ik, leunend tegen de bamboeschermen rond het balkon, boven het trottoir hield en na een diepe zucht liet vallen. Hij kwam op niemand terecht, gewoon op het trottoir. Ik deed een nieuwe poging en had succes. Een vrouw van middelbare leeftijd met lang bruin haar stopte, voelde aan haar hoofd en keek om zich heen. Toen boog ze zich voorover, raapte de wasknijper op en bekeek die uitvoerig. Toen ze uiteindelijk omhoogkeek, keek ze me recht aan.

'Meisje, wat doe je nu?' vroeg ze met rood aangelopen gezicht.

'Het spijt me. Ik wilde u geen pijn doen, maar mijn moeder heeft me hier op het balkon opgesloten en ik wil naar binnen. Het is koud. Wilt u alstublieft aanbellen en mijn moeder vragen me binnen te laten?'

'Geen sprake van! Het gaat mij niets aan hoe je moeder jou straft. Het ziet ernaar uit dat je dit ook wel verdiend hebt,' zei ze en ze liep weg. Maar ik was niet van plan het op te geven.

De keer daarna belandde de knijper op het hoofd van een oudere vrouw met een zwarte chador en zij keek onmiddellijk omhoog.

'Wat doe je?' vroeg ze en ik vertelde haar mijn verhaal.

Ze belde aan. Al snel verscheen mijn moeder op het andere balkon, dat maar iets van een meter van het mijne verwijderd was, keek naar beneden en riep: 'Wie is daar?'

Toen de vrouw mijn moeder vertelde wat ik had gedaan en waarom, zag ik mijn moeder steeds woedender kijken. Na een minuut ging de deur van mijn balkon open. Ik aarzelde.

'Naar binnen,' zei mijn moeder met opeengeklemde kaken.

Ik stapte mijn slaapkamer binnen.

'Je bent een vreselijk kind!' zei ze.

Ik sidderde. Ik had verwacht dat ze me zou slaan, maar in plaats daarvan draaide ze zich om en vertrok. 'Ik ga weg, ik ben moe. Ik heb genoeg van dit leven. Ik wil je nooit meer zien!'

Ik had buikpijn. Ze kon toch niet echt weggaan, of wel? Het klonk alsof het haar ernst was. Wat moest ik beginnen zonder moeder? Ik rende achter haar aan en greep haar rok vast. Ze stond niet stil.

'Ga alsjeblieft niet weg. Het spijt me,' smeekte ik. 'Ik ga wel terug naar het balkon en ik blijf daar zonder iemand last te bezorgen. Ik beloof het.'

Ze negeerde me en liep naar de keuken, ze pakte haar tas en liep naar de trap. In paniek begon ik te huilen, maar ze stopte niet. Ik greep haar been vast, maar ze bleef de trap af lopen terwijl ze mij voortsleepte. De trap voelde hard en koud tegen mijn huid. Ik smeekte haar om te blijven. Uiteindelijk stopte ze bij de deur.

'Als je wilt dat ik blijf, ga dan naar je kamer, blijf daar en laat je niet horen.'

Ik keek haar aan.

'Nu meteen!' riep ze, en ik rende naar mijn kamer.

Daarna zat ik nog lange tijd elke keer dat mijn moeder voor een boodschap het huis uit ging, bevend van angst uit het raam te kijken. Stel dat ze nooit meer terugkwam?

Ik besloot mijn moeder niet voor de voeten te lopen en de beste manier om dat te doen was door zo lang mogelijk op mijn kamer te blijven. Elke dag liep ik zodra ik uit school thuiskwam op mijn tenen naar de keuken om te zien of mijn moeder er ook was. Als ze er niet was, maakte ik een boterham met worst voor mezelf klaar, en als ze er wel was, zei ik snel 'hallo' en ging dan op mijn kamer zitten wachten totdat zij de keuken uit was. Nadat ik gegeten had, bleef ik in mijn kamer, deed mijn huiswerk en las de boeken die ik van de schoolbibliotheek had geleend. Veel van deze boeken waren vertalingen: *Peter Pan*, *Alice in Wonderland*, *De kleine zeemeermin*, *De sneeuwkoningin*, *Het standvastige tinnen soldaatje*, *Assepoester*, *De schone slaapster*, *Hans en Grietje* en *Repelsteeltje*. Mijn schoolbibliotheek was maar klein en al snel had ik alle boeken niet één keer maar wel drie of vier keer gelezen. Elke avond kwam mijn moeder een paar keer om de hoek van de deur kijken wat ik deed en ze glimlachte als ze zag dat ik aan het lezen was. Op een bepaalde manier waren boeken voor ons allebei onze redding.

Op een dag raapte ik al mijn moed bijeen en vroeg mijn moeder of ze boeken voor me wilde kopen en zij zei dat ze maar één boek per maand voor me kon kopen omdat boeken duur waren en wij niet al ons geld daaraan konden uitgeven. Maar één boek per maand was niet genoeg. Toen mijn moeder en ik een paar dagen later naar huis liepen na een bezoek aan haar vader, viel me een kleine boekwinkel op. Op het uithangbord stond: TWEEDEHANDS BOEKEN. Ik wist dat 'tweedehands' goedkoop betekende, maar ik durfde mijn moeder niet te vragen of we er konden gaan kijken.

Toen mijn moeder een week later aankondigde dat het weer tijd was om bij opa op bezoek te gaan, zei ik tegen haar dat ik me niet lekker voelde en zij vond het goed dat ik thuis bleef. Mijn vader was aan het werk. Niet lang na oma's overlijden had hij zijn dansschool gesloten en een baan gevonden bij een afdeling van het ministerie van Kunst en Cultuur, waar hij met folkloristische dansgroepen werkte. Zijn nieuwe baan beviel hem goed en zo nu en dan ging hij naar het buitenland met de dansers, jonge mannen en vrouwen die Iran vertegenwoordigden op diverse internationale evenementen. Zodra mijn moeder het huis uit was, rende ik naar de slaapkamer van mijn ouders en haalde mijn moeders reservesleutel uit de la van haar toilettafel. Ik had mijn chocolademelkgeld van de hele week opgespaard en hoopte dat het genoeg zou zijn voor een boek.

Ik vloog naar de tweedehandsboekwinkel. De hele dag had de late lentezon op het zwarte asfalt geschenen waardoor de hitte trillend opsteeg en tegen me aan duwde. Toen ik in de boekwinkel aankwam, dropen de zweetdruppels van mijn voorhoofd in mijn ogen en deden ze branden. Ik veegde mijn gezicht met mijn T-shirt af, duwde de glazen deur van de winkel open en stapte naar binnen. Toen mijn ogen eenmaal aan het gedempte licht gewend waren, kon ik niet geloven wat ik zag. Overal om me heen waren stapels boeken opgeslagen op planken die tot aan het plafond reikten waardoor er slechts smalle tunnels overbleven die in het duister verdwenen. Ik werd omringd door talloze boeken. De lucht ademde de geur van papier en van de verhalen en dromen die in geschreven woorden tot leven kwamen.

'Hallo?' riep ik.

Er kwam geen antwoord.

'Hallo?' riep ik opnieuw, nu iets harder.

Uit de diepten van een van de boektunnels riep een mannenstem met een sterk Armeens accent: 'Wat kan ik voor u doen?'

Ik deed een stap naar achteren en riep: 'Waar bent u?'

Recht voor mijn neus verscheen een grijze schaduw in beeld. Ik hapte naar adem.

De schaduw lachte.

'Het spijt me, meisje. Ik wilde je niet aan het schrikken maken. Wat kan ik voor je doen?'

Ik moest mezelf eraan herinneren adem te halen.

'Ik... ik wil een boek kopen.'

'Wat voor boek?'

Ik haalde al mijn geld uit mijn zak en liet de munten aan de magere oude man zien die voor me stond.

'Dit is alles wat ik heb. Het maakt niet uit wat voor boek, als het maar een mooi boek is.'

Hij glimlachte en streek met zijn vingers door zijn grijze haar.

'Waarom ga je niet naar de bakker hiernaast en koop je er lekker een paar donuts voor?'

'Maar ik wil een boek. Is dit niet genoeg?'

'Jongedame, het probleem is dat al mijn boeken in het Engels geschreven zijn. Kun je Engels?'

'Ik ben heel goed in Engels. Op school hebben we elke dag een uur Engels. Ik zit in de derde klas.'

'Goed, eens kijken wat ik voor je kan vinden,' zei hij zuchtend en hij verdween achter de boekenbergen.

Ik wachtte en vroeg me af hoe hij iets kon vinden in die grote chaos, maar wonderbaarlijk genoeg keerde hij uit de duistere warboel terug met een boek.

'Alsjeblieft,' zei hij terwijl hij me het boek overhandigde. 'The Lion, the Witch and the Wardrobe. Het is een prachtig boek en het eerste deel uit een reeks.'

Ik bekeek het nauwkeurig. Het had een blauwgrijze kaft met in het midden een afbeelding van een leeuw met een jongen en een meisje op zijn rug. De leeuw sprong in de lucht. Het boek zag er oud uit, maar was in een redelijke staat.

'Hoe duur is het?'

'Vijf toman.'

'Maar ik heb er maar vier!' zei ik bijna in tranen.

'Vier is ook goed.'

Opgetogen bedankte ik hem en ik ging in een sneltreinvaart naar huis.

Drie dagen later had ik The Lion, the Witch and the Wardrobe twee keer gelezen en ik was er helemaal weg van. Ik wilde meer. Ik had echter nog maar twee toman gespaard en wist niet of de man van de boekwinkel weer zo goedgeefs zou zijn, en ik durfde mijn moeder niet om geld te vragen. Daarom besloot ik mijn pennendoos aan mijn vriendin Sarah te verkopen. Aan het begin van het schooljaar had Sarah me gevraagd waar ik die pennendoos had gekocht en ik had haar verteld dat mijn moeder die voor me had gekocht in het grote warenhuis op de kruising van de Sjah-laan en de Pahlavi-laan. Maar toen Sarahs moeder ernaartoe ging om er net zo een te kopen, waren ze uitverkocht en Sarah was erg teleurgesteld geweest. Het was een blauwe plastic doos met een magnetisch slot dat klikte wanneer je het deksel dichtdeed. De volgende dag haalde ik Sarah in op weg naar school. Ze had grote donkerbruine ogen en dikke zwarte krullen die tot op haar schouders vielen en ze had een hip horloge met op de wijzerplaat een afbeelding van Assepoester en de prins, die haar een glazen muiltje aandeed. Assepoester zat op een kruk en had het ene been over het andere geslagen en haar been bewoog elke seconde op en neer. Sarahs moeder had het horloge voor haar gekocht toen ze op vakantie waren in Engeland. Ik vroeg haar of ze nog steeds mijn pennendoos wilde hebben en dat was zo. Ik liet haar weten dat ik bereid was hem aan haar te verkopen. Ze wilde weten waarom en klonk nogal achterdochtig. Dus ik vertelde haar van de boekwinkel. Ze was bereid me vijf toman te geven als ik haar ook mijn geparfumeerde gum gaf. Ik accepteerde haar bod.

Na schooltijd waren Sarah en ik binnen vijf minuten naar haar huis gerend. Het stond in een kleine halvemaanvormige rij van huizen die allemaal een kleine tuin hadden die was omheind met een hoge bakstenen muur om de bewoners privacy te geven. Ik was dol op haar straat omdat het er zo rustig was zonder auto's, winkels, verkopers en bedelaars. In de lucht hing een geur van gebakken uien en knoflook, die me het water in de mond deed lopen. Een van de buren was waarschijnlijk eten aan het koken. Sarah had een huissleutel omdat haar ouders allebei werkten en pas later op de dag thuiskwamen. Ze deed de deur open en we liepen haar tuin binnen. Een klein bloembed aan onze rechterkant stond vol met de rode, groene en paarse tinten van geraniums en viooltjes.

Heimelijk verlangde ik ernaar om in zo'n huis als dat van Sarah te wonen. Haar moeder, die bij de bank werkte en altijd elegante mantelpakjes en glimmende zwarte schoenen met heel hoge hakken droeg, was een kleine ronde vrouw met kort zwart haar. Ze omhelsde me altijd als ik daar langskwam en zei dan dat ze het geweldig vond dat ik er was. Sarahs vader was ingenieur; het was een grote man die altijd moppen vertelde, bulderde van het lachen en mooie oude gedichten voordroeg. Sarahs enige broer Sirus was twaalf, drie jaar ouder dan Sarah en ik. Anders dan de rest van het gezin was hij heel verlegen. Bij Sarah thuis was het altijd een luidruchtige en vrolijke boel.

Ik gaf Sarah de pennendoos en zij gaf mij het geld. Toen belde ik mijn moeder en zei dat ik bij Sarah was om haar met het huiswerk te helpen. Mijn moeder vond het best. Ik bedankte Sarah en ging op een holletje naar de boekwinkel die er nog net zo donker, stoffig en mysterieus uitzag als bij mijn eerste bezoek. Opnieuw kwam de oude man uit het duister opduiken.

'Laat me eens raden: je hebt er geen jota van begrepen en nu wil je je geld terug,' zei hij met toegeknepen ogen.

'Nee. Ik heb het twee keer gelezen en ik vond het prachtig! Een paar woorden begreep ik niet, maar ik heb mijn vaders woordenboek gebruikt. Ik ben hier om het tweede deel te kopen. Hebt u dat? Ik heb mijn pennendoos en mijn geparfumeerde gum aan mijn vriendin Sarah verkocht zodat ik nu genoeg geld heb.'

De oude man keek me aan en verroerde geen vin. De moed zonk me in de schoenen. Misschien had hij het tweede deel niet.

'En, hebt u het?'

'Jazeker. Maar... je hoeft er niet voor te betalen; je kunt het lenen als je belooft er heel zuinig op te zijn en het terug te geven zodra je het gelezen hebt. Twee keer.'

Ik dacht aan mijn engel. Misschien deed hij alsof hij een oude man was. Ik keek in de ogen van de oude man en ze leken bijna net zo donker, diep en vriendelijk als de ogen van de engel. Ik keek naar het boek, het was *Prince Caspian*.

'Hoe heet je?' vroeg hij.

'Marina. En hoe heet u?'

'Albert,' antwoordde hij.

Hm. Een engel die Albert heette.

Vanaf die dag zocht ik Albert minstens één keer per week op om boeken van hem te lenen.

Op mijn elfde ging ik naar de middelbare school. In die tijd financierde de de overheid alle scholen en universiteiten in Iran, maar sommige scholen waren aantoonbaar beter dan andere en de Anushiravan-e Dadgar, een middelbare school voor meisjes op basis van de leer van Zarathoestra, was daar een van. Mijn ouders hadden deze school niet voor me uitgezocht omdat hij een van de beste was, maar gewoon omdat hij dicht bij ons appartement was.

Zarathoestra was een profeet die bijna drieduizend jaar geleden in Perzië geboren werd. Hij riep de mensen op om in de enige echte God te geloven: Ahoera Mazda. Toen ik op school zat, waren de meeste leerlingen volgeling van Zarathoestra of moslim, maar er waren ook bahais, joden en slechts een paar christenen.

Het veertig jaar oude hoofdgebouw van de school met zijn hoge plafonds en vele ramen deed heel ruim aan. Aan de lange gangen leek geen einde te komen en twee brede trappen verbonden de begane grond met de bovenverdieping. Zuilen van twee verdiepingen hoog stonden aan weerszijden van de hoofdingang, waarboven in grote letters stond te lezen: GOEDE GEDACHTEN, GOEDE WOORDEN, GOEDE DADEN, het hoofdmotto van het geloof van Zarathoestra. We hadden een apart sportgebouw met een basketbal- en een volleybalveld en hoge bakstenen muren omheinden het betegelde schoolplein.

Drie jaar lang waren mijn bezoekjes aan Alberts boekwinkel het hoogtepunt van mijn leven. Albert had al die talloze boeken gelezen die in zijn winkel waren opgestapeld, hij wist precies waar elk boek lag en vond het heerlijk om erover te praten. Hij had een vrouw en een zoon en hij vertelde me dat zijn zoon, die getrouwd was en zelf twee zoontjes had, twee jaar eerder naar Amerika was verhuisd. De kerst na onze eerste ontmoeting gaf Albert me een pakket dat in rood papier was verpakt. Ik maakte het open en ik zag *The Chronicles of Narnia* en een prachtige blauwe pennendoos met kleurpotloden en gummen die naar kauwgum roken.

De laatste keer dat ik Albert zag, was een paar dagen na mijn twaalfde verjaardag, een prachtige lentedag waarop de vogels zongen en het zonnetje lekker scheen. Glimlachend duwde ik de zware glazen deur naar Alberts boekwinkel open, met *Little Women* aan mijn borst gedrukt.

'Ha, Al...'

Stofdeeltjes dansten in de straal zonlicht die op de linoleumvloer viel. De lege winkel strekte zich voor mij uit. Het was alsof ik aan de rand van een woestijn stond. Alsof ik net belaagd was door een uiterst felle wind hapte ik naar lucht en ik probeerde weer op adem te komen. Albert zat op een grote kartonnen doos, midden in die vreselijke leegte, en keek me met een trieste glimlach aan.

'Waar zijn de boeken?' vroeg ik hem.

Hij vertelde me dat hij de meeste aan een andere boekwinkel had verkocht, maar dat hij al mijn lievelingsboeken had bewaard. Ze zaten in de doos waarop hij zat. Hij beloofde ze later naar mijn huis te brengen. Hij had het me eerder willen vertellen, maar dat had hij niet over zijn hart kunnen verkrijgen. Hij en zijn vrouw zouden Iran spoedig verlaten om bij hun zoon in Amerika te gaan wonen. Albert wilde niet weg, maar het ging niet goed met zijn vrouw en zij wilde de tijd die haar nog restte doorbrengen in de nabijheid van haar zoon en kleinkinderen. Dat kon hij haar niet weigeren. Ze waren eenenvijftig jaar getrouwd en dit was haar laatste wens.

Hij haalde een witte zakdoek uit de borstzak van zijn overhemd en snoot zijn neus. Mijn armen en benen voelden slap aan. Hij stond op, liep op me af en legde zijn handen op mijn schouders.

'Ik heb je groter zien worden. Je hebt me vreugde en geluk gebracht. Ik zal je missen. Je bent als een dochter voor me.'

Ik sloeg mijn armen om hem heen en hield hem stevig vast. Zijn verhuizing naar Amerika was voor mij net zo heftig en onherroepelijk als de dood.

6

Ik werd wakker met de smaak van kippensoep in mijn mond. Ik ging rechtop zitten. De wereld leek schuil te gaan onder een dichte mist en draaide om me heen. Er waren geen vaste lijnen of vormen, alleen vage kleuren. Iemand riep mijn naam. Opnieuw kippensoep. Ik hoestte.

'Doorslikken. Het is goed voor je.'

Het warme vocht gleed door mijn keel. Het deed me goed. Ik slikte nogmaals. Voor mij zag ik een helderwit vierkant. Ik probeerde me te concentreren. Het was een klein tralievenster. Alles deed me pijn en ik voelde me koortsig.

'Dat is beter,' klonk de stem. Hij kwam vanachter mij. Ik probeerde me te bewegen.

'Niet bewegen, doorslikken.'

Elke beweging deed me pijn. Ik slikte. Er drupte wat soep langs mijn kin.

Geleidelijk kwam de cel weer duidelijk in beeld.

'Ik laat je nu weer liggen,' zei de stem. Het was die van Ali.

Hij ging bijna een meter van me vandaan op de vloer zitten en zei dat hij me naar een vrouwenzaal in Evin zou sturen, die 246 heette. Daar zou ik enkele vriendinnen treffen en daar zou ik me beter voelen.

Hij zei dat hij een van de cipiers van 246 kende en haar zou vragen een oogje in het zeil te houden. Ze heette zuster Maryam.

'Ik ga een tijdje weg,' zei hij en daarna keek hij me zwijgend aan, alsof hij wachtte tot ik iets zou zeggen. Ik had geen idee wat voor oord 246 was. Had hij echt tegen me gezegd dat ik levenslang had of had ik het gedroomd?

'Heb ik echt levenslang?' vroeg ik.

Hij knikte met een trieste glimlach.

Ik deed mijn best om niet te huilen, maar ik kon het niet tegenhouden. Ik wilde hem vragen waarom hij me van de executie had gered. Ik wilde tegen hem zeggen dat de dood beter was dan levenslang in de gevangenis. Ik wilde dat hij wist dat hij niet het recht had te doen wat hij had gedaan – maar ik kon het niet.

Hij stond op en zei: 'Moge God je beschermen.' Daarna vertrok hij. Ik viel in slaap.

Na een paar uur kwam hij terug en nam me mee tot bij de deur van een kleine kamer waar ongeveer twintig meisjes naast elkaar op de vloer lagen te slapen.

'Je moet in deze kamer blijven wachten totdat ze je komen halen om je naar 246 te brengen. Pas goed op jezelf. Het zal heus beter gaan. Doe je blinddoek voor zodra je zit.'

Ik zag een leeg plekje in de verste hoek van de kamer. Ik was nog steeds duizelig en mijn voeten deden pijn, zodat het me veel moeite kostte om er te komen zonder op iemand te stappen. Niemand had op mijn komst gereageerd. Er was niet genoeg ruimte om te liggen, zodat ik maar bleef zitten, met mijn knieën tegen mijn borst gedrukt. Ik leunde tegen de muur en huilde.

Na een tijdje kwam er een man die zo'n tien namen afriep, waaronder die van mij.

'Als ik je naam heb genoemd, trek je je blinddoek iets op zodat je kunt zien waar je loopt, en ga je hier in een rij voor de deur staan. Iedereen moet de chador van de persoon voor zich vasthouden. Let op: je mag de blinddoek maar een klein beetje omhoogtrekken. Als ik je te veel zie rondloeren zal het je bezuren. Zo gauw je in de rij staat, trek je de blinddoek weer omlaag en zorg je ervoor dat hij strak zit.'

Ik greep de chador van het meisje voor mij vast, en het meisje achter mij pakte mijn omslagdoek. We liepen een paar gangen door en waren al snel buiten. Het was koud. Ik bad dat we snel op onze plaats van bestemming zouden komen, want ik viel bijna flauw. Ik kon alleen maar de grijze stenen en de chador en de voeten van het meisje voor mij zien. Haar voeten waren niet opgezwollen, maar ze droeg rubberen slippers die sterk leken op die van mij en die minstens twee maten te groot voor haar waren. Ik vroeg me af wat er met mijn schoenen was gebeurd. We betraden een gebouw, liepen door een hal en bestegen een trap. Toen zei de bewaker dat we moesten halthouden, riep mijn naam en zei dat ik uit de rij moest stappen.

'Pak dit touw en volg me,' zei hij.

Ik greep het touw en liep achter hem aan een deur door.

'Salam aleikum, zuster. Goedemorgen. Ik heb hier een nieuwe voor je: Marina Moradi-Bakht. Hier zijn de papieren.'

'Ook goedemorgen, broeder. Bedankt,' zei de vrouw.

De deur sloot met een zachte klik. In het vertrek hing de geur van pas gezette thee. Ik besefte dat ik uitgehongerd was.

'Marina, doe je blinddoek af,' zei de vrouw gebiedend en ik gehoorzaamde. Het was een vrouw van halverwege de twintig die zo'n twintig centimeter langer dan ik was. Ze had grote donkere ogen, een grote neus en dunne lippen, hetgeen haar een bijzonder ernstig gezicht gaf. Ze droeg een zwarte chador. Ik vroeg me af of ze ooit weleens had gelachen.

Het vertrek waarin we stonden, was een soort kantoor. Het was ongeveer drie bij vier meter; er stonden een bureau, vier metalen stoelen en een eenvoudige metalen tafel met stapels papier erop. Door het tralievenster scheen het gele licht van de ochtendzon op de vloer.

'Marina, ik ben zuster Maryam,' zei de vrouw. 'Broeder Ali heeft me over je verteld.' Ze legde uit dat 246, het gebouw waarin we ons bevonden, twee verdiepingen had, met zes kamers op de benedenverdieping en zeven op de bovenverdieping. Ik moest naar kamer 7 op de bovenverdieping. Daarna riep ze iemand over de luidspreker. Binnen een paar minuten kwam een meisje van ongeveer mijn leeftijd het kantoor binnen. Zuster Maryam stelde haar voor als Soheila. Ze was een gevangene en trad op als de vertegenwoordigster van kamer 7. Soheila had kort bruin haar en was gekleed in een blauwe sweater met een zwarte broek, en ze droeg niets over haar haar. Ik vermoedde dat we de hidjab niet de hele tijd hoefden te dragen omdat 246 een vrouwenpand was. De deur van het kantoor kwam uit op een lege hal van ongeveer acht meter lang en drie meter breed. Toen we de hal overstaken, zag ik de trap die naar de benedenverdieping leidde. Ik strompelde achter Soheila aan en raakte achterop. Ze stopte, draaide zich om en keek naar mijn voeten.

'Sorry... Ik had niet door dat... Hier, leg je arm om mijn schouder. Ik help je wel,' zei ze.

We kwamen bij een metalen traliedeur, die Soheila openduwde, waarna we een smalle gang betraden. Overal waren meisjes. We passeerden drie deuren en liepen verder de gang in, die een hoek van negentig graden maakte. Na nog eens drie deuren bereikten we het vertrek aan het eind: kamer 7. Ik keek om me heen. De kamer was ongeveer vijf bij acht meter en op de vloer lag een sleets bruin tapijt. Op iets boven mijn ooghoogte hing een metalen plank aan de muur: op de plank stonden plastic zakken met kleren en aan haken onder de plank hingen kleinere zakken. Op de muren en de metalen deuren zat slechts een dun laagje vuile beige verf. In de ene hoek stond een stapelbed. Op het onderste bed stonden potten en vaten in allerlei vormen en maten, op het bovenste bed lagen ook plastic zakken met kleren. In een andere hoek lag naast een tralievenster een stapel grijze legerdekens die bijna tot aan het plafond reikte. De kamer was opmerkelijk schoon en netjes. In kleine groepjes van drie of vier zaten er ongeveer vijftig meisjes op de grond met elkaar te praten. Ze waren allemaal van mijn leeftijd en keken me nieuwsgierig aan toen ik de kamer betrad. Ik kon me niet langer staande houden en viel neer op de vloer.

'Meisjes, zorg dat ze een plek krijgt waar ze kan uitrusten!' riep So-heila terwijl ze naast me neerknielde. 'Ik weet dat je voeten heel erg pijn doen, maar het komt goed. Maak je geen zorgen.'

Ik knikte, terwijl de tranen in mijn ogen opwelden.

'Marina!' riep een bekende stem.

Ik keek op en even herkende ik het meisje niet dat bij me stond.

'... Sarah! Godzijdank! Ik heb zo om je in angst gezeten!'

Sarah was mager geworden. Haar glanzende blanke huid was dof geworden en ze had donkere kringen onder haar ogen. We omhelsden elkaar tot we niet meer konden.

'Gaat het?' vroeg Sarah terwijl ze naar mijn voeten keek.

'Het gaat wel. Het had nog erger gekund.'

Ik trok de doek van mijn hoofd en ging met een hand door mijn haar, waarvan de lokken aan elkaar plakten. Ik was nog nooit zo sme-rig geweest.

'Waarom staat je naam op je voorhoofd?' vroeg Sarah.

'Wat?'

'Je naam staat met zwarte viltstift op je voorhoofd geschreven.'

Ik raakte mijn voorhoofd aan en vroeg om een spiegel, maar Sarah zei dat er geen spiegels waren. Ze zei dat ze al die tijd in Evin bij nie-mand de naam op het voorhoofd had zien staan. Ik kon me niet herin-neren wanneer het was gebeurd. Toen vroeg ze me naar de buil op mijn hoofd en ik vertelde haar dat ik was flauwgevallen in de badka-mer.

'Marina, hoe gaat het met mijn ouders? Wanneer heb je ze voor het laatst gezien?' Sarah keek me aan alsof ze dagenlang zonder water door de woestijn had gezworven en ik een borrelende bron was.

Ik vertelde haar dat haar ouders erg bezorgd waren en hadden ge-probeerd haar en Sirus te zien te krijgen. Ik vroeg haar of ze wist waar Sirus was en of het goed met hem ging. Ze wist het niet. Toen vroeg ik haar of ze haar gegeseld hadden.

Op de avond dat ze waren gearresteerd, hadden de bewakers Sarah gedwongen toe te kijken terwijl ze Sirus geselden. Ze wilden dat hij hun de namen van zijn vrienden gaf, maar hij weigerde. Toen ze haar ogen sloot om niet te hoeven zien wat ze haar broer aandeden, sloegen en schopten ze haar en dwongen haar toe te kijken. Daarna maakten ze hem los en bonden haar op het bed vast. Ze zeiden tegen Sirus dat ze Sarah niet zouden geselen als hij hun de namen gaf, maar hij deed zijn mond niet open en daarom werd Sarah eveneens gemarteld. Ze vroegen haar of ze een van zijn vrienden kende, maar ze kende geen van hen. Toen vroegen ze haar naar haar eigen vrienden.

'Ik heb hun jouw naam gegeven, Marina... Het spijt me... maar ik kon er niet meer tegen,' zei ze. Ik nam het haar niet kwalijk. Als Hamehd mij nog iets langer had gegeseld, had ik hem alle namen gegeven die hij wilde horen.

Ik vertelde haar over de lijst. Ze kon nauwelijks bevatten dat de bewakers ons hadden gemarteld om iets wat ze allang wisten. Ze vroeg me waarom ik haar niet eerder over de lijst had verteld, en ik legde uit dat ik niet wist wie erop stonden en niemand bang wilde maken.

'Heb je Gita gezien?' vroeg ik haar.

'Voordat broeder Hamehd mij martelde, zei hij dat Gita hem mijn naam en adres had gegeven. Ik geloofde hem en werd kwaad op haar. Ik dacht dat het haar schuld was dat ik was gearresteerd. Daarna geselde Hamehd mij en vertelde ik uiteindelijk alles wat ik wist. Ik haatte mezelf omdat ik Gita haatte.'

Met haar handen voor haar mond probeerde Sarah de pijn te smoren die zich een weg naar buiten wilde banen. Ik sloeg mijn armen om haar heen en ze schreeuwde het uit tegen mijn borst.

Ten slotte keek ze op. 'Net voordat Hamehd mij hierheen stuurde, vertelde hij me dat Gita de nacht ervoor was geëxecuteerd. Hij zei dat hetzelfde met Sirus zou gebeuren als hij niet meewerkte. Daardoor wist ik dat Hamehd tegen me had gelogen toen hij zei dat Gita hem mijn naam en adres had gegeven. Als Gita iets had gezegd, zou ze in leven zijn gebleven. Ze heeft gezwegen en daarom hebben ze haar vermoord. Het was niet haar schuld.'

'Is Gita dood?'

Sarah knikte.

Het kon niet waar zijn.

Een stem in mijn hoofd zei: 'Jij leeft nog en dat heb je niet verdiend.'

Ik herinnerde me de dag dat Gita en ik vriendinnen werden. Het was drieënhalf jaar geleden, in de zomer van 1978, in het noorden van het land, waar onze familie een huisje had, in de zomer dat ik Arash ontmoette.

7

In het jaar dat ik werd geboren, kochten mijn ouders een huisje in het plaatsje Ghazian – aan de overzijde van een brug vanaf Bandar-e Pahlavi – aan de Kaspische Zee. Het leven had er een traag ritme en de omgeving was groen. Weliswaar was het bezit van een zomerhuisje aan de Kaspische Zee toentertijd een teken van rijkdom, maar mijn familie was niet rijk. Mijn vader hield zo van de rust en de schoonheid van Noord-Iran dat hij liever dat vakantiehuisje kocht dan een huis in Teheran. Maar hij had niet genoeg geld en kocht het daarom samen met een vriend, de luidruchtige en vrolijke Partef, een Russisch-Armeense man die een fabriek voor roestvrij staal in Teheran bezat. Oom Partef, zoals ik hem noemde, was niet getrouwd en had het gewoonlijk erg druk. Hij ging maar zelden naar het huisje, zodat wij het bijna steeds voor onszelf hadden.

Het zomerhuisje stond midden in een groot stuk bos achter de haven aan een stille weg die naar het strand leidde. De eerste eigenaar was een Russische arts geweest, een goede vriend van mijn ouders, die het eigenhandig had gebouwd met stevig Russisch timmerhout. Er waren vier slaapkamers, een woonkamer, een keukentje en een badkamer. De buitenmuren waren lichtgroen geschilderd, en je kwam bij de voordeur via twaalf treden van natuursteen.

De autorit van Teheran naar het huisje duurde ongeveer vijf uur. Vanuit Teheran reden we westwaarts over de vlakten totdat we de stad Ghazvin bereikten. Daar ging de weg noordwaarts in de richting van het Elboersgebergte, dat een imposante steile muur leek die de woestijnen van Midden-Iran scheidde van de Kaspische Zee. Via tunnels, steile wegen omhoog en omlaag, en tal van scherpe bochten zette de weg zich koppig door het gebergte voort. Hij liep langs het dal van de Witte Rivier tot waar dichte bossen de heuvels bedekten en de wind de geur van rijstvelden meevoerde.

Het terrein rond het huisje werd omringd door een hek van draadgaas dat hemelsblauw was geverfd en dat zelfs nog boven mijn broer uitstak. Wanneer we er aankwamen, stopte mijn vader met onze blauwe Oldsmobile bij de poort en dan stapte ik uit om die te openen en de auto door te laten. Tussen de esdoorns, pijnbomen, populieren en moerbeibomen door liep een lange onverharde oprit naar het huisje. Onder mijn voeten staken veelkleurige steentjes boven de modder uit en glansden in het zonlicht dat door het dichte bladerdak had weten te dringen. De oprit leidde naar een open plek waar ik een kort ogenblik verblind werd door de felle zon. En dan opeens zag ik de witte natuurstenen trap naar het huisje opdoemen.

Het huis verwelkomde ons altijd met de vertrouwde muffe geur van de vochtigheid die er in de maanden van onze afwezigheid was komen te hangen. Op de vloer lag overal donkergroen tapijt. Voordat we het huis binnengingen, moesten we van onze moeder onze schoenen uittrekken en onze voeten schoonvegen, zodat we geen zand mee naar binnen zouden brengen. Mijn ouders hadden de kleine woonkamer uitgerust met gietijzeren tuinmeubilair dat ze goedkoop hadden overgenomen van mensen die gingen verhuizen; de stoelen waren wit geschilderd en hadden zachte paarse kussens, de tafel had een glazen blad. De slaapkamers waren heel eenvoudig met simpele bedden en oude houten ladekasten; voor de ramen hingen lichte bloemetjesgordijnen. Wanneer ik 's avonds naar bed ging, liet ik gewoonlijk de drie ramen van mijn kamer openstaan om 's ochtends de hanen goed te kunnen horen kraaien. Wanneer het regende, speelden er kwakende eenden in de waterpoelen en geurden de dikke bladeren van wilde limoenbomen.

Op het terrein was een speciaal plekje waar ik elke ochtend het Onzevader bad, zoals mijn oma me had geleerd. Van een afstand leek het een grote bemoste rots, maar als je dichterbij kwam, zag je dat het uit een groot aantal kleine stenen bestond. Het was meer dan een meter hoog en bijna twee meter breed, en op een van de hoeken stak er een dikke, roestige metalen staaf uit. Het was eeuwenoud, uit de tijd dat de zee hier het grootste deel van het land bedekte. Het had ooit dienstgedaan als een plaats waar vissers hun boot konden vastmaken, maar nu zag het er vreemd en misplaatst uit toen ik het in een vergeten hoekje van het terrein ontdekte. Ik ging er graag op staan, dan opende ik mijn armen voor de zachte bries, sloot mijn ogen en stelde me voor dat ik was omringd door de zee. Het glinsterende oppervlak dat klotste en leefde, veranderde het zonlicht in een gouden stroom die naar de kust gleed, waar de zandheuvels aandeden als blaren op de warme huid van de aarde. Ik noemde dit vreemde monument de 'gebedsrots'.

Gewoonlijk werd ik wakker bij zonsopkomst en ging dan buiten rondzwerven. Een rivier van mist hing tussen de bomen, zweefde boven het hoge gras en omhulde mijn benen. Wanneer ik de gebedsrots bereikte, leek het alsof de zon in de mist had geademd en die roze maakte door het licht. De bovenkant van de rots was een eiland omringd door een roze gloed. Ik ging op de rots liggen en liet mijn huid in zonnestralen hullen, zodat ik me gewichtloos voelde alsof ik uit mist en licht bestond.

Elke zomer verbleven mijn moeder en ik ongeveer twee maanden in het huisje, maar mijn vader kon niet zo lang vrij nemen van zijn werk en bleef slechts een paar weken bij ons. Daarna kwam hij zo ongeveer om het weekend naar ons toe. Jarenlang heb ik mijn zomers in het huisje doorgebracht met fietsen, zandkastelen bouwen, zwemmen, achter eenden aan jagen en met kinderen uit de buurt spelen. Ik kon de hele dag doen wat ik wilde, en kwam alleen thuis om te eten en te slapen. Terwijl de jaren verstreken en ik ouder werd, bracht ik mijn zomerdagen op dezelfde manier door, behalve dat mijn dagelijkse avonturen een groter gebied bestreken en me verder van huis voerden. Toen ik twaalf was, kon ik in een halve dag door het hele dorp fietsen. Door de oude, smalle straten met witte huisjes ging ik naar de markt. Op de vele dagen dat ik de lunch oversloeg, kon ik me staande houden met de rijstkoeken en *koloechehs* – koekjes met een vulling van gemalen walnoten en suiker – die ik bij de bakker kocht. Op de vismarkt hoorde ik altijd de luide stemmen van verkopers en rook ik de sterke lucht van vis en de geur van verse kruiden.

Een van mijn lievelingsplekjes was een brug die de beide kanten van de haven verbond. Op de brug staand keek ik hoe de boten en schepen voorbijvoeren. Het blauwe water strekte zich uit tot de horizon, zware schepen scheurden het oppervlak van de zee open tot een wit schuim en de lucht van het zoute water vulde mijn longen. Ik hield vooral veel van de mist; die maakte de haven tot een dromerige en onwerkelijke wereld. Door die mist kon ik niet veel zien, maar ik hoorde de peddels van een boot door het water gaan, en daarna doemde de boot op alsof hij uit een andere wereld afkomstig was.

Toen ik ongeveer tien jaar was, kocht mijn moeders oudste zus Zenia een zomerhuisje op ongeveer zes kilometer van het centrum van Ghazian in een nieuw aangelegde wijk met tennisbanen, basketbalvelden, restaurants en zwembaden. Hier stonden dure huizen, met piekfijn verzorgde gazons en halfhoge witte metalen hekken. Alles glom van de nieuwe verf en de kinderen fietsten er over schone straten.

Tante Zenia zag er anders uit dan de rest van de familie. Ze was blond en had blauwe ogen, en alles aan haar was groot. Ze had een zeer groot huis in Teheran, een grote auto, en zelfs een grote chauffeur. Haar man, die twee jaar na de dood van mijn oma was omgekomen bij een auto-ongeluk, was de eigenaar geweest van een vleesverwerkingsbedrijf in de stad Rasht, op ongeveer vijfendertig kilometer van ons huisje. Na zijn dood had mijn tante het bedrijf overgenomen en had zeer goed geboerd. Mijn moeder was dol op haar dochter, die ook Marina heette maar die door iedereen Marie werd genoemd. Ze was twintig jaar ouder dan ik, een klein vrouwtje dat altijd gespannen leek wanneer haar moeder in de buurt was. Het waren allebei koppige en eigenzinnige vrouwen en ze maakten voortdurend ruzie over van alles.

In 1978, toen ik dertien was, brachten Marie en haar man de hele zomer door in het huisje van mijn tante. Mijn moeder en ik kwamen bijna elke dag bij hen op bezoek. Tante Zenia was maar heel weinig in haar huisje en verbleef de meeste tijd in haar bedrijf, waar ze een klein, maar comfortabel appartement had, of in haar huis in Teheran.

Tijdens mijn dagelijkse fietstochten zag ik bij een van de basketbalveldjes een groep tieners rondhangen. Elke dag om ongeveer vijf uur in de middag kwamen ze daar naartoe. De jongens speelden basketbal en de meisjes zaten in de schaduw te kletsen en hen aan te moedigen. Op een dag besloot ik naar hen toe te gaan. Zo'n vijftien meisjes zaten er in groepjes van twee of drie op het gras. Ik zette mijn fiets tegen een boom en liep op hen af. Niemand scheen me op te merken. Ik zag een meisje dat helemaal alleen op een picknicktafel zat en ging naast haar zitten. Ze keek me aan en glimlachte. Haar sluike lichtbruine haar reikte tot haar middel, en ze droeg een witte korte broek met een wit T-shirt. Ze kwam me bekend voor. Ik stelde me voor en ze keek me verbaasd aan omdat ze me herkende. We kwamen erachter dat we naar dezelfde school gingen, alleen zat zij een paar klassen hoger dan ik en hadden we elkaar nooit gesproken. Net als ik had zij ook een tante met een zomerhuisje in deze omgeving. Zij en haar familie logeerden een tijdje bij haar tante. Ze heette Gita.

Een van de jongens scoorde, en de meisjes klapten en juichten. Hij draaide zich om en riep naar een meisje dat dicht bij ons in de buurt zat: 'Neda, wil je een flesje cola voor me halen? Ik verga van de dorst.'

Hij was zo'n 1,75 meter lang en hij had grote, donkere ogen en geprononceerde jukbeenderen. Zijn sluike zwarte haar sprong op wanneer hij rende. Neda stond schoorvoetend op en schudde de grassprietjes van haar witte korte broek. Haar bruine haar op schouderlengte had ze achter haar oren geschoven.

'Wie gaat er met me mee?' riep ze naar de meisjes en enkele gingen met haar mee. Ze liepen naar de andere kant van de smalle straat naar het fastfoodrestaurant Moby Dick.

Fluisterend wees Gita mij een jongen aan die aan de overkant van het veld stond. Hij was iets van 1,90 meter, woog wel 90 kilo en zag eruit als minstens twintig. Het kleine blonde meisje dat naast hem stond, reikte niet eens tot zijn schouders. Gita zei dat hij Ramin heette en dat hij de knapste man was die ze ooit had gezien.

'Ik krijg hem nog wel, hij is van mij,' zei ze.

Mijn vriendinnen waren altijd van mijn leeftijd geweest, en mijn ervaring met jongens was heel beperkt. Ik had er nog nooit over gedacht om een jongen 'te krijgen'.

'Hallo,' zei iemand achter ons. 'Hé Gita, wie is je nieuwe vriendin?'

Het was Neda. Gita stelde ons aan elkaar voor. Ik ontdekte dat Neda een nicht had die naar onze school ging en die ik heel goed kende. Aan het einde van ons gesprek nodigde Neda me uit voor haar verjaardagsfeest de volgende dag.

Ik verheugde me enorm op Neda's feestje, en ik had zelfs een geweldige jurk voor de gelegenheid. Enkele maanden tevoren had mijn moeder kleren besteld bij een Duits postorderbedrijf, en ze had aangeboden ook iets voor mij te bestellen. Ik koos een witte jurk. Hij was niet al te duur, maar hij was prachtig. De jurk had een blote hals en de stof was kantachtig en licht. Het plan was dat we op Neda's verjaardagsfeest eerst zouden gaan zwemmen en daarna bij haar thuis zouden eten en dansen. Gita had me aangeraden mijn badpak aan te trekken onder mijn gewone kleren en mijn jurk los mee te nemen.

Op de dag van het feest werd ik nog vroeger dan anders wakker en bleef urenlang in de badkamer. Ik paste al mijn badpakken en telkens wanneer ik in de spiegel keek, was ik ontzet over de tekortkomingen die ik zag: mijn armen waren te dun, mijn heupen te breed en mijn borsten te plat. Uiteindelijk besloot ik de witte bikini te dragen die Marie me had gegeven. Zij was pasgeleden op reis naar Europa geweest en had voor zichzelf nieuwe badpakken gekocht, waarna ze haar oude aan mij had overgedaan. Ik stopte mijn witte sandalen in een plastic zak, vouwde mijn jurk op en deed alles in een canvas strandtas. Het was tien uur 's ochtends. Meestal vertrokken we om ongeveer halfelf naar Marie. Mijn moeder kon niet autorijden en we namen altijd een taxi wanneer mijn vader er niet was. Ik hoorde mijn moeder in de keuken rommelen, wat vreemd was: rond deze tijd van de dag was ze nooit in de keuken.

'Maman, ik ben klaar,' zei ik, terwijl ik met de strandtas in mijn hand in de deuropening van de keuken stond.

Het rook naar vis. Ze waste een grote snijplank af en keek vanuit een ooghoek naar mij.

'Klaar voor wat? We gaan nergens heen vandaag.'

Het aanrecht stond vol met allerlei schalen en potten en pannen.

'Maar...'

'Niks geen gemaar! Je oom Ismaël en zijn vrouw zijn uit Teheran gekomen om Marie te zien. Je tante Zenia is er ook. Ze komen vandaag allemaal hier voor de lunch en het avondeten, en we gaan kaarten. Waarschijnlijk blijven ze vannacht hier slapen.'

'Maar ik ben uitgenodigd voor een verjaardagsfeest vanavond!'

'Nou, je kunt er niet heen.'

'Maar...'

Ze draaide zich om en keek me aan. Ik kon haar woede voelen.

'Begrijp je soms niet wat het woord "nee" betekent?'

Ik draaide me om en ging naar mijn kamer, waar ik op bed neerplofte. Ik kon zelf een taxi nemen, daarvoor had ik geld genoeg. Maar mijn moeder zou dat niet toestaan. Misschien kon ik het huis uitglippen. Maar dan moest ik voor donker thuis zijn, wat als limiet gold wanneer ik niet tegen mijn moeder had gezegd waar ik heen ging. Ik hoorde een auto op onze oprit, de banden knerpten op het vochtige zand. Toen ik uit het raam keek, zag ik tante Zenia's chauffeur Morte-zah, een beleefde man van eind twintig, het achterportier van de splinternieuwe Chevrolet openhouden. Mijn moeder kwam de voor-deur uitgerend, ze vloog de treden af om haar zus te omhelzen. Mor-tezah opende de kofferbak en haalde er een kleine koffer uit. Daarna liepen ze allemaal het huis in. Ik bleef bij het raam staan, met bon-zend hart van frustratie.

'Ruhi, geef me eens een glas koud water!' hoorde ik tante Zenia naar mijn moeder roepen met haar schelle, commanderende stem. 'Marie heeft Ismaël en Kahmi mee naar het dorp genomen voor het een of ander. Ze komen zo. Waar is Marina? Ik heb iets voor haar.'

'Ze is hier ergens. Waarschijnlijk zit ze op haar kamer te mokken.'

De deur van mijn slaapkamer vloog open.

'Wat is er aan de hand, Marina? Begroet je je tante niet eens meer?'

Ik stapte naar voren, omhelsde haar en kuste haar op beide wan-gen. Haar huid was klam en zweterig, maar ze rook naar Chanel No. 5. Ze drukte me stevig tegen zich aan en ik verzoop bijna in haar grote boezem. Ten slotte liet ze me los, haalde een sierlijke armband uit haar tasje en deed die om mijn pols. Hij was geweldig. Tante Zenia gaf me altijd prachtige cadeaus. Ik veegde mijn ogen af met de rug van mijn hand.

'Heb je gehuild? Waarom?'

'Ik ben uitgenodigd voor een feest vanavond, maar ik kan er niet heen.'

Ze lachte. 'En waarom kun je er dan niet heen?'

'Nou ja...'

'Omdat ik hier ben?'

'Ja.' Ik keek naar de grond.

'Ik ben nu misschien wel oud, maar ik ben ook jong geweest, hoor. Jong en mooi. En geloof het of niet, ik weet nog hoe het was.'

Ik hield mijn adem in.

'Mortezah brengt je wel naar dat feest en haalt je ook weer op.'

'Echt?'

'Ja, Assepoester. Je kunt erheen. Maar om twaalf uur moet je thuis zijn.'

Ik bedankte Mortezah toen hij me voor Neda's huis afzette, beloofde dat ik daar om twaalf uur op hem zou wachten en wuifde hem uit toen hij wegreed. Ik volgde de grijze stapstenen in het gras van Neda's voortuin. Ze stond met twee meisjes te kletsen op de veranda, die helemaal om het uit één woonlaag bestaande huisje liep. Aan de achterkant keek het uit op zee, en ik hoorde het geklots van de golven tegen de zandige kust. Al gauw was iedereen er. De meisjes lieten hun tas achter in de slaapkamer van Neda en de jongens in die van haar broer, en we renden naar het strand. We speelden tikkertje en waterpolo totdat iedereen honger had gekregen, waarop we naar huis teruggingen. Toen ik in Neda's kamer mijn strandtas opendeed om mijn jurk te pakken, ontdekte ik dat ik was vergeten een bh en ondergoed mee te nemen. Dan moest ik mijn bikini maar aanhouden. Die was wel een beetje nat, maar hij was wit en zou niet doorschijnen.

Na een diner van koud vlees, vers brood en allerlei salades schoven we de meubels in de woonkamer aan de kant en schalde de muziek van de Bee Gees door de woonkamer. Neda danste met Aram, de knappe basketbalspeler die haar had gevraagd een flesje cola voor hem te halen toen ik haar voor het eerst ontmoette. Neda's prachtig gebruinde lijf zag er schitterend uit in haar witte jurk, en ik zag dat Aram iets in haar oor fluisterde wat haar aan het lachen maakte. De meesten vormden al snel paartjes, zodat ik alleen in een hoek een flesje cola stond te drinken. Het ene nummer na het andere werd gespeeld, en ik at zoveel chips dat ik er buikpijn van kreeg, maar niemand vroeg me ten dans. Gita danste met Ramin, de grote jongen van het basketbalveld. Zijn handen gleden op en neer over haar rug. Ze bloosde. Ik keek op mijn horloge: tien uur. Ik had er al een uur gestaan en al die tijd had niemand een woord tegen me gezegd. Ik voelde me eenzaam, ongemakkelijk, onbeholpen en triest tegelijk. Ik wilde de kamer uit.

De deur naar de achterveranda was maar één stap van me verwijderd. Ik deed de deur open en keek vlug de kamer rond – niemand reageerde. Ik liep naar buiten. De halvemaan verspreidde een zilveren licht over de zee en het was windstil. Ik moest iets doen. Misschien kon ik gaan zwemmen, want daarvan ging ik me altijd beter voelen. Ik ging wel vaker 's avonds zwemmen. In het maanlicht versmolt de zee met de lucht zodat er één warm, zilveren en donker geheel ontstond. Ik liep de paar treden af die de veranda met de tuin verbonden en begon mijn jurk open te ritsen, maar toen ik die op de grond liet glijden, schrok ik van een stem: 'Wat ben jij aan het doen?'

Bij een grasmaaier in een hoek van de tuin stond een jongeman met zijn handen voor zijn ogen.

'Je liet me schrikken!' zei ik, en mijn hart kon ternauwernood het normale ritme terugvinden. 'Waarom heb je je hier verstopt?'

'Ik heb me niet verstopt! Ik zat hier gewoon op deze stoel om even een luchtje te scheppen. En dan komt er opeens een meid die zich pal voor mijn neus uitkleedt!' Hij leek nog meer geschrokken te zijn dan ik, wat ik wel leuk vond. Hij zag er niet ouder uit dan zestien en hield nog steeds zijn handen voor zijn ogen.

'Heb je je jurk alweer aan?'

'Doe normaal. Ik ben niet naakt. Ik heb mijn bikini aan. Ik ga zwemmen.'

'Ben je gek?' zei hij, terwijl hij zijn handen van zijn ogen weghaalde. 'Ga je midden in de nacht zwemmen in dat donkere water?'

'Het is niet heel erg donker; de maan schijnt.'

'Nee, nee! Straks verdrink je nog en dat vergeef ik mezelf nooit!'

'Ik verdrink niet.'

'Ik laat je niet het water in gaan.'

Hij was op me af gelopen en stond nu op een halve meter afstand.

'Oké, oké, ik geef het op. Ik ga niet,' zei ik, terwijl ik mijn jurk weer aantrok.

Zijn grote donkere ogen keken me aan van boven de hoge jukbeenderen. Zijn kleine, ietwat kinderlijke mond vormde een contrast met de sterke trekken van de rest van zijn gezicht. Hij was zo'n vijf centimeter langer dan ik en had zeer kort bruin haar. Ik was verrast door de blik in zijn ogen, die me het gevoel gaf dat ik uniek, bijzonder en mooi was. Hij heette Arash.

Nu ik niet kon gaan zwemmen, besloot ik buiten te gaan zitten. Ik liet me in een comfortabele tuinstoel zakken, maar ik was me erg bewust van Arash. Ik hoorde hem ademen. Na ongeveer tien minuten stond hij op, en ik sprong ook op.

'Vind je het leuk me aan het schrikken te maken?'

'Sorry, het was niet mijn bedoeling. Ik moet gaan. Niet zwemmen, oké?'

'Oké.'

Ik keek hoe hij wegliep en het huisje binnenging. Een minuut later kwam Neda naar buiten en riep mijn naam. Ze vroeg me binnen te komen, omdat ze haar taart ging aansnijden.

Enkele dagen na het feest reed ik op mijn fiets naar het strand, waar ik Gita hoopte te treffen. Er lag een laagje zand vanwege wegwerkzaamheden en ik ging te snel de bocht om. Mijn fiets slipte en ik viel. Ik slaagde erin overeind te komen, maar ik had een bloedende knie en elleboog. Het was ongeveer twee uur 's middags en het was ontzettend warm; op straat was dan ook geen mens te bekennen. Gelukkig had niemand mij nu die rare smakker zien maken. Terwijl ik probeerde mijn fiets van de weg te halen, voelde ik dat er iemand achter me stond. Ik draaide me om. Het was Arash, en hij keek net zo verrast als ik.

'Duik je altijd uit het niets op?' vroeg ik.

'Ben jij zo'n waaghals?' Hij lachte en inspecteerde mijn schaafwonden. 'Die moeten we even schoonmaken. Dat is het zomerhuisje van mijn tante,' zei hij, naar het huisje op de hoek wijzend.

Hij droeg mijn fiets en ik liep achter hem aan. Mijn schaafwonden deden pijn. De tranen stonden me in de ogen, maar ik haalde diep adem en klaagde niet. Ik wilde niet dat hij me een zwak klein meisje vond.

'Ik zat op de veranda naar de straat te kijken, en toen kwam jij er met honderd kilometer per uur aansjezen en kaboem! Je hebt geluk gehad dat je je nek niet hebt gebroken,' zei hij.

Langs de witte muren van het huisje groeiden blauwe hortensia's en roze rozen, en langs de rode dakspanen streken de zilvergroene takken van een enorme treurwilg.

Arash hield de deur open en stapte naar binnen. Er hing een geur van pasgebakken koekjes.

'Oma, ik heb een gast!' riep hij.

Een charmante oude vrouw met zilvergrijs haar kwam vanuit de keuken de kamer in. Ze droeg een blauwe jurk en veegde haar handen af aan haar witte schort. Ze leek heel veel op mijn oma.

'Wat is er gebeurd?' vroeg ze in het Russisch, terwijl ze naar me keek en het bloed opmerkte. Ik kon het niet geloven; ze sprak net zoals mijn oma. Ze greep me bij mijn arm en leidde me naar de keuken, terwijl Arash uitlegde wat er was gebeurd. Ze maakte zich zelfs op dezelfde manier druk als mijn oma vroeger deed en voordat ik het goed en wel doorhad, waren mijn wonden schoongemaakt, gedesinfecteerd en verbonden. Al snel stond er een kop thee met een zelfgebakken koekje voor mij op tafel.

'Tast toe,' zei ze in het Perzisch, maar met een sterk Russisch accent.

'Dank u,' antwoordde ik in het Russisch.

Haar ogen twinkelden van verrassing. 'Een Russisch meisje!' zei ze met een brede glimlach. 'Wat leuk! Nu heb je een vriendinnetje! En geen gewoon vriendinnetje, maar een aardige Russische!'

Het gezicht van Arash werd knalrood.

'Oma, hou op! Ze is mijn vriendinnetje niet.'

Ik lachte.

'Je kan zeggen wat je wilt, maar leuk is het wel. Goed gedaan. Ik laat jullie nu alleen, jongelui,' zei zijn oma en ze liep de keuken uit, terwijl ze alsmaar 'wat geweldig' zei.

'Neem het mijn oma maar niet kwalijk,' zei Arash. 'Ze is erg oud en is soms wat in de war.'

'Heb je haar je fluit laten zien?' riep zijn oma vanuit een andere kamer.

Arash verschoot weer van kleur.

'Wat voor fluit?' vroeg ik.

'Doet er niet toe. Fluit spelen is mijn hobby. Het is niks bijzonders.'

'Ik ken niemand die dat kan. Wil je iets voor me spelen?'

'Natuurlijk,' antwoordde hij, maar hij klonk niet erg enthousiast.

Ik liep achter hem aan naar zijn kamer, waar hij een zilveren fluit uit een lange, zwarte fluitkoffer haalde en zijn vingers over het slanke instrument liet glijden. Al snel klonk er een weemoedige melodie door de kamer. Ik ging op zijn bed zitten en leunde tegen de muur. Hij stond voor me, terwijl zijn lichaam met de muziek mee bewoog alsof die een deel van hem was, alsof zijn geest die tot leven riep. Hij staarde voor zich uit alsof hij droomde en zag wat niemand anders zag. Het witte katoenen gordijn danste voor het open raam, waar het de wervelingen van zonlicht en schaduw opving. Ik had nog nooit ervaren dat muziek zo mooi kon zijn. Zijn ogen zochten de mijne toen hij klaar was met spelen, maar ik was sprakeloos. Hij vertelde dat hij het stuk zelf geschreven had, maar hij deed er erg bescheiden over. Op zijn vraag of ik ook een muziekinstrument bespeelde, antwoordde ik ontkennend. Toen vroeg hij hoe oud ik was, en hij was geschokt toen ik hem vertelde dat ik dertien was; hij had gedacht dat ik minstens zestien was. En ik was verrast toen ik hoorde dat hij al achttien was.

Ik vond het leuk zoals hij naar me keek wanneer ik met hem praatte. Hij ging in zijn stoel zitten, legde een elleboog op de armleuning, zette zijn hand onder zijn kin en glimlachte, terwijl zijn ogen mij al hun aandacht gaven. De manier waarop hij een paar seconden wachtte voordat hij mijn vragen beantwoordde, gaf me het gevoel dat ons gesprek belangrijk voor hem was. Ik vroeg hem of hij de volgende ochtend een wandeling met me wilde maken en dat wilde hij wel.

De volgende ochtend wuifde zijn oma naar ons vanaf de veranda van het huisje.

'Ik word gek van haar. Ze denkt nog steeds dat jij mijn vriendin bent en wil dat je vandaag komt lunchen.'

'Ik kom graag, als jij het oké vindt.'

Hij keek me onderzoekend aan.

'Ik bedoel, als de uitnodiging alleen een idee van je oma was en jij liever niet wilt dat ik kom, kun je me dat gerust zeggen.'

'Natuurlijk wil ik dat je komt.'

'Dat is mooi, want ik wil je weer horen fluit spelen.'

We wandelden naar een rustig, afgelegen deel van het strand. In de verte zag ik mensen op het zand liggen en ik zag er een paar zwemmen. De schuimende, witte golven krulden om, doken omlaag en sloegen tegen de kust. Ik deed mijn sandalen uit en liet de zee tussen mijn tenen door spoelen. Het water was zacht en koel. Ik vroeg hem om mij over zijn familie te vertellen. Hij zei dat zijn vader zakenman was en zijn moeder huisvrouw. Zijn ouders gingen elke zomer naar Europa en dan logeerden hij, zijn broer en zijn oma altijd bij zijn tante in haar zomerhuisje. Hij vertelde dat zijn broer Aram heette en twee jaar jonger was dan hij.

'Je houdt me voor de gek! Is Aram jouw broer?' zei ik verrast.

'Ja, ken je hem dan?'

'Nou ja, ik heb hem ontmoet. Hij lijkt me nogal een extravert type. Je ziet hem altijd samen met de andere jongens en meisjes, maar jou zag ik pas voor het eerst op het feest van Neda. Waar zat jij dan al die tijd?'

Hij vertelde me dat hij niet zo extravert was als zijn broer en liever een boek las of op zijn fluit speelde. Hij was alleen naar Neda's feest gekomen omdat Neda zijn buurmeisje was in Teheran en de vriendin van zijn broer was.

Arash was een heel goede leerling geweest op de middelbare school en had net het eerste jaar afgerond van zijn studie medicijnen aan de universiteit van Teheran. Ik zei tegen hem dat ik ook een goede leerling was en dat ik net als hij medicijnen wilde studeren. Ik vroeg hem of hij met me wilde gaan zwemmen, maar hij bleef liever op het strand zitten lezen.

Zijn oma Irena had van de lunch een feestmaal gemaakt. Het was een prachtige dag, en daarom had ze de eettafel in de achtertuin onder de treurwilg gezet. De tafel was gedekt met een keurig gestreken wit tafelkleed. Ik keek naar haar terwijl ze limonade in mijn glas schonk en de lokken van haar zilverkleurige haar in de zeebries dansten. Zonder acht te slaan op mijn protesten schepte ze mijn bord vol met langkorrelige rijst, gegrilde vis en salade.

'Je moet meer eten, Marina. Je bent te mager. Je moeder let niet goed op wat je eet.'

Sinds Irena had ontdekt dat ik Russisch sprak, zei ze geen woord meer tegen me in het Perzisch. Net als mijn eigen oma was ze een trotse vrouw. Ze kon wel Perzisch spreken, maar weigerde dat te doen als het niet echt hoefde. Mijn Russisch was niet meer zo vloeiend. Mijn ouders spraken het thuis nog wel, maar na de dood van oma had ik geweigerd nog Russisch te spreken omdat ik vond dat het iets speciaals tussen mijn oma en mij was wat ik niet met iemand anders wilde delen. Arash beheerste de taal niet veel beter dan ik, zodat ik me niet al te ongemakkelijk voelde. Ik vond het fijn om Russisch met Irena te spreken, omdat zij me aan vroeger deed denken.

Na de lunch ging Irena even slapen, en gingen Arash en ik naar de keuken om op te ruimen. Ik zette de vuile borden in de gootsteen, terwijl Arash de restjes in tupperwarebakjes deed en die in de koelkast op elkaar stapelde. Hij wist wat er moest gebeuren in de keuken. Toen hij klaar was met de restjes, kwam hij naast me staan met een theedoek. Toen ik hem het eerste afgewassen bord aanreikte, keken we elkaar aan en moest ik me bedwingen om niet mijn hand uit te steken en zijn gezicht aan te raken.

'Ik moet mijn gebeden opzeggen voordat de zon ondergaat,' zei Arash later die middag tegen me, toen we in zijn achtertuin zaten.

'Mag ik kijken?'

'Je hebt wel vreemde ideeën,' zei hij. Maar hij vond het goed, en ik keek naar hem zonder iets te zeggen. Hij ging in de richting van Mekka staan en doorliep de diverse stadia van de *namaz*. Hij sloot zijn ogen, prevelde gebeden in het Arabisch, knielde, stond weer op en raakte zijn gebedssteen aan met zijn voorhoofd.

'Waarom ben je moslim?' vroeg ik hem toen hij klaar was.

'Jij bent de vreemdste figuur die ik ken,' zei hij lachend, maar hij legde me uit dat hij moslim was omdat hij geloofde dat de islam de wereld kon redden.

'Hoe zit het met je ziel?' vroeg ik.

Mijn vraag verraste hem. 'Ik weet zeker dat de islam ook mijn ziel zal redden. Ben jij christen?'

'Ja.'

'Waarom? Omdat je ouders christen zijn?'

Ik legde uit dat mijn ouders geen belijdend christen waren.

'Waarom dan?' drong hij aan.

Ik besefte dat ik het antwoord niet precies wist. Ik verklaarde dat ik de islam had bestudeerd en dat die godsdienst niets voor mij was, maar dat ik niet wist waarom ik dat zo voelde. Ik wist waarschijnlijk meer over Mohammed dan over Jezus. Ik had meer in de Koran gelezen dan in de Bijbel, maar Jezus stond me op de een of andere manier nader aan het hart; bij hem voelde ik me thuis. Arash glimlachte naar me. Ik vermoedde dat hij een sterk argument had verwacht, maar dat had ik helemaal niet. Voor mij was het een kwestie van het hart.

Ik vroeg hem of zijn ouders religieus waren, en hij zei dat zijn vader uit een moslimfamilie kwam en in God geloofde, maar niet in Mohammed, Jezus of andere profeten. Zijn oma Irena kwam uit een christelijke familie, maar zij was helemaal niet religieus. Irena's man, de vader van zijn moeder, die jaren geleden was gestorven, had nooit in God geloofd. De moeder van Arash was christen, maar ze bad altijd thuis en ging nooit naar een kerk. Ik wilde weten wat zijn familie van zijn religieuze overtuiging vond, en hij zei dat hij sinds zijn dertiende nog nooit een van zijn dagelijkse gebeden had gemist, maar dat zij nog altijd dachten dat het om een voorbijgaande fase in zijn leven ging.

De volgende dag zat ik aan het eind van de middag buiten op de stenen treden voor ons huisje naar de ondergaande zon te kijken. De wolken aan de horizon hadden een felrode kleur aangenomen tot de zon erlangs gleed. Daarna veranderde het rood in een dromerig paars terwijl het duister naderde. Ik moest steeds aan Arash denken. Ik voelde me gewoon gelukkig bij hem in de buurt – een opwindend, warm gevoel van geluk dat boven alles uitsteeg, dat de rest van de wereld klein en onbetekenend deed lijken. Ik sloot mijn ogen en luisterde naar de nacht. Ik hoorde het klapwieken van vleermuizen die op zoek naar eten waren, en een scheepshoorn vanuit de haven. Arash had me enkele gedichten voorgelezen. Zijn warme, zachte stem deed het werk van Hafez, Sadi en Rumi nog magischer klinken dan wanneer ik dat voor mezelf las. Hij las de gedichten met gezag, alsof ze van hemzelf waren, alsof hij elk woord als een volmaakte melodie had gecomponeerd. Misschien was dit liefde, misschien hield ik van hem.

Ik wilde Arash mijn gebedsrots laten zien, en daarom nodigde ik hem voor een ochtend bij ons huisje uit.

'Waarom noem je het de gebedsrots?' vroeg hij terwijl we er vanaf de poort heen wandelden.

'Ik heb daar ooit gebeden toen ik een klein kind was, en het gaf me een heel bijzonder gevoel, zodat ik steeds ben teruggegaan. Het is een speciale plek voor mij geworden.'

We kwamen er al snel. Ik was er nog nooit met iemand samen geweest. Even twijfelde ik of ik er wel goed aan had gedaan. Het was uiteindelijk alleen maar een merkwaardige verzameling met mos bedekte rotsstenen.

'Denk je dat ik gek ben?' vroeg ik.

'Nee. Ik denk dat je er net zo vurig als ik naar verlangt dichter bij God te komen. Ik zoek mijn weg met mijn fluit en jij door op deze rots te bidden.'

'Laten we samen bidden,' stelde ik voor, 'en misschien kun jij het dan ook voelen. Het is alsof er een venster naar de hemel opengaat.'

We klommen samen op de rots en hieven onze handen ten hemel. Ik droeg een deel van Psalm 23 van David voor: 'De Heer is mijn herder, het ontbreekt mij aan niets. Hij laat mij rusten in groene weiden en voert mij naar vredig water, hij geeft mij nieuwe kracht en leidt mij langs veilige paden tot eer van zijn naam. Al gaat mijn weg door een donker dal, ik vrees geen gevaar, want u bent bij mij, uw stok en uw staf, zij geven mij moed.'

'Prachtig!' zei hij toen ik klaar was. 'Wat was dat?'

Ik legde hem uit dat de Psalmen van David een onderdeel van de Bijbel waren. Hij had er nog nooit van gehoord. Ik vertelde hem dat mijn oma mij die vroeger altijd had voorgelezen, en dat deze mijn favoriet was.

We gingen beiden op de rots zitten. Hij staarde in de verte.

'Heb je je ooit afgevraagd wat er met ons gebeurt na onze dood?' vroeg hij.

Ik zei dat ik daar wel over had nagedacht. Volgens hem was de dood een mysterie dat nooit kon worden opgelost; de dood was de enige plek waarover we niets konden vertellen als we erheen gingen. En niemand kon eraan ontkomen.

'Ik haat het als mensen van wie je houdt doodgaan. Het blijft altijd pijn doen,' zei ik.

'Ik heb nooit echt iemand verloren. Mijn opa is overleden toen ik klein was, maar ik herinner me er niets van.'

'Ik herinner me de dood van mijn oma.'

Hij kreeg tranen in zijn ogen. Weer wilde ik zijn gezicht aanraken, met mijn vingers elke lijn volgen. Ik wilde hem zoenen. Het gevoel werd me te machtig en ik stond op. Hij kwam snel overeind en toen hij tegenover me stond, raakten zijn lippen heel even de mijne. We gingen uiteen alsof we door de bliksem waren getroffen.

'Het spijt me,' zei hij.

'Waarom spijt het je?'

'Het is tegen de wet van God dat een man een vrouw zo aanraakt, tenzij ze getrouwd zijn.'

'Het is oké.'

'Nee, dat is het niet. Je moet weten dat ik veel om je geef en dat ik je respecteer. Ik had het niet moeten doen. En je bent ook veel jonger dan ik. We moeten wachten.'

'Bedoel je dat je van me houdt?'

'Ja, ik hou van je.'

Ik begreep niet echt waarom hij zich schuldig voelde over onze kus, maar ik wist dat het iets met zijn geloof van doen had. Die zomer had ik jongens en meisjes in stille hoekjes met elkaar zien zoenen en ik had me steeds afgevraagd hoe het zou voelen. Als het aan mij had gelegen, had ik hem nog een keer gezoend, maar ik wilde niets verkeerds doen of hem van streek maken. Hij was ouder en wist het beter, en ik vertrouwde hem.

Die nacht sliepen mijn moeder en ik in het zomerhuisje van tante Zenia. Ik werd om zes uur 's ochtends wakker en liep op mijn tenen naar de keuken om voor mezelf een kop thee te zetten. Met de kop thee in mijn hand liep ik de woonkamer in en ik schrok me een hoedje toen ik daar tante Zenia aan de eettafel zag zitten, bijna helemaal verstopt achter stapels papier. Ik deed een paar passen in haar richting. Ze droeg een kantachtig nachtgewaad van roze katoen, dat meer paste bij een jong meisje dan bij een omvangrijke vrouw van in de zestig. Ze was druk bezig iets in haar notitieboekje op te schrijven. Ik wachtte even en vroeg me af of ik haar goedemorgen moest wensen of niet, want ze scheen helemaal op te gaan in wat ze deed.

'Waarom ben je zo vroeg op, Marina? Ben je soms verliefd?' vroeg ze met zo'n luide stem dat ik bijna thee morste.

'Goedemorgen, tante Zenia,' mompelde ik.

'Misschien lijkt dit voor jóu een goede morgen.'

Ze ging gewoon door met schrijven.

'Ga je naar buiten?' vroeg ze.

'Ja.'

'Waarheen?'

Mijn moeder vroeg me bijna nooit waar ik heen ging.

'In de buurt.'

'Weet je moeder dat je zo vroeg op pad gaat?'

'Dat weet ik niet.'

Ze keek me aan met haar lichtblauwe ogen.

'Het is hard, maar jij bent harder.'

Ik begreep niet wat ze bedoelde.

'Jij bent niet dom. Kijk me niet zo aan! Je weet best wat ik bedoel. Jouw moeder en mijn dochter zijn uit dezelfde klei gebakken. God lette niet goed op toen hij die twee schiep. Haal voor mij ook even een kop thee.'

Ik draaide me om en deed wat ze vroeg. Met licht bevende handen zette ik de thee voor haar neer op tafel.

'Ga zitten,' beval ze, terwijl ze me van top tot teen opnam. 'Hoe oud ben je nu?'

'Dertien.'

'Je bent toch zeker nog wel maagd?'

'Sorry?' fluisterde ik.

'Goed zo,' zei ze glimlachend.

'Ik ken jou beter dan je eigen moeder. Als ik naar je kijk, zie ik het, maar als zij kijkt, weigert ze het te zien. Ik denk dat ik je vandaag voor het allereerst zonder een boek heb gezien. Wil je dat ik ze voor je opnoem?'

'Wat?'

'De boeken die je hebt gelezen.'

Ik zweette.

'*Hamlet, Romeo en Julia, Gejaagd door de wind, Onder moeders vleugels, Grote verwachtingen, Dr. Zhivago, Oorlog en vrede,* en nog veel meer. En wat heb je geleerd van al dat lezen?' zei ze.

'Van alles.'

'Doe geen domme dingen. Je bent toch niet bij die revolutie betrokken?'

'Tante Zenia, waar hebt u het over? Welke revolutie?'

'Probeer je me voor de gek te houden?'

Ik schudde mijn hoofd. Ik had geen idee waar ze het over had.

'Ik ben blij dat je het nu van mij te horen krijgt, want ik weet het een en ander af van revoluties. Luister goed. Er is iets verschrikkelijks gaande in dit land; ik ruik het in de lucht, en het ruikt naar bloed en rampspoed. Er zijn protesten en demonstraties tegen de sjah geweest. Die ayatollah, ik ben zijn naam even kwijt, verzet zich al jaren tegen de regering, en ik zeg je dat hij niets goeds in de zin heeft. De ene dictatuur verdwijnt, en we krijgen er een ergere voor terug. Net zoals in Rusland, maar dan onder een andere naam, en deze revolutie is nog gevaarlijker omdat die zich verschuilt achter de naam van God. Ook goedopgeleide mensen zijn aanhangers van die ayatollah. Zelfs Marie en haar man zien wat in hem. Mijn eigen familie. Hij leeft nu in ballingschap, maar dat heeft hem niet kunnen tegenhouden. Hou je verre van hem. Hij zegt dat de sjah te rijk is. De sjah is de sjah. Hij is niet volmaakt, maar wie wel? De ayatollah zegt dat er in Iran te veel armen zijn. Maar overal zijn armen. Vergeet niet wat er in Rusland is gebeurd. Ze hebben de tsaar gedood, en denk je dat ze nu beter af zijn? Denk je dat de mensen in Rusland allemaal vrij, rijk en gelukkig zijn? Het communisme is niet het antwoord op de sociale problemen, en religie ook niet. Begrijp je me?'

Ik knikte verward en geschokt, en zij schreef weer verder in haar notitieboek.

Later die ochtend gingen Arash en ik op pad voor een wandeling. Aram riep naar ons vanaf de veranda en vroeg waar we heen gingen.

'Waarom wil je dat weten?' vroeg Arash.

Aram zei dat hij zich verveelde en dat hij met ons mee wilde. Arash zei dat hij weer naar bed moest gaan, maar hij wilde per se mee, zodat we ten slotte toegaven. Tijdens onze wandeling naar het strand vroeg Aram wat Arash en ik eigenlijk de hele dag deden, al die dagen dat we samen waren geweest. Die vraag wekte Arash' woede en de twee jongens kregen ruzie, wat ik wel grappig vond.

Op het strand ging Aram met mij mee zwemmen, maar Arash hield niet van het water en bleef altijd zitten lezen wanneer ik zwom. Toen ik vanuit het water naar hem keek, zag ik dat hij niet veel aandacht voor zijn boek had. Hij keek naar Aram en mij.

De rest van de dag was Arash zwijgzaam. Aan het eind van de middag gingen we naar zijn kamer, waar ik naar hem luisterde terwijl hij op zijn fluit speelde. Ik sloot mijn ogen. Plotseling stopte hij midden in zijn lievelingsstuk. Ik deed mijn ogen open en keek verrast naar hem op.

'Wat is er?' vroeg ik.

'Niets.'

Hij keek omlaag en meed mijn blik.

'Arash, toe nou. Wat is er?'

Hij ging naast me op bed zitten. 'Hou je echt van mij?'

'Ja. Zeg nou wat er is.'

'Je zag er vandaag zo gelukkig uit met mijn broer. Je vermaakte je, en ik dacht dat je misschien... Ik weet niet...'

'Je dacht dat ik iets voor hem voelde.'

'Is dat zo?'

'Je moet me nu toch wel beter kennen. Hij is leuk, maar hij is niet mijn type.'

'En wat bedoel je daarmee, "jouw type"?'

'Jij bent mijn type en hij niet. Dat is alles. Ik hou niet van je broer, ik hou van jou.'

'Het spijt me. Ik weet niet wat me bezielde. Aram is altijd erg populair. De meisjes zijn gek op hem. Ik wil je niet kwijt.'

'Dat gebeurt niet.'

Hij zag er nog steeds niet erg blij uit. 'Geloof je me niet?' vroeg ik.

'Jawel.'

Hij stond op en liep naar het raam. Het was een winderige dag en de golven bulderden, zodat ze elk ander geluid overstemden. Plotseling zei hij dat hij me iets zeer belangrijks moest vertellen. Ik had geen idee wat er komen ging. Hij vertelde me dat er een grote beweging tegen de sjah bestond, dat er een revolutie op til was en dat er veel protesten en veel arrestaties waren geweest. Ik zei tegen hem dat tante Zenia me juist die ochtend over de revolutie had verteld.

Ik vroeg hem waarom er een revolutie tegen de sjah zou komen, en hij legde uit dat de sjah, zijn familie en de regering corrupt waren. Ze waren met de dag rijker geworden, terwijl het grootste deel van het Iraanse volk met armoede te kampen had. Ik vertelde hem over tante Zenia's opvatting dat het in Iran net zo zou gaan als in Rusland.

'De revolutie in Rusland had niet de juiste grondslag; het communisme was het verkeerde antwoord op de problemen van de Russen. Hun leiders geloofden niet in God en werden al snel zelf ook corrupt,' zei Arash.

'Maar hoe weet je nou dat de vervanger van de sjah beter is?'

Hij vroeg me of ik van ayatollah Khomeini had gehoord.

'Mijn tante vertelde me over een of andere ayatollah, maar ze wist zijn naam niet meer. Wie is Khomeini?'

Hij vertelde me dat Khomeini een man Gods was en door de sjah was verbannen. De ayatollah wilde dat het volk van Iran volgens de wetten van de islam ging leven. Hij wilde de hele bevolking laten delen in de rijkdommen van het land, en niet alleen een kleine groep. Hij had al vele jaren de beweging tegen de sjah aangevoerd.

Ik zei tegen Arash dat ik een slecht voorgevoel bij deze revolutie had. Voor zover ik wist, waren mijn familie en die van hem niet rijk. Onze ouders bekleedden geen belangrijke functies in de regering, maar we hadden een comfortabel leven. We kregen gratis goed onderwijs, en hij ging naar de universiteit om arts te worden. Wat moesten wij met een revolutie?

'Het gaat niet alleen om ons, Marina,' sprak hij vol vuur. 'Het gaat om de mensen die in armoede leven. De overheid verdient tonnen aan de verkoop van olie, die aan het volk van Iran toebehoort, en veel van dat geld komt terecht op de persoonlijke bankrekening van de sjah en zijn overheidsfunctionarissen. En wist je dat het al jarenlang zo is dat mensen die kritiek uiten op de sjah en zijn regering, worden gearresteerd door de SAVAK, de geheime politie, en worden gemarteld en zelfs terechtgesteld?'

'Nee.'

'Nou, het is wel waar.'

'Hoe weet je dat allemaal?'

'Ik heb met een paar van die politieke gevangenen gesproken. Ze doen hun in de gevangenis verschrikkelijke dingen aan, dingen waarvan je ziek wordt als je ze alleen al hoort.'

'Dat is vreselijk! Dat wist ik niet.'

'Nou, nu weet je het wel.'

Ik wilde weten of zijn ouders ervan op de hoogte waren dat hij de revolutie steunde, en hij zei dat hij het hun niet kon vertellen omdat ze het niet zouden begrijpen.

'Er komen veel mensen om bij revoluties,' zei ik.

'Ik overleef het wel. Je moet dapper zijn, Marina.'

Ik maakte me zorgen; ik wilde niet dat er iets ergs met hem zou gebeuren. Het werd me koud om het hart. Hij hield mijn handen vast.

'Marina, maak je alsjeblieft geen zorgen. Er overkomt me niets. Dat beloof ik.'

Ik probeerde hem te geloven. Ik probeerde dapper te zijn. Ik was tenslotte nog maar dertien.

De rest van de zomer had ik geen politieke discussies meer met Arash. Ik wilde niet aan de revolutie denken, misschien zou die dan wel overwaaien. Arash speelde elke dag voor mij op zijn fluit, we maakten lange wandelingen en fietstochten op het strand en lazen poëzie terwijl we op de schommel in zijn achtertuin zaten.

Arash moest twee weken eerder dan ik terug naar Teheran. Mijn moeder en ik keerden gewoonlijk begin september terug naar Teheran. Dan had ik nog tijd genoeg om alles op orde te hebben voor school; de lessen begonnen op 21 september, de eerste dag van de herfst. Ik keek toe terwijl Arash in de witte Paykan van zijn vader wegreed van zijn tantes zomerhuisje met zijn oma naast hem en zijn broer achterin. Ze wuifden allemaal ten afscheid naar mij, en ik wuifde terug totdat ze helemaal uit het zicht waren.

Op donderdag 7 september kwam ik in Teheran aan en ik belde Arash meteen. We spraken voor die zaterdag, de negende, met elkaar af in een boekwinkel, om tien uur 's ochtends.

Op de negende werd ik al wakker voor zonsopkomst. Met een bang voorgevoel betrad ik mijn balkon. Op dat vroege uur was de anders zo drukke straat totaal verlaten, en een zacht briesje deed de stoffige bladeren van de esdoorns ritselen. Ik wilde Arash bellen om hem te vragen eerder te komen, maar dat was waanzin. Ik moest gewoon wachten. Toen hoorde ik een vreemd, sissend geluid. Ik tuurde in de duisternis. Aan de overkant van de straat bewoog iets. Ik keek nog eens goed. Een donkere figuur stapte in het schijnsel van een straatlantaarn en kalkte met een verfspuitbus iets neer op de bakstenen muur van een winkel. Iemand riep: 'Halt!' Ik wist niet waar dat vandaan kwam, want het woord echode tussen de gebouwen. De donkere figuur begon te rennen. Ik hoorde een hard, donderend geluid. De figuur verdween om de hoek en de schaduwen van twee gewapende soldaten doken op. Ik stapte vlug naar binnen.

Toen de zon was opgekomen, liep ik het balkon weer op. Op de grijze bakstenen muur aan de overkant van de straat stond in grote, rode letters: WEG MET DE SJAH.

Ik was een paar minuten te vroeg in de boekwinkel en snuffelde wat rond in de boekenkasten. Om kwart over tien keek ik overal om me heen; Arash was nooit te laat. Ik keek voortdurend op mijn horloge. Telkens wanneer de deur openging en er iemand binnenkwam, vlamde de hoop in mijn hart op – maar hij kwam niet. Ik bleef wachten tot elf uur en hield mezelf alsmaar voor dat er niets aan de hand was, dat hij ongedeerd was en waarschijnlijk in het verkeer vastzat, of dat hij wellicht autopech had.

Ik liep naar huis, stevende recht op de telefoon af en belde naar Arash' huis. Aram nam de telefoon op en aan de manier waarop hij

'Hallo' zei, wist ik dat er iets mis was. Ik zei tegen hem dat Arash met me had afgesproken in een boekwinkel, maar dat hij niet was komen opdagen.

'Aram, waar is hij?' vroeg ik zo kalm als ik maar kon.

Aram antwoordde dat hij het niet wist. Arash was de vorige ochtend van huis gegaan en had diezelfde dag voor het avondeten thuis moeten zijn, maar hij was niet teruggekomen. Zijn ouders hadden iedereen gebeld, maar niemand wist waar hij was. Er was die dag een grote demonstratie tegen de sjah geweest. Deze was op het Jaleh-plein gehouden en was georganiseerd door de aanhangers van Khomeini. Het leger had het vuur op de menigte geopend en er waren veel gewonden gevallen. Een van de vrienden van Arash had Arash' vader verteld dat ze samen naar het Jaleh-plein waren gegaan, maar dat ze elkaar daar uit het oog hadden verloren. Arash' ouders hadden vervolgens alle ziekenhuizen van Teheran afgebeld. Zijn vader was zelfs naar Evin gegaan, maar ze hadden hem niet kunnen vinden.

'Ze doen de politieke gevangenen verschrikkelijke dingen aan, dingen waarvan je ziek wordt als je ze alleen al hoort.' Ik verdrong die gedachte en liet Aram beloven mij meteen te bellen zodra hij iets hoorde.

Het was alsof er zich een kille lege laag had gevormd tussen mij en de kamer waarin ik mij bevond, alsof het leven zelf me had weggeduwd. Het gedempte gebrom van de auto's die door de straat reden, kwam me vreemd en onbekend voor. Ik wist wat deze pijn was. Dit was verdriet.

De volgende ochtend belde ik aan bij het huis van Arash en wachtte. Aram deed open. We omarmden elkaar, en geen van beiden kon de ander loslaten. Ik deed mijn ogen open en zag Irena naar ons kijken. Ik moest sterk zijn. Ik liet Aram los en omhelsde Irena. Daarna ondersteunde ik haar terwijl ze naar de woonkamer liep en op de bank ging zitten. De vader van Arash kwam de kamer binnen en Aram stelde ons aan elkaar voor. Arash leek erg op zijn vader.

'Dank je voor je komst,' zei Arash' vader. 'Arash heeft me al veel over je verteld. Ik had je graag in betere omstandigheden ontmoet.'

Ik ging naast Irena zitten en hield haar hand vast. Ze huilde. De moeder van Arash kwam binnen; ik stond op en kuste haar op beide wangen. Haar gezicht voelde koud aan en haar ogen waren opgezwollen. Overal stonden familiefoto's. Ik had helemaal geen foto van Arash en mij samen.

Ik vroeg Aram of hij mij de kamer van zijn broer wilde laten zien. Die was uiterst sober. Er hingen geen foto's of posters aan de muren. De zwarte fluitkoffer lag op zijn bureau, en daarnaast stond een klein, wit sieradendoosje. Aram pakte het op en gaf het aan mij.

'Dit heeft hij een paar dagen geleden voor je gekocht,' zei hij.

Ik deed het doosje open. Er lag een prachtige gouden halsketting in. Ik deed het doosje dicht en zette het terug op het bureau.

'In een van zijn bureauladen heb ik een brief gevonden. Ik was niet van plan in zijn persoonlijke spullen te kijken, maar ik moest wel naar eventuele aanwijzingen zoeken om hem te kunnen vinden,' zei Aram, terwijl hij me een vel papier overhandigde. Ik herkende het handschrift van Arash. De brief was gericht aan zijn ouders, oma, broer en mij. Hij had geschreven dat hij naar zijn volle overtuiging moest opkomen voor wat hij wist dat juist was. Hij moest iets doen tegen alles wat slecht was. Hij verklaarde dat hij naar zijn beste vermogen de islamitische beweging tegen de sjah had gesteund en dat hij zich er heel goed van bewust was dat hij bij iets gevaarlijks betrokken was. Hij schreef dat hij nooit erg moedig was geweest, maar dat hij meende nu zijn angst opzij te moeten zetten, en dat hij begreep dat hij voor zijn overtuiging zijn leven kon verliezen. Aan het eind merkte hij op dat als we deze brief lazen, dit inhield dat hij waarschijnlijk dood was. Hij vroeg ons om vergeving en verontschuldigde zich ervoor dat hij ons verdriet deed.

Ik keek Aram aan.

'Mijn ouders wisten niet hoezeer hij bij die stomme revolutie betrokken was, maar ik wel,' zei hij. 'Ik heb geprobeerd hem ervan te weerhouden. Maar je kent hem: hij luistert nooit naar me. Ik ben het kleine broertje dat van niets weet.'

Ik ging op Arash' bed zitten en gaf Aram de brief terug. Er lag een blauw T-shirt op Arash' kussen; ik pakte het op. Het was een van zijn lievelingsshirts, dat hij die zomer vaak had gedragen. Ik rook eraan: het droeg nog zijn geur. Ik verwachtte dat hij elk moment de kamer binnen zou komen, zijn warme glimlach zou tonen en mijn naam zou uitspreken met zijn vriendelijke, zachte stem.

Ik had de avond ervoor het nieuws op tv gezien en er was helemaal niets gezegd over de bijeenkomst op het Jaleh-plein. Maar alle televisiezenders stonden onder controle van de staat en hadden de meeste gebeurtenissen en slachtoffers van de laatste tijd genegeerd. Ik kon niet begrijpen waarom de sjah het leger zou opdragen mensen neer te schieten. Waarom luisterde hij niet naar wat de demonstranten wilden en waarom praatte hij niet met hen?

Ik liep naar het raam, keek naar buiten, en vroeg me af of Arash ooit aan mij had gedacht terwijl hij voor zijn raam stond en op de stille straat uitkeek. Aram kwam naast me staan en keek ook naar buiten; ik had erg met hem te doen. Hij en zijn broer verschilden erg van elkaar, maar hadden toch ook een heel goede band.

In de woonkamer was mijn oog op een foto van hen beiden gevallen: twee kleine jongetjes, van ongeveer zeven en negen jaar, die met hun armen om elkaars nek stonden te lachen.

8

'Ons gebouw is vannacht aan de beurt voor warm water,' vertelde Sarah me. Het was mijn eerste nacht in 246. Ze legde uit dat we slechts eenmaal per twee of drie weken warm water kregen, en elke keer hooguit voor twee of drie uur. Onze kamer zou om ongeveer twee uur 's nachts aan de beurt zijn om de douches te gebruiken. 'Iedereen heeft tien minuten voor de douche. Ik maak je wel wakker,' zei ze.

Het was tijd om te gaan slapen. De verlichting in de kamers ging elke avond uit om elf uur, maar de lichten op de gang bleven continu branden. Sarah stelde me voor aan het meisje dat het beheer over de 'bedden' voerde. Iedereen kreeg drie dekens. We sliepen allemaal naast elkaar op de vloer, ieder op haar vaste plaats. Eens in de zoveel tijd werd er van plaats gewisseld. Er waren zoveel meisjes dat zelfs de gang als slaapplek werd gebruikt. Ik kreeg in de kamer een plek naast Sarah. Ik vouwde een van mijn dekens drie keer dubbel en gebruikte die als matras, de tweede was mijn kussen, en de derde was mijn eigenlijke deken. Wanneer iedereen eenmaal lag, was er geen enkele ruimte meer over. Midden in de nacht naar de wc gaan was een hele onderneming: het was praktisch onmogelijk de wc te bereiken zonder op iemand te stappen. In de tijd van de sjah verbleven er in 246 op de

boven- en de benedenverdieping samen in totaal zo'n vijftig gevangenen. Nu bedroeg het aantal bijna 650.

Sarah maakte me wakker zoals ze had beloofd. Eerst kon ik me niet
goed oriënteren. Toen drong het tot me door dat ik niet thuis in bed
lag. Dit was Evin. Het geluid van het water uit de douches vermengde
zich met de stemmen van de meisjes. Sarah hielp me overeind, en ik
strompelde erheen. De doucheruimte had een vloer en muren van be-
ton, die allemaal donkergroen waren geschilderd, en was in zes afzonderlijke cabines verdeeld door dikke plastic gordijnen. Per cabine
mochten twee meisjes tien minuten douchen. De lucht was er een en
al stoom en rook naar goedkope zeep. Ik schrobde mijn huid en huilde.

Vanaf het moment dat ik mijn blinddoek had afgedaan in de nacht
van de executies was mijn leven volledig veranderd. Ik had vóór die
nacht al het nodige meegemaakt, maar dat had de kern van mijn leven
onberoerd gelaten. Ik had mensen van wie ik hield verloren, en ik was
gearresteerd en gemarteld, maar in die nacht had ik een grens over-
schreden. Mijn tijd in deze wereld was ten einde, maar ik leefde nog
wel. Misschien was dit de scheidslijn tussen leven en dood. En hoorde
ik aan geen van beide kanten thuis.

Na het douchen gingen we terug naar onze slaapplaats. De ruimte
was zo krap dat ik mijn buren al lastigviel als ik op mijn rug lag en
daarom draaide ik me op mijn zij met mijn gezicht naar Sarah toe en
hield mijn benen zo recht mogelijk. Sarah deed haar ogen open en
glimlachte.

'Marina, ik bedoel het niet gemeen en ik weet dat het misschien
stom klinkt, maar ik ben blij dat je hier bij me bent. Ik was erg alleen
voordat jij kwam.'

'Ik ben ook blij dat we hier niet alleen zijn.'

Ze sloot haar ogen en ik sloot de mijne. Ik wilde haar vertellen over
de nacht van de executies, maar ik kon het niet. Er waren geen woorden om te beschrijven wat er was gebeurd. En ik wilde haar niet vertellen over mijn levenslange gevangenisstraf, omdat het haar alleen

maar overstuur zou maken. Zouden ze me echt voorgoed in Evin houden? Dat betekende dat ik nooit meer mijn moeder kon omarmen, of Andre ontmoeten, of naar de kerk gaan, of de Kaspische Zee zien. Nee, ze wilden me alleen maar bang maken, me wanhopig laten worden. Ik moest lang en vol overgave bidden. Ik moest smeken dat ik werd gespaard. Niet alleen ik, maar Sarah ook. We zouden snel weer naar huis gaan.

Het leek wel alsof we nog maar enkele minuten hadden gelegen toen over de luidsprekers het geluid van de muezzin de kamer vulde: 'Allahoe akbar. Allahoe akbar...' Het was tijd voor het ochtendgebed, dat voor zonsopkomst moest worden uitgesproken. Sarah en de meeste meisjes stonden op en liepen naar de badkamer voor de rituele *woezoe*, de reiniging van de handen, armen en voeten die voor elke namaz moet worden uitgevoerd. Eindelijk kon ik op mijn rug liggen. Iemand raakte mijn schouder aan en ik deed mijn ogen open. Het was Soheila.

'Sta je niet op voor de namaz?' vroeg ze.

'Ik ben christen,' antwoordde ik glimlachend.

'Jij bent de eerste christen die ik hier zie! We hadden... ik bedoel, we hebben christelijke buren. Ze wonen pal naast ons. Hun achternaam is Jalalian. Ik ben bevriend met hun dochter Nancy. Ze hebben me een keer bij hen thuis uitgenodigd om Turkse koffie te komen drinken. Ken je de familie Jalalian?'

Ik antwoordde ontkennend.

Ze verontschuldigde zich ervoor dat ze me wakker had gemaakt, en vroeg of de christenen ook baden. Ik legde uit dat we dat deden, maar anders dan de moslims. Wij hoefden niet op bepaalde tijden te bidden.

Elke ochtend om zeven uur moesten we de kamer opruimen. Ik stond er versteld van hoe vliegensvlug dit werd gedaan en hoe snel er een toren van opgevouwen dekens in de hoek verrees. De twee meisjes die maaltijdcorvee hadden, spreidden een zogeheten *sofreh*, bestaande uit dunne stroken plastic van ongeveer een halve meter breed, over de vloer uit en deelden metalen lepels en plastic borden en kopjes rond. We hadden geen vorken of messen. Daarna liepen de twee meisjes naar de hal en kwamen terug met een grote metalen bus met thee. De metalen bus was heel zwaar, en ze hielden hem ieder bij een handvat vast. Hijgend droegen ze het zware ding de kamer in. Ze brachten ons ook het rantsoen van brood en geitenkaas. We gingen in een rij staan, namen ons eten in ontvangst en gingen rond de sofreh zitten om te eten. Ik was uitgehongerd en had mijn brood binnen de kortste keren verorberd. Het brood was tamelijk vers. Ik hoorde dat de gevangenis een eigen bakkerij had. De thee was heet, maar had een zeer eigenaardige geur. Sarah vertelde me dat de bewakers er altijd kamfer aan toevoegden. Ze had gehoord dat de kamfer bij vrouwelijke gevangenen een remmende werking op de menstruatie had; de meeste meisjes menstrueerden helemaal niet. Maar de kamfer had wel bijwerkingen, je lichaam kon ervan opzwellen en je kon er depressief van worden. Ik vroeg haar waarom de bewakers niet wilden dat we menstrueerden, en volgens haar was dat vanwege de kosten van het maandverband. Na het eten legden de twee meisjes die afwascorvee hadden de vuile borden in plastic bakken, droegen die naar de doucheruimte en spoelden ze af met koud water.

Al snel leerde ik de vele regels die er golden. We mochten niet voorbij de traliedeuren aan het eind van de gang komen, tenzij de zusters ons over de luidspreker opriepen. Dat gebeurde gewoonlijk alleen als we moesten komen voor een nader verhoor of voor bezoek. Eens per maand was er gelegenheid voor bezoek, en de eerstvolgende keer was over twee weken. Sarah had nog geen bezoek gehad, maar ze hoopte dat haar ouders haar spoedig mochten bezoeken. Ik hoorde ook dat alleen naaste verwanten toestemming voor een bezoek kregen en dat zij kleren mochten meebrengen. In elke kamer stond een televisie, maar er waren alleen religieuze programma's toegestaan. We hadden boeken, maar die gingen allemaal over de islam.

De lunch bestond meestal uit een beetje rijst of soep, en voor het avondeten kregen we brood en dadels. De rijst en de soep schenen stukjes kip te bevatten, maar wie ook maar het kleinste stukje vlees in haar eten aantrof, prees zich uitermate gelukkig en liet het vol trots aan haar vriendinnen zien. De vertegenwoordigster van elke kamer, die soms door de meisjes werd gekozen en soms door de bewakers werd aangewezen, organiseerde de voedseldistributie en de schoonmaak-corvees, en meldde alle ernstige ziekten of problemen op het kantoor.

Op een dag, zo'n tien dagen na mijn arrestatie, zat ik in een hoek van de kamer te kijken naar de meisjes die hun middaggebed opzei-den. Ze stonden in rijen met hun gezicht naar Mekka. De eerste keer dat ik een moslim van dichtbij had zien bidden, was toen ik toekeek terwijl Arash zijn namaz uitsprak bij het zomerhuisje van zijn tante. Ik vond het mooi om te zien hoe hij zich vooroverboog, knielde en al die dingen prevelde waarin hij zo hartstochtelijk geloofde. Zou hij de-ze nieuwe regering hebben goedgekeurd en al de vreselijke dingen die men deed uit naam van God? Nee, Arash was een goed en zachtaardig mens geweest; hij zou nooit een dergelijk onrecht hebben geaccep-teerd. Misschien waren we allebei wel in Evin terechtgekomen.

Een van mijn kamergenoten sprak me aan en ik schrok op. Het was Taraneh, een mager, fragiel meisje van twintig jaar met grote licht-bruine ogen en kort lichtbruin haar. Ze zat het grootste deel van de tijd in een hoekje de Koran te lezen. Telkens wanneer ze opstond voor het gebed, trok ze de chador voor haar gezicht. Wanneer ze daarna de chador weer afdeed, waren haar ogen rood en opgezwollen, maar ze bleef glimlachen.

'Je zag er bijna de hele tijd uit als een standbeeld. Je knipperde niet eens met je ogen,' zei ze.

'Ik was aan het denken.'

'Waar dacht je aan?'

'Aan een vriend.'

Ik vroeg haar waarom zij was gearresteerd, en haar antwoord luid-de: 'Dat is een lang verhaal.'

'Nou ja, het lijkt erop dat we voorlopig tijd genoeg hebben,' zei ik.

'Ik niet,' antwoordde ze.

Een gevoel van angst bekroop me. Sarah had me verteld dat twee meisjes in onze kamer ter dood veroordeeld waren, maar dat Taraneh daar niet toe behoorde.

'Maar Sarah zei tegen me...'

'Niemand weet het,' fluisterde ze.

'Waarom heb je het niemand verteld?'

'Wat heeft het voor zin? Dan maken de mensen zich zorgen over je en hebben ze medelijden met je. Ik haat dat. Zeg het alsjeblieft tegen niemand.'

'Waarom heb je het aan mij verteld?'

'Jij zou toch worden terechtgesteld?'

Het werd me te veel. Ik kon het niet voor haar verborgen houden. Ik zuchtte eens diep en vertelde haar over de nacht van de executies waarin Ali me op het laatste moment had weggehaald. Ze vroeg me waarom Ali mij had gered, en ik zei dat ik daar geen idee van had. Dat bracht haar ertoe te vragen wat ze echt wilde weten.

'Heeft hij je ooit aangeraakt?'

'Nee, wat bedoel je?'

'Je weet wel wat ik bedoel. Een man wordt niet geacht een vrouw aan te raken tenzij ze getrouwd zijn.'

'Nee!'

'Dat is vreemd.'

'Wat?'

'Ik heb zo het een en ander gehoord.'

'Wat heb je gehoord?'

'Een paar meisjes vertelden me dat ze waren verkracht en dat ze zouden worden geëxecuteerd als ze het ooit aan iemand zouden vertellen.'

Ik had er maar een vaag idee van wat verkrachting eigenlijk inhield. Ik wist dat het iets verschrikkelijks was, iets wat een man een vrouw kon aandoen, iets waarover niemand hoorde te praten. En hoewel ik er wel meer van wilde weten, durfde ik het niet te vragen.

'Hoe ging het voordat ze jou meenamen voor de executie? Hebben ze je toen niet aangeraakt?' vroeg Taraneh.

'Nee!'

Ze verontschuldigde zich omdat ze mij van streek had gemaakt. Ik deed mijn best niet te huilen. Ik vertelde haar hoeveel pijn het deed in leven te zijn terwijl de anderen waren gestorven. Ze zei dat het voor hen niets had uitgemaakt als ik ook was doodgegaan.

'Hoe wist je van mijn doodstraf?' vroeg ik.

'Toen je binnenkwam, stond je naam op je voorhoofd geschreven.'

Dat begreep ik niet.

'Na mijn arrestatie hebben ze mij twee dagen lang van tijd tot tijd geslagen, maar ik heb niet meegewerkt,' vertelde ze. 'Toen sleurde mijn ondervrager me op een nacht naar buiten en trok mijn blinddoek weg... Er lagen lijken... helemaal onder het bloed. Ze waren doodgeschoten... een stuk of tien mensen. Ik moest overgeven. Hij zei dat mij hetzelfde lot te wachten stond als ik niet praatte. Hij had een zaklantaarn en richtte die op het gezicht van een van de doden. Een jongeman. Zijn naam stond op zijn voorhoofd geschreven. Mehran Kabiri.'

Al wist ik dat alles wat er in de nacht van de executies was gebeurd maar al te werkelijk was, ik had mijn herinneringen toch beleefd alsof ze een nachtmerrie waren. Ik had ze zoveel mogelijk verdrongen, maar nu staken ze weer in alle hevigheid de kop op. Mijn ademhaling werd zwaar. Waar ik die nacht getuige van was geweest, kon echt gaan gebeuren met Taraneh. En er was niets wat ik eraan kon doen.

Taraneh had gehoord dat de bewakers de meisjes verkrachtten voordat ze hen terechtstelden, omdat ze geloofden dat maagden na hun dood naar de hemel gingen.

'Marina,' zei ze, 'laat ze me maar doodmaken als ze dat willen, maar ik wil niet worden verkracht.'

We hadden in onze kamer een zwangere vrouw die Sheida heette. Ze was ongeveer twintig jaar en was ter dood veroordeeld, maar haar terechtstelling was opgeschort omdat de wetten van de islam verboden een vrouw te executeren die zwanger was of borstvoeding gaf. Ze had lang lichtbruin haar en bruine ogen. Haar man stond eveneens een executie te wachten. We lieten haar nooit alleen, zodat ze geen kans had om zich al te veel zorgen te maken. Het grootste deel van de tijd hielden minstens twee meisjes haar gezelschap. Maar ook al was ze meestal wel kalm, zo nu en dan stroomden stilletjes de tranen over haar wangen. Ik kon me levendig indenken dat ze het verschrikkelijk moeilijk had. Ze had niet alleen zichzelf om zich zorgen over te maken, maar ook haar man en haar ongeboren kind.

Op een nacht werden we wakker door het geluid van geweerschoten. Alle meisjes zaten rechtop in hun bed en staarden naar het raam. Elke kogel was een verloren leven, een laatste adem, een kapotgeschoten geliefde, met een familie die op zijn of haar thuiskomst wachtte en hoopte. Ze zouden worden begraven in een anoniem graf, hun naam zou niet in steen worden gegraveerd.

'Sirus...' fluisterde Sarah.

'Het gaat goed met Sirus. Ik weet zeker dat hij het goed maakt,' loog ik.

Sarahs donkere ogen glansden onwerkelijk in de duisternis. Ze begon te snikken, en haar snikken werden steeds luider. Ik legde mijn armen om haar heen en hield haar tegen me aan. Ze duwde me weg en begon te gillen.

'Sst... Sarah! Diep ademhalen,' zeiden enkele meisjes die naar ons toe kwamen in een poging haar tot bedaren te brengen.

Sarah begon zichzelf tegen het hoofd te slaan. Ik probeerde haar polsen vast te houden, maar ze was verrassend sterk. Er waren vier meisjes voor nodig om haar in bedwang te houden, terwijl ze nog steeds bleef worstelen. De lichten gingen aan en een minuut later stormden zuster Maryam en een van de andere bewakers, zuster Masumeh, onze kamer binnen.

'Wat is er aan de hand?' vroeg zuster Maryam.

'Het gaat niet goed met Sarah,' zei Soheila. 'Ze huilde en gilde, en toen begon ze zichzelf heel hard te slaan.'

'Haal de verpleegkundige!' zei zuster Maryam tegen zuster Masumeh, die meteen de kamer uit rende.

De verpleegkundige kwam binnen tien minuten en gaf Sarah een injectie in haar arm. Al snel hield Sarah op met worstelen en raakte ze bewusteloos. Zuster Maryam zei dat Sarah naar het gevangenisziekenhuis moest om te voorkomen dat ze zichzelf iets aandeed. De zusters en de verpleegkundige legden Sarah op een deken en droegen haar weg. Haar kleine hand bungelde naast de deken omlaag. Ik smeekte God om haar niet te laten sterven. Haar familie verwachtte dat ze thuis zou komen, net zoals Arash' familie op zijn terugkeer had gewacht.

9

We wachtten allemaal op de thuiskomst van Arash, ook al wisten we wel dat hij niet zou komen.

De sjah verving de ene eerste minister door de andere in een poging de macht over het land te behouden; hij hield toespraken en vertelde het volk dat hij de roep om gerechtigheid had gehoord en veranderingen tot stand zou brengen. Maar dat was allemaal tevergeefs. Elke dag waren er weer meer bijeenkomsten en demonstraties tegen de sjah. Met het voortschrijden van het schooljaar 1978-1979 werd iedereen bezorgd en onzeker over de toekomst. De wereld waarin ik was opgegroeid en de regels waarmee ik had geleefd en waarvan ik dacht dat ze in steen waren gehouwen, begonnen af te brokkelen. Ik haatte de revolutie. Die was de oorzaak geweest van geweld en bloedvergieten, en ik was ervan overtuigd dat dit nog maar het begin was. Al snel stelde het leger een avondklok in en stonden er op elke hoek soldaten en legertrucks. Ik was een vreemde in mijn eigen leven.

Op een dag trilde ons appartement door een zwaar bulderend lawaai dat alsmaar luider werd zodat ik het zelfs in mijn botten kon voelen. Ik keek uit het raam en zag een tank door de straat rijden. Ik werd doodsbang – ik had nooit geweten dat tanks zo luidruchtig en monsterachtig waren. Toen het lawaai weggestorven was, zag ik dat de wielen diepe sporen in het wegdek hadden achtergelaten.

De weken gingen voorbij en de angst groeide. Velen die een belangrijke overheidsfunctie of militaire positie bekleedden, verlieten het land. Ten slotte gingen aan het eind van de herfst van 1978 de scholen dicht. Het was een koude winter en als gevolg van stakingen bij de olieraffinaderijen en de politieke en economische onzekerheid was er een tekort aan brandstof voor de auto's en de verwarming, zodat we slechts één kamer warm konden houden. Bij de benzinestations stonden kilometerslange rijen; de mensen moesten de hele nacht in hun auto wachten tot ze aan de beurt waren om te tanken. Ik bleef thuis en zat de hele dag te huiveren, uit het raam te kijken en me zorgen te maken. In de Sjah-laan, waar wij woonden, was het verkeer gewoonlijk erg druk, maar de straat lag er nu overwegend verlaten bij. De trottoirs, waar het voorheen wemelde van mensen die wandelden, etalages keken en met verkopers onderhandelden, waren nu leeg. Zelfs de bedelaars waren verdwenen. Zo nu en dan doken er groepjes van zo'n tien of twintig man op, die autobanden in brand staken en leuzen als DOOD AAN DE SJAH en LANG LEVE KHOMEINI op de muren schreven. Daarna hing er een dikke rook in de lucht en stonk het naar brandend rubber. Een enkele keer stroomde de straat vol met boze demonstranten; de mannen liepen voorop, gevolgd door de vrouwen in hun zwarte chador. Met hun vuist in de lucht zwaaiend riepen ze slogans tegen de sjah en de Verenigde Staten, en ze droegen spandoeken met foto's van ayatollah Khomeini.

Eens per week ging ik op bezoek bij Aram en zijn familie. Voor de veiligheid bleef ik steeds dicht bij de gebouwen – tallozen waren al gewond geraakt of gedood door een verdwaalde kogel – en liep zo snel als ik kon over straat, waarbij ik ervoor waakte in de buurt van demonstranten of soldaten te komen. Eenmaal in de bus probeerde ik een zitplaats in een veilig hoekje te krijgen. Aram was helemaal panisch omdat ik over straat ging; hij zette nauwelijks een voet buiten de deur en had me gesmeekt thuis te blijven. Daar had ik tegen ingebracht dat dan de kans groot was dat ik doodging van verveling. Hij vroeg me om hem in elk geval eerst op te bellen voordat ik van huis ging.

'Wat heeft het voor nut dat ik je bel voordat ik vertrek?' vroeg ik hem.

'Dan kan ik tenminste iets doen als je na een tijdje nog niet bij ons bent.'

'Wat wil je doen dan?'

Met een ontredderde blik keek hij me aan.

'Dan kom ik je zoeken.'

'Waar?'

In zijn ogen stond de pijn te lezen, en het drong tot me door hoe wreed ik was geweest. Hij maakte zich zorgen om mij en wilde niet dat de geschiedenis zich zou herhalen.

Ik nam zijn hand in de mijne. 'Aram, het spijt me! Vergeef me! Ik weet niet wat me mankeert. Ik ben zo stom! Ik weet niet wat me bezielde. Ik bel je, dat beloof ik.'

Hij glimlachte onzeker.

Om haar iets te doen te geven vroeg ik Irena om mij te leren breien. Wanneer ik op bezoek was, zaten we allemaal in de woonkamer thee te drinken en dan luisterden we vanwege de censuur op de Iraanse televisie- en radiozenders naar BBC Radio om te horen wat er in ons land gebeurde. Soms hoorden we in de verte geweerschoten en hielden we op met wat we deden om naar het bulderende geluid te luisteren. Irena was erg verzwakt en Arams moeder zag er met de week magerder uit. Zijn vader, die zesenveertig was, leek jaren ouder. Zijn haar was grijs geworden en er stonden diepe rimpels in zijn voorhoofd.

Sarah en ik spraken elkaar bijna dagelijks over de telefoon, en zo nu en dan ging ik naar haar huis of kwam zij bij mij. Haar ouders waren, anders dan de mijne, voorstander van de revolutie en hadden enkele bijeenkomsten bijgewoond, al hadden ze Sarah en Sirus nooit mee daar naartoe genomen. Sarah zei dat haar moeder een zwarte chador droeg wanneer ze naar een demonstratie ging. Ik kon me haar moeder nauwelijks voorstellen in een chador: zij was een van de best geklede vrouwen die ik ooit gekend had. Sarah vertelde me dat Sirus van plan was een keer stiekem naar een bijeenkomst te gaan en dat ze hem had gevraagd haar mee te nemen. Dat had hij geweigerd, omdat hij meende dat ze te jong was en dat het een gevaarlijke onderneming was. Ik smeekte Sarah er niet heen te gaan en herinnerde haar aan de verdwijning van Arash, maar zij zei dat mensen niet langer bang moesten zijn en zich moesten verzetten tegen de sjah, die de olieopbrengst van ons land had gebruikt ter vermeerdering van zijn persoonlijke rijkdom. Daarmee bouwde hij grote paleizen, hield hij overdadige feesten en zette hij enorme geldbedragen op zijn privérekeningen in het buitenland. En hij had de mensen die kritiek op hem leverden, gevangengenomen en gemarteld.

'Jij moet ook komen,' zei Sarah tegen me. 'Voor Arash. De sjah is een dief en een moordenaar, en we moeten van hem af.'

Op een goede dag drong een groep mensen die WEG MET DE SJAH schreeuwden, het kleine restaurant onder ons appartement binnen. Ze sloegen de ramen in, pakten alle bierblikjes en andere alcoholische dranken die ze konden vinden, gooiden die op een hoop op het kruispunt en staken er de brand in. De bierblikjes ontploften en deden onze ramen trillen. Ik kende de eigenaars van het restaurant heel goed; het was een Armeense familie en we waren al jaren buren van elkaar. Er overkwam hun verder niets tijdens het incident, maar ze waren erg bang.

Geleidelijk werd de aanwezigheid van het leger minder zichtbaar op straat. Iedereen zei dat de sjah nu eindelijk besefte dat het gebruik van extreem geweld de revolutie alleen maar zou aanwakkeren. De mensen dachten ook dat veel soldaten inmiddels weigerden gehoor te geven aan orders om het vuur te openen op demonstranten. Er reden nu weliswaar soms nog legertrucks langs, maar ik zag geen soldaten meer die hun geweren op een demonstrerende menigte gericht hielden.

Mijn ouders leken zich niet al te veel zorgen te maken over wat er in het land gebeurde. Ze hadden de islamitische beweging niet erg se-

rieus genomen en geloofden dat dit slechts een korte periode van on-
rust was en geen revolutie, en dat de sjah te machtig was om zich gewonnen te geven tegenover een stelletje moellahs en geestelijken. Dus
ook al waarschuwde mijn moeder me wel steeds om voorzichtig te
zijn wanneer ik van huis ging, ze zei ook dat de donkere wolken spoedig voorbij zouden drijven.

De sjah werd gedwongen in ballingschap te gaan en vertrok op 16 januari 1979 uit Iran. De politieke gevangenen werden vrijgelaten. Op
straat werd feest gevierd. Ik keek uit mijn raam naar de feestende
mensen en de claxonnerende auto's. Vervolgens keerde Khomeini na
zijn eigen langdurige ballingschap in Turkije, Irak en Frankrijk op
1 februari terug naar Iran. Toen zijn vliegtuig vlak bij Teheran was,
vroeg een verslaggever hem wat hij voelde bij zijn terugkeer. Zijn antwoord luidde dat hij niets voelde. Zijn woorden stonden me tegen.
Tallozen hadden hun leven gegeven om de weg te bereiden voor zijn
terugkeer in de hoop van Iran een beter land te maken, en dan voelde
hij niets? Het leek alsof er koud water in plaats van warm bloed door
zijn aderen stroomde.

Kort na Khomeini's terugkeer hoorde ik dat het leger nog steeds
trouw aan de sjah was. Er waren nog steeds tanks en legertrucks op
straat. Al met al betekende dit dat de toekomst van het land bijna een
maand lang volkomen onzeker was. In de meeste steden was een mili-
tair noodbestuur ingesteld en was de avondklok nog steeds van
kracht. Ayatollah Khomeini vroeg de mensen elke avond om negen
uur op hun dak te gaan staan en een halfuur lang 'Allahoe akbar' te
roepen als blijk van hun steun voor de revolutie. Mijn ouders en ik namen geen deel aan de Allahoe akbar-sessies, maar de meeste mensen
wel, ook degenen die de revolutie niet van harte hadden gesteund.
Het land was in de ban van het solidariteitsgevoel. De mensen hoopten op een betere toekomst en op een democratie.

Op 10 februari 1979 gaf het leger zich over aan de wil van het volk van Iran, en op 11 februari stelde ayatollah Khomeini een voorlopige regering aan met Mehdi Bazargan als eerste minister.

Al snel waren er overal gewapende leden van de Revolutionaire Garde en leden van de islamitische comités, die iedereen achterdochtig bekeken. Honderden werden gearresteerd en ervan beschuldigd lid te zijn geweest van de SAVAK, de geheime politie van de sjah. Ze werden in de gevangenis gezet en hun bezittingen werden in beslag genomen; sommigen werden terechtgesteld, te beginnen met de hoogste functionarissen van het oude regime die het land niet hadden verlaten. In de kranten verschenen afschuwelijke beelden van hun gehavende, bloederige lichamen. In die tijd leerde ik omlaag te kijken wanneer ik langs een krantenkiosk liep.

Niet lang na de revolutie werd dansen zondig en illegaal verklaard, en verloor mijn vader zijn baan bij het ministerie van Kunst en Cultuur. Later kreeg hij werk als vertaler en kantoorbeambte in de fabriek voor roestvrij staal van oom Partef. Mijn vader maakte lange werkdagen en kwam dan moe en ongelukkig thuis. Net als anders zag ik hem maar weinig, misschien nu nog minder. Wanneer hij thuis was, zat hij met een serieuze stoor-me-niet-uitdrukking op zijn gezicht de krant te lezen of televisie te kijken. We spraken elkaar nauwelijks.

De scholen gingen weer open en we kregen weer les. Onze directrice, een deskundige vrouw die in de tijd van de sjah nauwe banden met de minister van Onderwijs had gehad, was verdwenen. We hoorden dat ze was geëxecuteerd. Zij had jarenlang zeer bedreven de school geleid, en haar afwezigheid deed zich in tal van opzichten voelen. Er gingen geruchten dat de meeste leerkrachten spoedig zouden worden vervangen door aanhangers van de regering. En wat nog erger was, onze nieuwe directrice, khanoem Mahmudi, was een negentienjarige vrouw die een fanatiek lid van de Revolutionaire Garde was en die de complete islamitische hidjab droeg. Het dragen van de hidjab was niet verplicht, maar het zag ernaar uit dat de regels gingen veranderen. 'Hidjab' is een Arabisch woord dat verwijst naar een gepaste bedekking voor het lichaam van een vrouw. De hidjab kan verschillende vormen hebben en een daarvan is de chador. Nadat de hidjab verplicht was geworden, droegen de meeste vrouwen in de grote steden, met name in Teheran, in plaats van een chador een loshangend lang gewaad dat de islamitische *manteau* werd genoemd, en bedekten ze hun haar met een grote sjaal; als de manteau en de sjaal op correcte wijze werden gedragen, gold dit ook als een aanvaardbare vorm van hidjab.

Enkele maanden na de revolutie bestond er nog steeds een zekere mate van vrijheid van meningsuiting. Op school verkochten diverse politieke groeperingen vrijelijk hun eigen krant, en in de pauze waren overal op het schoolplein politieke discussies te horen. Ik had nooit eerder een marxist gezien, en nu waren ze overal. Ook was er de organisatie Mujahedin-e Khalq, een naam die 'Gods strijders voor het volk' betekent. Al deze politieke groeperingen waren illegaal ten tijde van de sjah, maar hadden jarenlang een ondergronds bestaan geleid. Ik wist niets van die moedjahedien en ik scheen er nog veel over te kunnen leren. Een marxistische vriendin vertelde me dat de moedjahedien marxisten waren die van de kernleer waren afgedwaald en in God en de islam geloofden. Het waren moslimsocialisten die geloofden dat de islam Iran naar sociale gerechtigheid kon voeren en het land kon bevrijden van de verwestersing. Ze hadden zich in de jaren zestig georganiseerd en bewapend, en hadden ervoor gestreden om de sjah te verdrijven. Maar het waren geen volgelingen van Khomeini; al jaren voordat ayatollah Khomeini een bekend persoon werd, hadden ze tal van demonstraties tegen de sjah geleid, en waren de leden, overwegend studenten van de universiteiten, in Evin gemarteld en geëxecuteerd. Het feit dat ze een islamitische groepering waren, was voor mij reden genoeg om me niet bij hen aan te sluiten.

Aram ging naar een jongensschool die Alborz heette en die pal naast mijn school stond. Op een middag, ongeveer een week nadat de school weer was begonnen, hoorde ik hem mijn naam roepen toen ik op weg naar huis was. Mijn hart sloeg over; ik dacht dat hij iets van zijn broer had gehoord, maar hij zei dat hij mij alleen maar wilde zien en stelde voor samen met mij naar huis te lopen. Ik slaakte een zucht van opluchting. Hoewel ik eigenlijk wel wist dat Arash dood was, was ik bang om het echt bevestigd te krijgen.

Hij vroeg me naar mijn school, en ik vertelde hem dat onze nieuwe directrice lid van de Revolutionaire Garde was en dat het me niet zou verbazen als ze een pistool bij zich droeg.

'Je laat je toch niet in met een of andere politieke groepering?' vroeg hij. Sinds de verdwijning van zijn broer was Aram op trieste, deprimerende wijze volwassen geworden. Vóór de revolutie dacht hij alleen aan basketbal en feestvieren, maar nu maakte hij zich overal zorgen over en gaf me voortdurend raad. 'Mijn vader zegt dat het een gevaarlijke tijd is,' zei hij. 'Volgens hem staat de nieuwe regering alle politieke groeperingen toe te zeggen en te doen wat ze willen, zodat de Revolutionaire Garde kan zien wie hun vrienden en vijanden zijn. Daarna zullen ze vroeg of laat iedereen arresteren die ooit iets tegen de regering heeft ondernomen.'

Tante Zenia had me enkele dagen tevoren gebeld en had me precies hetzelfde verteld. Ze had me gemaand voorzichtig te zijn. Maar ik was uiterst nieuwsgierig naar de diverse ideologieën. Elke dag was ik tijdens de pauze aanwezig bij lees- en discussiebijeenkomsten die waren georganiseerd door leerlingen van de hoogste klassen die bij uiteenlopende politieke groeperingen actief waren.

Afgezien van het feit dat ze niet in God geloofden, hadden Marx en Lenin zeer aantrekkelijke ideeën. Ze wilden gerechtigheid voor iedereen en een maatschappij waarin de rijkdommen gelijkelijk verdeeld waren, maar hun aanpak bleek in de realiteit tekort te schieten. Ik wist heel goed wat er in de Sovjet-Unie en andere communistische landen was gebeurd. Het communisme werkte niet. Aan de andere kant kon ik nu zien wat een islamitische samenleving inhield. Ik was ervan overtuigd dat de vermenging van religie en politiek gevaarlijk was. Iedereen die kritiek op de islamitische regering uitte, werd ervan verdacht kritiek op de islam te hebben en dus stelling te nemen tegen

God. Volgens de islam, zoals ik die begreep, verdienden dergelijke mensen het niet om te leven, tenzij ze van opvatting veranderden.

In de tijd vóór de revolutie, voor zover ik die zelf heb meegemaakt, waren het geloof en de ideologie van mensen nooit een punt geweest. Op mijn school zaten meisjes van diverse religies, maar we werden geacht ons op het onderwijs te concentreren, om beleefd en respectvol tegenover elkaar en tegenover de leraren te zijn, en ons als een dame te gedragen. Maar nu leek de wereld te zijn opgedeeld in vier agressieve stromingen – de fundamentalistische islam, het communisme, de linkse islam en het monarchisme – en ik voelde me bij geen van alle thuis. Bijna iedereen maakte deel uit van een groep, en ik niet, en daardoor voelde ik me verloren en eenzaam.

Gita zat nu in de op een na hoogste klas en was lid van een communistische partij die bekendstond als de Fadayian-e Khalq. Sarahs broer Sirus was lid van de Mujahedin-e Khalq, en Sarah steunde hun opvattingen en ideeën.

In mei 1979, ongeveer drie maanden na het welslagen van de Islamitische Revolutie, was ik op een avond alleen thuis. Mijn ouders waren op bezoek bij een vriend van hen, en ik was thuisgebleven om mijn huiswerk te maken. Om ongeveer acht uur zette ik de televisie aan. We hadden toentertijd slechts twee zenders. Sinds de revolutie was er zelden iets goeds te zien, maar ik was geïnteresseerd in een documentaire over de bijeenkomst tegen de sjah van 8 september op het Jaleh-plein. Ook al wist ik maar al te goed dat Arash dood was, toch kon ik niet aan die dag denken als de dag van zijn dood: het was de dag van zijn verdwijning. Met tranen in mijn ogen ging ik dichter bij het televisiescherm zitten. De film was van slechte kwaliteit; de cameraman was het grootste deel van de tijd aan het rennen en maakte steeds plotselinge bewegingen, zodat de film moeilijk te volgen was. De soldaten richtten hun geweer op de menigte en vuurden. De mensen begonnen te rennen en ik zag er een paar op de grond vallen. De soldaten wierpen enkele lichamen op een legertruck, en toen, heel kort, zag ik hem. Een van de lichamen was dat van Arash. Ik ging staan, misselijk en geschokt. Ik kon geen woord uitbrengen, en ik kon niet huilen. Ik liep naar mijn kamer, ging op mijn bed zitten en probeerde na te denken. Misschien had ik het me verbeeld, zei ik tegen mezelf. Wat kon ik doen? Ik moest de waarheid weten. Ik liep meteen naar de telefoon en belde Aram. Hij hoorde de paniek in mijn stem. Ik wist niet hoe ik het hem moest zeggen.

'Marina, wat is er?'

Stilte.

'Zeg iets. Zal ik bij je thuis komen?'

'Nee,' hoorde ik mezelf zeggen.

'Zeg me alsjeblieft wat er mis is.'

'Ze zonden een documentaire uit over de demonstratie van 8 september. De soldaten wierpen lichamen op een legertruck. Ik denk dat Arash daarbij was.' Zo, ik had het gezegd.

Stilte, een afschuwelijke stilte.

'Weet je het zeker?'

'Nee, hoe kan ik dat nu zeker weten? Het was maar een fractie van een seconde, maar hoe kunnen we erachter komen?'

Aram stelde voor dat we de volgende dag na school naar het televisiestation zouden gaan. Ik wilde 's ochtends al gaan, maar hij zei dat onze ouders ongerust zouden zijn als we van school wegbleven, en hij wilde niets tegen zijn ouders zeggen voordat we zeker wisten dat ik het goed had gezien.

De volgende dag namen we de bus naar het televisiestation; onderweg spraken we geen woord. We gingen eerst naar de receptioniste, een vrouw van middelbare leeftijd, en legden haar onze situatie uit. Ze was erg sympathiek en zei tegen ons dat ze zelf een neef had verloren bij de demonstratie van 8 september. Nadat ze enkele telefoontjes had gepleegd, leidde ze ons naar een bebaarde jongeman in een klein kantoortje. Hij droeg een bril met dikke glazen en keek me geen enkele keer aan terwijl we praatten, maar knikte voortdurend. Hij nam ons mee naar een grote kamer vol met allerlei apparatuur, waar we ons verhaal deden aan een man van eind veertig die agha-ye Rezaii heette en die ons beloofde de band op te zoeken. Hij vond hem inderdaad.

Aram en ik keken allebei naar het scherm, en daar was het fragment. We vroegen agha-ye Rezaii het beeld stil te zetten. Het leed geen enkele twijfel dat het Arash was. Zijn ogen waren gesloten en zijn mond hing iets open. Zijn witte T-shirt zat onder het bloed.

Ik had het gevoel alsof een rots mijn borstkas had verpletterd. Ik wilde dat ik bij hem had kunnen zijn toen hij stierf, toen hij eenzaam en bang was.

Lange tijd stonden we vastgekluisterd aan het scherm. Uiteindelijk keek ik naar Aram. Zijn ogen waren leeg en afwezig, terwijl hij net als ik probeerde iets te begrijpen van de verbijsterende, eenzame leegte die de dood had achtergelaten, de verschrikkelijke val van het bekende naar het onbekende, en het angstige wachten tot je tegen de vaste bodem sloeg en in kleine, onbetekenende stukken uiteenviel. Ik raakte zijn hand aan. Hij keek me aan. Ik omhelsde hem. Agha-ye Rezaii huilde met ons mee.

'Ik moet mijn ouders bellen. Zij moeten het meteen weten,' zei Aram.

Binnen het uur waren ze er allebei, ontzet en gebroken. Na acht maanden van lijden moesten we de realiteit van zijn dood onder ogen zien. Ze waren me dankbaar omdat ik hem had gevonden. Ja, ze waren me dankbaar. Mijn hersenen functioneerden niet meer. Ik kon niet nadenken. Ze wilden me met de auto naar huis brengen, maar ik sloeg het aanbod af. Ik wilde alleen zijn.

Ik nam de bus, vond een rustig plekje in een hoek, en bad. Kon ik iets anders doen? Ik zou alsmaar Weesgegroetjes bidden. Ik zou bidden totdat het genoeg was, totdat ik de manier waarop hij was gestorven kon goedmaken, totdat ik kon goedmaken dat ik op dat ogenblik niet bij hem was geweest. Maar zou het ooit genoeg zijn? De smart die zich van mijn ziel had meester gemaakt, nam steeds grotere vormen aan zonder dat er ook maar iets van vergeving mogelijk leek. Ik moest het verdriet aanvaarden en het laten aanzwellen totdat het weg zou vloeien, of het zou mijn ziel vernietigen.

Bij onze voordeur probeerde ik met bevende handen de sleutel in het sleutelgat te steken, maar hij wilde er niet in. Ik belde aan. Geen reactie. De zware, warme lucht en het lawaai van het verkeer drukten op me neer. Ik haalde diep adem en probeerde de sleutel nogmaals in het slot te steken. De deur ging open. Ik deed hem achter me dicht en leunde ertegenaan. In de hal was het donker, koel en stil. Met een gevoel van uitputting zette ik loodzware stappen in de richting van de trap en liep naar boven, maar na de eerste paar treden viel ik flauw. Enige tijd voelde ik alleen maar de koelte van het steen tegen mijn huid. Toen hoorde ik een stem die mijn naam riep. Iets warms raakte mijn gezicht aan. Ik keek op. Mijn moeders ogen keken me aan, en ze begon me door elkaar te schudden.

'Marina, sta op!'

Ze trok aan mijn armen, en eindelijk slaagde ik erin op mijn voeten te gaan staan, terwijl ik tegen haar aan leunde. Ze leidde me naar mijn kamer. Ze praatte tegen me, maar ik begreep er niets van. Haar woorden waren als een mist, als rook die in de lucht opsteeg en verdween in het zonlicht dat door het raam mijn kamer binnen gleed. Ze hielp me op mijn bed te gaan zitten. Ik moest begrijpen wat er was gebeurd. Ik moest begrijpen waarom Arash was gestorven. Ik staarde uit het raam naar de blauwe lucht.

Toen ik me ten slotte bewust werd van mijn omgeving stond mijn moeder bij me met in haar handen een bord met mijn lievelingsgerecht – een stoofschotel van rundvlees en knolselderij met rijst. Buiten was het donker geworden, en het licht in mijn slaapkamer was aan. Ik keek even op mijn horloge. Het was negen uur geweest. Er waren twee uren verstreken en ik zat nog steeds op mijn bed. Ik was door de tijd gegleden alsof mijn verdriet me uit de wereld had losgesneden, zoals je met een schaar een figuurtje uit een vel papier knipt.

'Hij is dood,' zei ik hardop, in de hoop dat ik door het feit uit te spreken zou begrijpen waarom het was gebeurd.

'Wie?'

Mijn moeder ging op de rand van mijn bed zitten.

'Arash.'

Ze wendde haar blik van me af.

'Hij is gedood bij de demonstratie van 8 september. Hij is doodgeschoten. Hij is dood.'

'Dat is vreselijk.' Ze zuchtte hoofdschuddend. 'Ik weet dat je hem graag mocht. Het is moeilijk, heel moeilijk, maar je zult eroverheen komen. Morgen zal het al weer een stuk beter met je gaan. Ik zal een kop thee voor je zetten.'

Ze liep de kamer uit. Eens in de zoveel tijd gaf mijn moeder me een kort moment van genegenheid. Maar dat duurde nooit lang, het moment schitterde fel als een vallende ster en loste op in de duisternis.

Na een kop kamillethee viel ik in slaap, maar midden in de nacht werd ik wakker met een brandend gevoel in mijn borst. Ik had over Arash gedroomd. Ik rende naar mijn commode, pakte mijn engelenbeeldje en kroop onder mijn bed. Diep vanuit mijn keel scheurde zich een gehuil los, en hoe harder ik probeerde me stil te houden, des te erger werd het. Ik trok mijn kussen van mijn bed en bedekte mijn gezicht ermee. Ik wilde dat de engel kwam en me vertelde waarom mensen stierven. Ik wilde dat hij kwam en me vertelde waarom God degenen wegnam van wie ik hield. Maar hoe ik hem ook riep, hij kwam niet.

Op 6 september 1979 overleed Irena aan een hartaanval. Ik had al twee dierbaren verloren, maar ik was nog nooit naar een begrafenis geweest. Deze van Irena was mijn eerste. Op 9 september trok ik een zwarte rok en een zwarte blouse aan, en keek in de spiegel. Het beviel me niet hoe ik eruitzag in het zwart: mager, bleek en uit het veld geslagen. Ik probeerde rechtop te staan met een krachtige uitstraling. Ik trok de zwarte kleren uit en hulde me in mijn favoriete bruine rok en een crèmekleurige blouse. Irena zou deze keus veel beter hebben gevonden.

Onderweg naar de bushalte liep ik een bloemenwinkel binnen en kocht een boeket roze rozen. In de bus zat ik bij het raam en keek hoe de straten aan me voorbijgleden. De stad was ontdaan van alle kleur en vrolijkheid. De mensen droegen alleen donkere kleren en keken omlaag tijdens het lopen, alsof ze noch elkaar, noch de omgeving wilden zien. Bijna elke muur was overdekt met wrede leuzen die opriepen tot haat.

De Russisch-orthodoxe kerk in Teheran had geen priesters, en daarom werd de begrafenisdienst in de Grieks-orthodoxe kerk gehouden en vond de begrafenis plaats op de Russisch-orthodoxe begraafplaats. Ik was dankbaar dat ik bij Irena's begrafenis mocht zijn. De kans om afscheid te kunnen nemen had ik leren waarderen als een geschenk.

Na de begrafenis vroeg ik Aram me te helpen het graf van mijn eigen oma te zoeken. Ik wist niet precies waar haar graf lag. Mijn ouders hadden me niet meegenomen naar haar begrafenis, en ze hadden me nooit meegenomen om haar graf te bezoeken. Ik wilde het zien en een kort gebed zeggen. De begraafplaats was niet al te groot en was omgeven door een muur van kleisteen. De graven lagen heel dicht bij elkaar en overal groeide onkruid. Er waren veel grafstenen; het zou niet meevallen om die van mijn oma te vinden. We liepen op onze tenen tussen de grafstenen door, en de vijfde of zesde die we nauwkeurig bekeken was die van haar. Het leek alsof zij mij had gevonden. Ik had een roze roos voor haar bewaard.

Ik keek om me heen. Elke grafsteen was als het omslag van een boek dat voorgoed was verzegeld. Ik liep van de ene naar de andere en probeerde de namen en de data van de geboorte- en de sterfdag te lezen. Sommige mensen waren oud geworden en sommige waren jong gestorven. Ik wilde hen allemaal leren kennen. Er waren talloze verhalen die nooit werden verteld. Kende de engel al deze mensen? Was hij in staat geweest hen te helpen en naar hun hart te luisteren toen ze stierven? Wat waren hun laatste gedachten voordat ze hun lichaam verlieten? Waarvan hadden ze het meest spijt? Was het mogelijk nergens spijt van te hebben op het moment van je dood? Wat zou mij het meest spijten als ik nu dood zou gaan?

De vrienden en familieleden van Aram maakten aanstalten om van de begraafplaats weg te gaan; ik merkte dat zijn ouders in onze richting keken en ik wist dat ze aan Arash dachten. Ze verdienden het te weten waar hij was begraven – en hij verdiende het een gepast graf te krijgen. Ik wilde rozen voor hem planten rond het stukje aarde dat zijn lichaam omvatte. Rozen in alle kleuren. En nooit zou ik het onkruid zijn graf laten overwoekeren. Er was een jaar verstreken sinds zijn dood. Vier seizoenen van verlies en verdriet.

Op 1 november 1979 vroeg ayatollah Khomeini het volk van Iran te demonstreren tegen de Verenigde Staten, die hij de 'Grote Satan' noemde. Hij zei dat de Verenigde Staten schuld hadden aan alle corruptie op aarde en dat dat land tezamen met Israël de grootste vijand van de islam was. Duizenden mensen gingen de straat op en omsingelden de Amerikaanse ambassade. Ik keek op televisie naar de nieuwsuitzendingen over de demonstraties en vroeg me af waar deze woedende menigte vandaan was gekomen. Niemand die ik kende had eraan deel genomen. Een zee van mensen had de straten overspoeld rond het ambassadeterrein, dat was omringd door muren van baksteen.

Op 4 november 1979 hoorden we dat een groep studenten die zich tooide met de naam 'Moslimstudenten die de lijn van de imam volgen' het hoofdgebouw van de ambassade had bezet en tweeënvijftig Amerikanen had gegijzeld. Ze wilden dat de Verenigde Staten de sjah, die in dat land was voor een kankerbehandeling, uitleverden zodat hij in Iran terecht kon staan. Dit leek mij en iedereen die ik sprak grote waanzin. De mensen wisten dat de sjah ernstig ziek was. Die gijzeling was totaal onzinnig. Maar niets was echt zinnig geweest sinds de revolutie.

10

Op de bezoekdag hing er een opgewonden sfeer en voor het eerst sinds mijn arrestatie hoorde ik de meisjes hardop lachen. De zusters riepen de namen van de gevangenen in alfabetische volgorde om over de luidspreker, meestal met vijftien tegelijk. De meisjes die omgeroepen werden, deden hun chador aan en gingen naar het kantoor. Taraneh en ik wisten niet of onze ouders ons mochten zien en liepen gespannen op en neer door de gang. Taraneh was al meer dan twee maanden geleden gearresteerd, maar had nog geen bezoek gehad. Haar achternaam begon met een 'B' en zij was dus eerder aan de beurt dan ik.

'... Taraneh Behzadi...'

We maakten allebei een sprongetje en gilden. Ze was zo blij, dat ik snel haar chador en blinddoek voor haar moest pakken. Zij vertrok door de traliedeuren en ik bleef ijsberen. De meeste meisjes keerden huilend terug van hun bezoek. Taraneh kwam na ongeveer een halfuur terug, kalm en beheerst.

'Heb je je ouders gezien?' vroeg ik haar.

'Ja.'

'Hoe was het met ze?'

'Goed, denk ik. Er zit een dikke glazen wand in de bezoekruimte en er zijn geen telefoons. Je kunt niet met elkaar praten, maar wij hebben een soort gebarentaal gebruikt.'

Mijn naam werd ten slotte ook omgeroepen. In het kantoor werd ons gezegd onze blinddoek voor te doen. Ik volgde de rij meisjes naar beneden en naar buiten. We liepen naar het bezoekersgebouw en voordat we naar binnen gingen werd ons gezegd onze blinddoek af te doen. In elke hoek stonden gewapende bewakers. Een dikke glazen wand deelde het vertrek in tweeën. Aan de andere kant ervan stonden mannen en vrouwen, sommigen huilden en legden hun handen op het glas terwijl ze alle gezichten langsgingen in een poging hun dierbare te vinden. Al snel zag ik mijn ouders. Ze haastten zich naar me toe en moesten toen huilen. Mijn moeder droeg een zwarte manteau die tot haar enkels reikte, en een grote zwarte sjaal bedekte haar haar en schouders. Ze moest die kleren louter voor haar bezoek aan Evin hebben aangeschaft. Alle manteaus die ze had voordat ik werd gearresteerd, waren korter – een paar centimeter over de knie – en haar sjaals waren kleiner.

'Gaat het goed met je?' wist ik van mijn moeders lippen te lezen.

Ik knikte, terwijl ik mijn tranen in bedwang hield.

Ze klemde haar handen ineen alsof ze aan het bidden was, en zei iets.

'Wat?' Ik fronste in een wanhopige poging alles te begrijpen wat ze zei.

'Iedereen bidt voor je,' zei ze langzamer, waarbij ze haar lippen overdreven bewoog.

'Dank je.' Ik boog lichtjes.

'Wanneer laten ze je naar huis gaan?' vroeg ze, maar ik deed alsof ik het niet begreep. Ik kon mijn ouders niet vertellen dat ik levenslang had. Dat zou hun dood betekenen. Ze waren doodsbenauwd en totaal verslagen, maar ze hadden tenminste nog enige hoop dat ik op een dag naar huis zou komen. Ik wist niet wat ik hun moest vertellen. Ik wilde mijn moeder alleen maar omhelzen en nooit meer loslaten.

'Het gaat goed met Sarah,' zei ik uiteindelijk, nadat ik hen een tijdje had aangekeken.

'Wat?'

Met mijn vinger schreef ik 'Sarah' op het glas en mijn moeder volgde mijn vinger met de hare. 'Sarah?' vroeg ze.

'Ja.'

'Gaat het goed met haar?'

'Ja.'

'De tijd is om,' riep een bewaker.

'Hou je taai, Marina!' zei mijn moeder.

Het was altijd erg stil in de gevangenis na zo'n bezoekdag. We trokken ons allemaal een beetje terug en probeerden niet te denken aan ons leven vóór Evin, maar het was tevergeefs omdat de herinneringen het enige waren wat we hadden. We misten onze familie en ons eigen leven, we misten wie we ooit geweest waren. We hadden geen toekomst, we hadden alleen het verleden.

De dag na het bezoek kregen we een pakje met kleren van thuis. Ik maakte het mijne open: blouses, een lange broek, gloednieuw ondergoed en een trui. Alles had de geur van thuis, de geur van hoop. Taraneh liet haar vingers over een verbleekte rode wollen trui gaan en vertelde dat het haar gelukstrui was. Ze legde uit dat haar moeder die trui jaren daarvoor had gemaakt toen ze net had leren breien. Taraneh en haar zussen wilden hem allemaal hebben. Toen haar moeder besloot om hem aan Taraneh te geven, waren haar zussen teleurgesteld, maar haar moeder verklaarde dat ze hem aan één van hen moest geven en dat het eerlijk was om hem aan de jongste te geven. Ze had beloofd om voor alle drie de zussen van Taraneh precies zo'n trui te breien, maar ze had haar belofte niet gehouden. Taraneh geloofde dat haar goede dingen zouden overkomen wanneer ze die trui droeg en ze hoopte dat hij nog steeds die magische kracht bezat.

'Taraneh, op een dag gaan we naar huis,' zei ik.

'Ik weet het.'

'Dan doen we alles wat we leuk vinden.'

'We gaan lange wandelingen maken, hè?'

'Ja, en we gaan naar mijn vakantiehuisje.'

'We gaan winkelen.'

'We gaan koken en bakken en alles opeten!'

We lachten.

Die nacht kon ik niet slapen. Ik bedacht dat Ali strafvermindering voor mij had weten te regelen en dat hij dat misschien ook wel voor Taraneh kon doen; misschien kon hij Sarah ook wel helpen. Maar hij had me verteld dat hij wegging en eerlijk gezegd wilde ik hem ook nooit meer zien. Ik was doodsbenauwd voor hem. Op een bepaalde manier kon ik beter met Hamehd omgaan, omdat ik bij hem wist wat ik kon verwachten. Bij Ali was dat heel anders. Hij had me nooit pijn gedaan, maar toch voelde ik een intense angst voor hem wanneer hij bij me in de buurt was. Ik dacht aan de avond van de executies. Ik had de gedachte eraan verdrongen. Mijn geest weigerde de angstige beelden op te roepen. Maar ik wist dat ze aanwezig waren, onaangeroerd en helder. Ik herinnerde mij de blik in Ali's ogen toen hij me naar de cel had gebracht. Het verlangen. Ik had het gevoel alsof ik op de bodem van een bevroren oceaan gevangenzat. Maar omwille van Taraneh moest ik met hem praten.

's Ochtends ging ik naar het kantoor en klopte op de deur. Zuster Maryam zat achter haar bureau iets te lezen. Ze keek me vragend aan.

'Kan ik misschien broeder Ali te spreken krijgen?' vroeg ik.

Haar ogen boorden zich in die van mij. 'Waarom wil je hem spreken?'

Ik legde haar uit dat hij mijn leven had gered en dat ik hem nu wilde vragen een vriendin van mij te redden.

'Wie?' vroeg zuster Maryam.

Ik aarzelde.

'Taraneh?'

'Ja.'

'Broeder Ali is er niet. Hij is aan het front om tegen de Irakezen te vechten.' Iran was al sinds september 1980 in oorlog met Irak.

'Wanneer komt hij terug?'

'Dat weet God alleen. Maar zelfs als hij hier was, zou hij niets kunnen doen. Jij hebt heel veel geluk gehad. Wanneer een islamitische rechtbank iemand ter dood veroordeelt, kan zo iemand alleen gered worden door het pardon van de imam. Maar de imam houdt zich gewoonlijk niet met dergelijke zaken bezig. Hij vertrouwt de rechtbanken en hun beslissingen. De enige die iets voor haar zou kunnen doen is haar eigen ondervrager.'

'Kunnen wij ook iets voor haar doen?'

'Bidden.'

Ik probeerde niet te denken aan geluk, aan hoe het vroeger voor de revolutie was, voordat die vreselijke dingen gebeurden, alsof het oproepen van de vrolijke herinneringen ze zou doen vervagen als oude foto's die te vaak door de handen waren gegaan. Maar soms, midden in de nacht, ademde ik de geur in van de wilde citroenbomen en hoorde ik hun dikke bladeren ruisen in de zuivere, zilte zeebries. Dan voelde ik de warme golven van de Kaspische Zee om mijn voeten spoelen en het plakkerige, vochtige zand mijn tenen bedekken. In mijn dromen ging ik op mijn bed in het huisje liggen kijken hoe de volle maan opkwam. Dan stapte ik op de vloer, maar die kraakte niet. Dan liep ik rond, maar er was niemand. Dan probeerde ik Arash te roepen, maar er kwam geen geluid uit mijn mond.

Ik dacht de hele tijd aan Andre. Vóór mijn arrestatie was mijn liefde pril en teer geweest. Ik was bang om aan mijn liefde voor hem toe te geven omdat ik vreesde hem te verliezen – en ik wilde Arash niet verraden. Nu ik me geconfronteerd zag met mijn eigen sterfelijkheid wist ik dat ik van Andre hield. Er was niets ter wereld waarnaar ik meer verlangde dan met hem samen te zijn. Maar hield hij ook van mij? Ik geloofde van wel. Hij was mijn hoop. Voor hem moest ik overleven. Hij was degene naar wie ik wilde terugkeren.

Half maart kreeg Sheida op een nacht weeën en werd ze naar het gevangenisziekenhuis overgebracht. De volgende dag kwam ze terug met een prachtig, gezond jongetje, dat ze de naam Kaveh had gegeven, de naam van haar man. We dromden allemaal om haar en de baby heen. We waren er trots op een moeder in ons vertrek te hebben en noemden haar vanaf dat moment Moeder Sheida. De baby werd al gauw erg verwend: hij had vele tantes die maar wat graag voor hem wilden zorgen. En hoewel de donkere schaduw van ongerustheid op Sheida's gezicht nooit helemaal verdween, werd hij toch wat lichter. De baby gaf hoop, niet alleen aan zijn moeder, maar aan iedereen in zijn omgeving.

Toen Kaveh twee of drie weken oud was, werd een zeventigtal gevangenen van 246 overgeplaatst naar Ghezel Hessar, een gevangenis in de stad Karaj, ongeveer 25 kilometer van Teheran. De meeste meisjes zeiden dat de levensomstandigheden in Ghezel Hessar iets beter waren dan in Evin en daarom waren degenen die vertrokken daar wel gelukkig mee. Ik was blij dat geen van mijn goede vriendinnen was opgeroepen. Na de overdracht waren de vertrekken wat minder vol, maar dat duurde niet lang. Elke dag kwamen er een paar nieuwe meisjes bij en al snel waren de slaapplekken krapper dan ooit tevoren.

Minstens één keer per week klonken er militaire marsen over de luidsprekers en werd bekendgemaakt dat het leger belangrijke overwinningen had geboekt en dat onze troepen op het punt stonden om de oorlog met Irak op glorieuze wijze te beëindigen. Maar die oorlog interesseerde geen van ons, en dat niet alleen omdat Teheran er niet rechtstreeks door geraakt werd, maar ook omdat Evin wel een andere planeet leek. In deze vreemde wereld vol ondoorgrondelijke regels kon ieder van ons zonder enige aanleiding worden gemarteld of ter dood gebracht.

Toen we op een avond aan onze maaltijd van brood met dadels zaten, liep Sarah het vertrek binnen en ging, zonder haar chador af te doen en zonder iets te zeggen of iemand aan te kijken, in een hoek op de grond zitten. Geschokt liep ik op haar af en legde mijn hand op haar schouder.

'Sarah?'

Ze keek niet op.

'Sarah, waar zat je toch? We zijn heel erg ongerust geweest.'

'Sirus is dood,' zei ze op kalme toon.

Ik probeerde de juiste woorden te vinden, maar er viel niets te zeggen.

'Ik heb twee pennen,' fluisterde ze.

'Wat zeg je?'

'Ik heb ze gestolen. Ze weten het niet.'

Ze haalde een zwarte pen uit haar zak, trok haar linkermouw op en begon op haar pols te schrijven: 'Sirus is dood. In een zomer gingen we naar de Kaspische Zee en we speelden op het strand met een strandbal. Zoveel kleuren. De golven spatten uiteen...' Ik zag dat er nog meer op haar arm geschreven stond. De woorden waren klein geschreven, maar goed leesbaar. Het waren herinneringen. Haar herinneringen aan Sirus, haar familie en haar leven.

'Heb jij soms papier of zoiets?' vroeg ze.

'Ik zorg wel dat je papier krijgt. Sarah, waar zat je toch?'

'Ik heb geen plek meer. Alsjeblieft, ga wat papier voor me zoeken.'

Ik vond een stuk papier voor haar, maar daar had ze niet genoeg aan. Ze begon op de muren te schrijven. Ze schreef steeds weer hetzelfde, over onze lagere school en over de middelbare school, over de spelletjes die we deden, de boeken die we lazen, onze favoriete leraren, nieuwjaarsfeesten, zomervakanties, haar huis, onze buurt, haar ouders en alles wat Sirus graag deed.

Toen we op een avond eindelijk warm water tot onze beschikking hadden, weigerde ze een douche te nemen.

'Sarah, je moet je wassen. Of je nu wel of niet gaat douchen, die woorden vervagen toch. Als je je nu wast, kun je opnieuw gaan schrijven. Je gaat heel erg stinken als je je niet wast.

'Mijn pennen zijn bijna leeg.'

'Ik zorg voor nieuwe pennen als jij je doucht.'

'Beloof je dat?' vroeg ze.

Ik wilde niets beloven als ik niet zeker wist of ik mijn belofte kon nakomen en daarom ging ik naar het kantoor en legde de situatie aan zuster Maryam uit. Ik zei tegen haar dat Sarah niet over politiek schreef, ze schreef alleen maar haar herinneringen aan haar familie op.

Zuster Maryam gaf me twee pennen en ik ging snel terug naar Sarah met het gevoel dat ik net de grootste schat ter wereld had bemachtigd.

Toen Sarah in de doucheruimte haar kleren uittrok, kon ik mijn ogen niet geloven. Haar benen, haar armen en haar buik stonden vol met klein geschreven woorden.

'Ik kon niet bij mijn rug komen. Ik neem alleen maar een douche als je belooft om op mijn rug te schrijven,' zei ze.

'Dat beloof ik.'

En ze waste de woorden van haar huid. Het boek van Sarah. Het boek dat leefde, ademde, voelde, pijn leed en niet vergat.

Ongeveer drie maanden na mijn komst in 246 werd mijn naam over de luidspreker omgeroepen. Mijn vriendinnen keken me zenuwachtig aan. Met bevende handen deed ik mijn sjaal over mijn hoofd.

'Ik weet zeker dat het goed nieuws is,' zei Taraneh met een hoopvolle blik.

Ik haalde diep adem en opende de deur naar de hal. Zuster Maryam zat in het kantoor op mij te wachten. Ik voelde dat ze een beetje nerveus was.

'Waar ga ik naartoe?' vroeg ik.

'Broeder Hamehd heeft je laten halen.'

'Weet u ook waarom?'

'Nee, maar maak je geen zorgen. Hij wil vast alleen weten hoe het met je gaat.'

Ik deed mijn blinddoek voor en volgde een van de zusters naar het andere gebouw. Ik wachtte in de hal totdat Hamehd me riep. Ik ging achter hem aan een kamer binnen. Hij deed de deur achter ons dicht en zei dat ik mijn blinddoek moest afdoen. Hij was geen spat veranderd. Zijn ogen waren koude, donkere holten. In de hoek van de kamer stond een martelbed, en er stonden een bureau en twee stoelen. Een zweep die van een zwarte kabel was gemaakt, hing over het hoofdeinde van het bed. Mijn ademhaling werd gejaagd en oppervlakkig.

'Marina, wat leuk om je te zien,' zei hij glimlachend. 'Ga zitten en vertel eens, hoe bevalt het leven hier?'

Zijn woorden waren als bijensteken.

'Het leven is prima,' zei ik en ik glimlachte terug.

'Zo, je ging er ineens als een speer vandoor die avond, weet je nog? Heb je je ooit afgevraagd wat er met de anderen is gebeurd die bij je waren?'

Mijn hart klopte zo snel dat ik het gevoel had dat mijn hoofd zou ontploffen. 'Ik ben er niet vandoor gegaan. Ali heeft me opgehaald, en ik weet precies wat er met de anderen is gebeurd. U hebt ze vermoord.'

Er zaten bloedvlekken op het martelbed en ik kon mijn blik er niet van afwenden.

'Ik moet zeggen dat ik je wel amusant vind, ook al mag ik je niet. Heb je ooit de wens gehad dat je die avond met hen gestorven was?'

'Ja.'

Hij glimlachte nog steeds.

'Je weet toch dat je vonnis nu levenslang is?'

'Ja, dat weet ik.'

Als hij me gaat geselen, houdt hij niet op voordat ik dood ben.

'Vind je dat niet zorgwekkend? Het is toch zo dat je de afgelopen maanden niet echt veel plezier hebt gehad? Stel je voor dat het eeuwig zo doorgaat.'

'God zal me bijstaan,' zei ik.

Hij stond op en liep even de kamer rond, toen kwam hij op mij af en sloeg me met de rug van zijn hand zo hard op mijn rechterwang dat ik het gevoel had dat mijn nek gebroken was. Mijn rechteroor suisde.

'Ali kan je nu niet meer beschermen.'

Ik sloeg mijn handen voor mijn gezicht.

'Zeg nooit meer "God"! Je bent onrein en zijn naam onwaardig. Ik moet nu mijn handen gaan wassen omdat ik je heb aangeraakt. Ik begin te denken dat levenslang achteraf weleens beter voor je kan zijn. Je zult een lange tijd lijden zonder dat er hoop voor je is.'

Er werd op de deur geklopt. Hamehd deed open en ging naar buiten. Ik was niet in staat helder na te denken. Wat kon hij van mij willen?

Een man die ik nooit eerder had gezien, kwam de kamer binnen.

'Hallo, Marina. Ik ben Mohammad. Ik breng je terug naar 246.'

Ik keek hem verbluft aan. Ik kon niet geloven dat Hamehd me zo gemakkelijk liet gaan.

'Is alles goed met je?' vroeg Mohammad me.

'Ja, hoor.'

'Doe je blinddoek voor, dan gaan we.'

Hij liet me achter in het kantoor van 246, waar zuster Maryam me meteen gebood mijn blinddoek af te doen. Zuster Masumeh zat achter het bureau te lezen.

'Hoe komt je gezicht zo rood?' vroeg zuster Maryam.

Zuster Masumeh keek op.

Ik vertelde hun wat er was gebeurd.

'Godzijdank kon ik broeder Mohammad vinden! Broeder Ali en hij zijn heel goede vrienden. Ze hebben in hetzelfde gebouw gewerkt. Ik heb hem gebeld en verteld dat Hamehd jou had meegenomen. Hij beloofde dat hij je zou zoeken en zou terugbrengen,' zei zuster Maryam.

'Je hebt geluk gehad, Marina. Hamehd kan mensen zonder enige reden kwaad doen als hij daar zin in heeft,' fluisterde zuster Masumeh.

'Zoals je merkt,' richtte zuster Maryam zich tot mij, 'is zuster Masumeh niet Hamehds beste vriendin, maar ze heeft geleerd zich in te houden. Al was zij een van de revolutionaire moslimstudenten die de Amerikaanse ambassade bezetten en kent zij de imam persoonlijk, ook zij heeft problemen gehad met Hamehd. De enigen die ik hier ken die Hamehd echt aankunnen, zijn broeder Ali en broeder Mohammad.'

'Wees niet bang, Marina. Nu Hamehd weet dat broeder Mohammad je niet uit het oog verliest, zal hij je niet meer lastigvallen,' zei zuster Masumeh.

Iedereen in kamer 7 was blij om me te zien en wilde weten waar ik was geweest. Maar zodra ze de gezwollen rode afdruk op mijn gezicht hadden gezien, wisten ze dat ik alleen maar slecht nieuws had. Ik had geen hoop op voorwaardelijke vrijlating, maar ik was niet van plan om het op te geven. Dat had Hamehd willen bereiken. Hij had geprobeerd mijn geestkracht te breken en was daarin bijna geslaagd. Bijna.

Ik dacht aan wat zuster Maryam me had verteld over zuster Masumeh. Ik kon nauwelijks geloven dat zij een van de gijzelnemers was geweest op de Amerikaanse ambassade in Teheran. Ik wist nog dat ik destijds naar het nieuws over de gijzeling had gekeken. Ik was bezorgd geweest om de gijzelaars. Zij hadden familie thuis – mensen die van hen hielden, die hen nodig hadden en die hen terug wilden. Hun gevangenschap had 444 dagen geduurd en ze waren vrijgelaten op 20 januari 1981. Nu was mijn toestand veel ongunstiger dan die van hen. Zij waren Amerikaanse staatsburgers en dat betekende dat ze iemand waren. Hun regering had tenminste geprobeerd hen te redden en de wereld wist wat voor verschrikkelijks hun was overkomen. Wist de wereld van ons? Probeerde iemand ons te redden? Diep in mijn hart wist ik dat het antwoord op deze vragen 'nee' was.

Ik dacht voortdurend aan de kerk. Ik kon de kaarsen ruiken die voor het beeld van Maria brandden, hun vlammen die opflakkerden in de hoop verhoord te worden. Was ze mij vergeten? Ik herinnerde me dat Jezus had gezegd dat we met het kleinste beetje geloof een berg in zee konden werpen. Ik wilde helemaal niet zoiets groots als een berg verplaatsen, ik wilde alleen maar naar huis.

Op mijn verjaardag werd ik heel vroeg wakker. Het was nog niet eens tijd voor de ochtend-namaz. Ik was nu zeventien jaar. Toen ik jonger was, misschien tien of elf, had ik ervan gedroomd om zo oud te zijn. Toen geloofde ik dat een zeventienjarige kon doen wat ze wou. In plaats daarvan was ik een politieke gevangene die levenslang had gekregen. Taraneh raakte mijn schouder aan en ik draaide me om. Haar slaapplek was naast die van mij.

'Hartelijk gefeliciteerd,' fluisterde ze.

'Dank je wel. Hoe wist je dat ik wakker was?'

'Door je ademhaling. Als je al zo lang naast iemand slaapt, weet je wel of die echt slaapt of alleen maar doet alsof.'

Ze vroeg me of mijn familie ook verjaardagen vierde en ik vertelde haar dat mijn ouders meestal een taart kochten en me een cadeautje gaven. Bij haar in de familie waren verjaardagen heel belangrijk, vertelde ze. Ze hielden grote feesten en overlaadden elkaar met cadeaus. Zij en haar zussen maakten er een wedstrijd van: ze naaiden kleren voor elkaar en elk jaar werden de gewaden uitbundiger.

'Marina, ik mis ze zo,' zei ze.

Ik sloeg mijn armen om haar heen. 'Je gaat wel weer naar huis en dan is alles net als vroeger.'

Na de lunch gingen Taraneh, Sarah en een paar andere vriendinnen om me heen staan. Sarah overhandigde me een opgevouwen stuk stof. Ik vouwde het open. Het was een uit lapjes samengesteld kussensloop. Mijn mond viel open. Mijn vriendinnen hadden allemaal een stukje van hun kleren of sjaals afgestaan om het te maken. Ik herkende elk afzonderlijk vierkantje. Het was in de gevangenis de gewoonte om kleine tasjes te naaien die we dan aan een haak onder de plank in ons vertrek hingen om er onze persoonlijke bezittingen in te bewaren. Ik was de eerste die een kussensloop kreeg.

Na het eten was er een verjaardagstaart in gevangenisstijl, gemaakt van brood met dadels. Ik deed alsof ik de denkbeeldige kaarsjes uitblies.

'Je bent vergeten een wens te doen,' zei Taraneh.

'Die zal ik nu uitspreken: ik wens dat wij allemaal onze volgende verjaardag thuis vieren.'

Iedereen klapte en juichte.

Een paar dagen later werd over de luidspreker omgeroepen dat alle gevangenen van de bovenste verdieping van 246 hun hidjab moesten aantrekken en zich op de binnenplaats moesten verzamelen. Hoewel we op vaste tijden naar buiten konden, was dit nooit verplicht geweest. Iedereen maakte zich zorgen. Toen we eenmaal op de binnenplaats stonden, werd ons gezegd om buiten de afgetekende plek in het midden te blijven. Vier gewapende revolutionaire bewakers kwamen met twee meisjes het gebouw uit. Een van hen kwam uit kamer 5 en de ander was een meisje van negentien dat uit ons vertrek kwam en met wie ik bevriend was. Ze droegen hun chador en moesten in het midden van het plein op de grond gaan liggen. Een van de bewakers bond hun polsen en enkels met touw aan elkaar vast. Er werd bekendgemaakt dat ze een homoseksuele relatie hadden en dat ze daarom gestraft werden volgens de wetten van de islam. Iedereen was ontzet. We keken toe hoe twee bewakers de ruggen van de meisjes geselden. Velen keken niet en bedekten hun gezicht terwijl ze gebeden prevelden, maar ik kon mijn ogen niet sluiten. Ik zag hoe de zwepen de lucht ingingen, in een waas veranderden en met een scherp doordringend gegier de lucht doorkliefden. Dan was er een moment van stilte waarin het leek alsof je hart stilstond, waarin je longen weigerden adem te halen. De twee meisjes schreeuwden niet, maar ik wou dat ze dat wel deden. Hun kleine lichamen schokten bij elke klap. Ik herinnerde me de verschrikkelijke pijn die ik had gevoeld toen ik zelf met de zweep had gekregen. Na dertig zweepslagen werden ze losgemaakt, ze slaagden erin om op te staan en werden toen weggevoerd. Ons restte niets anders dan steeds weer voor ons te zien wat onze vriendinnen was overkomen. Pijn maakt een mens sterker, maar we moeten wel eerst de prijs betalen.

Op een dag was het mijn beurt om Sheida met de was te helpen. Katoenen luiers in koud water wassen was geen eenvoudige opgave. We hadden de luiers 's ochtends gewassen en ze op de binnenplaats te drogen gehangen. Hoewel we allemaal tot de volgende dag moesten wachten voor we de was van de waslijn mochten halen, was het Sheida toegestaan 's avonds naar buiten te gaan. Ze liep een paar passen voor me. Het was lente en de vogels tsjilpten in de verte. De zon was net onder en de hemel stond in een roze gloed. De vijf waslijnen hingen aan het einde van de binnenplaats. Ze waren aan de tralies van de ramen op de eerste verdieping vastgebonden en strekten zich helemaal van de ene kant van de binnenplaats naar de andere uit en hingen vol met kleurige kleren. Sheida verdween achter de muren van stof en ik volgde haar terwijl ik jurken, broeken, schorten, blouses en chadors opzijduwde om erdoor te kunnen. Toen hoorde ik haar schreeuwen.

'Marina! Snel! Haal een schaar! Opschieten! Nu meteen!' schreeuwde ze.

Ik ving een glimp op van Sheida die iemand vasthield die aan de tralies van een van de ramen hing. Ik rende naar het kantoor en bonkte op de deur. Zuster Maryam deed open.

'Een schaar! Direct! Op de binnenplaats!'

Ze greep een schaar van haar bureau en we renden naar de plek waar ik Sheida had achtergelaten. Ze hield nog steeds iemand vast. Het drong tot me door dat het Sarah was. Ze had zich opgehangen met een kort koord dat van sjaals was gemaakt. Het was vastgeknoopt boven de bovenste horizontale tralie van een raam van de benedenverdieping. Als Sarah, die klein en tenger was, ook maar iets kleiner was geweest, dan had ze dit niet voor elkaar gekregen. Haar lichaam schokte. Zuster Maryam knipte het koord door. Sarah ademde nog, maar haar hoofd was blauw aangelopen. We bleven bij haar terwijl zuster Maryam de verpleegster ging halen. Sarah was bewusteloos. We praatten tegen haar en raakten haar gezicht aan, maar ze reageerde niet.

Sarah werd opnieuw weggehaald.

Met elk moment dat voorbijging raakte ik weer een sprankje hoop kwijt. Het was lente en de lucht was licht en geurde naar bloesems. Buiten de muren van Evin ging het leven door. Was ik nog maar een vage herinnering voor Andre? Misschien was hij mij vergeten. In de bezoekersruimte waren nu telefoons geïnstalleerd en ik had mijn ouders naar hem gevraagd. Mijn moeder had me verteld dat hij hen steeds opzocht en steeds aan me dacht, maar misschien hadden ze dat alleen maar gezegd om me niet van streek te maken.

Elke dag was bijna gelijk aan de dag ervoor, waardoor onze eenzaamheid en wanhoop nog moeilijker te verdragen waren. Elke dag begon met het ochtendgebed vóór zonsopgang. Om ongeveer acht uur kwam het ontbijt binnen en daarna moesten we naar de religieuze programma's op televisie kijken. We mochten de beschikbare boeken lezen, die allemaal over de islam gingen, of we mochten in de smalle gangen lopen. We spraken bijna nooit over politiek of over onze politieke betrokkenheid en activiteiten vóór Evin. Sommige meisjes stonden bekend als informantes. Dat waren er niet veel, misschien een of twee per vertrek, maar we namen niet het risico iets te zeggen wat we voor onze ondervragers verborgen wilden houden.

Ongeveer een uur per dag mochten we naar de kleine binnenplaats van het gebouw. We moesten daar onze hidjab dragen omdat er altijd mannelijke bewakers op het dak liepen die ons in het oog hielden, maar dat hoefde niet per se een chador te zijn, een manteau met een hoofddoek was voldoende. Buiten konden we alleen maar rondjes lopen of tegen de muur zitten en naar het stukje hemel boven ons hoofd kijken. Het kleine lapje blauw was het enige deel van de buitenwereld dat we konden zien. Het deed ons denken aan die andere plek, waar we altijd gewoond hadden, ons huis, waar we thuishoorden. Ik zat meestal met Taraneh tegen de muur. We leunden tegen het ruwe oppervlak en keken hoe de wolken uit ons gezichtsveld verdwenen en naar dat andere land trokken. We stelden ons voor dat we op een wolk zaten die we overal heen konden sturen. We vertelden elkaar over alle vertrouwde plekken die we van daaraf konden zien: de straten uit onze buurt, onze scholen en onze huizen waar onze moeders uit het raam keken en zich afvroegen hoe het met hun weggehaalde dochters was.

'Hoe ben jij in de problemen geraakt en hier terechtgekomen?' vroeg Taraneh me op een dag toen we ons onderdompelden in de warmte van de lentezon en dagdroomden over thuis. We hadden het nooit gehad over de gebeurtenissen die tot onze arrestatie hadden geleid. De binnenplaats was vol meisjes. De meesten liepen tamelijk snel en doelbewust in het rond, alsof ze een bestemming hadden. De zwarte, marineblauwe, bruine en grijze manteaus streken langs elkaar en de rubberen slippers klepperden in rap tempo tegen de stenen op de grond. Het drong tot me door dat mijn uitzicht vanaf de plek waar ik zat hetzelfde was als dat van een bedelaar die langs de kant van een drukke straat zat, alleen was mijn uitzicht beperkter en ook minder uitbundig dan dat van een bedelaar. Op dat ogenblik was mijn wereld als een vierkant gebouw zonder dak met twee verdiepingen waarvan de tralievensters in donkere vertrekken naar binnen keken. Een wereld van jonge vrouwen die rondjes liepen. Het was een merkwaardig sciencefictionverhaal: 'De planeet van de gevangen meisjes'. Ik lachte.

'Wat is er?' vroeg Taraneh.

'Het lijkt wel alsof we bedelaars zijn die op de stoep zitten, ergens op een andere planeet.'

Taraneh glimlachte.

'Vergeleken met ons is een bedelaar een koning,' zei ze.

'Mijn problemen begonnen op de dag dat ik de klas uit liep tijdens de wiskundeles...'

11

Begin 1980 werd Abolhassan Banisadr de eerste gekozen president van Iran. Vóór het welslagen van de revolutie was hij vele jaren actief geweest in de tegen de sjah gerichte beweging, had hij twee keer in de gevangenis gezeten en was hij er vervolgens in geslaagd naar Frankrijk te vluchten en zich bij ayatollah Khomeini te voegen. De hoop bestond dat hij van Iran een democratie zou maken. Naarmate het schooljaar 1979-1980 vorderde had ik echter het gevoel dat ik in duisternis afgleed. Alles veranderde langzaam ten slechte. Een voor een werden de meeste leraressen vervangen door onervaren fanatieke jonge vrouwen. De hidjab werd verplicht en vrouwen moesten ofwel een lang donker gewaad dragen en hun haar met een grote sjaal bedekken of ze moesten een chador dragen. Politieke groeperingen die zich hadden verzet of alleen maar kritiek hadden geuit op de islamitische regering werden bij wet verboden. Het dragen van sjaaltjes, eau de cologne, parfum, make-up of nagellak werd als 'duivels' bestempeld en werd daarom streng gestraft. Elke dag moesten de leerlingen voor het begin van de les in een rij gaan staan en kwaadaardige leuzen roepen als DOOD AAN AMERIKA en DOOD AAN ISRAËL.

Elke ochtend stonden onze directrice khanoem Mahmudi en onze onderdirectrice khanoem Kheirkhah bij de schoolingang met een emmer water en een washandje om elke leerling die de school betrad te inspecteren. Wanneer ze zagen dat een meisje make-up op had, boenden ze haar gezicht schoon totdat het pijn deed. Op een ochtend trok khanoem Mahmudi tijdens haar inspectie mijn goede vriendin Nasim uit de rij en beweerde dat haar wenkbrauwen er te volmaakt uitzagen en zij die wel geëpileerd moest hebben. Nasim zei huilend dat ze er nooit iets aan had gedaan, en de directrice noemde haar een hoer. Nasim had een natuurlijke schoonheid en velen van ons namen het voor haar op en verklaarden dat haar wenkbrauwen er altijd zo hadden uitgezien. Voor die onterechte aantijging zijn haar nooit excuses aangeboden.

Met de dag groeiden de woede en de frustratie bij mij. Ik had er bij de meeste lessen last van, maar vooral bij wiskunde. De nieuwe wiskundelerares was een jonge vrouw van de Revolutionaire Garde die geen bevoegdheid bezat om dit vak te geven. Ze besteedde het grootste deel van de les aan het verspreiden van propaganda van de islamitische regering en sprak uitvoerig over de islam en de volmaakte islamitische maatschappij die de invloed van het Westen en het morele verval weerstond. Toen ze op een dag maar bleef doorgaan over de geweldige dingen die Khomeini voor het land had gedaan, stak ik mijn vinger op.

'Ja?' zei ze.

'Ik wil niet onbeleefd zijn, juffrouw, maar kunnen we misschien verdergaan met ons hoofdvak?'

Ze trok haar wenkbrauwen op en zei op uitdagende toon: 'Als het je niet bevalt wat ik onderwijs, kun je de klas uitgaan.'

Iedereen keek naar me. Ik raapte mijn boeken bij elkaar en ging het lokaal uit. Toen ik op de gang liep, hoorde ik het geluid van tal van voetstappen achter me. Ik draaide me om en zag dat de meeste klasgenoten achter me aan waren gekomen. We stonden met zo'n dertig leerlingen in de gang.

Tegen de lunchpauze was het een chaos op school. Iedereen zei dat ik een staking was begonnen. De meeste middaglessen werden afgeblazen omdat ongeveer 90 procent van de leerlingen op het plein stond en weigerde naar de les terug te gaan. Khanoem Mahmudi kwam met een megafoon naar buiten en gebood ons terug te gaan, maar niemand luisterde. Ze zei dat ze onze ouders zou bellen, maar niemand reageerde. Toen dreigde ze dat ze ons allemaal van school zou sturen, maar wij riepen dat ze dat dan maar meteen moest doen. Uiteindelijk kozen de leerlingen mij en twee anderen als vertegenwoordiger om met de directrice te praten. We lieten haar weten dat we alleen terug naar de klas zouden gaan als onze leraren beloofden zich aan het onderwijzen van hun vak te houden en de politiek buiten beschouwing te laten.

Toen ik die dag thuiskwam, riep mijn moeder mijn naam. Dat was ongebruikelijk, ze sprak bijna nooit tegen me voor het avondeten. Ze stond in de keuken peterselie te hakken.

Ik stond in de deuropening. 'Ja, maman?'

'De directrice van je school heeft gebeld.' Ze keek me niet aan, maar hield haar ogen op de snijplank gericht. Haar mes bewoog soepeltjes en precies. Haar handen zaten onder de fijngesneden peterselie, waardoor ze groen waren geworden.

'Waar ben je mee bezig?' vroeg ze en ze wierp me een snelle blik toe die even scherp was als het mes waarmee ze sneed.

Ik vertelde haar wat er was gebeurd.

'Zorg er maar voor dat je een oplossing vindt,' zei ze. 'Ik wil haar niet nog een keer aan de telefoon krijgen. Zorg er maar voor dat je met je docenten kunt opschieten. Deze regering zal niet lang blijven. Ga nu maar aan je huiswerk.'

Ik liep naar mijn kamer en deed de deur achter me dicht, verbaasd dat ik er zo gemakkelijk van afkwam. Waarschijnlijk had mijn moeder net zo'n hekel aan de nieuwe regering als ik en was haar reactie daarom niet zo streng geweest als ik had verwacht.

De staking duurde twee dagen. We gingen nog steeds naar school, maar niet naar de les. We brachten de tijd door met rondjes lopen over het plein of we zaten in kleine groepjes te praten. Onze gesprekken gingen vooral over de ontwikkelingen waarvan we de laatste maanden getuige waren geweest. We konden maar moeilijk geloven dat het leven zo ingrijpend veranderd was. Een jaar eerder zouden we nooit hebben geloofd dat onze kleding ons leven in gevaar zou brengen, of dat we in staking zouden gaan omdat we wiskunde wilden leren. Op de derde dag van de staking riep khanoem Mahmudi de leerlingvertegenwoordigers naar haar kantoor.

Met een rood aangelopen gezicht van woede gaf ze ons een laatste waarschuwing. Als we niet naar de les teruggingen, zou haar niets anders resten dan de Revolutionaire Garde te vragen naar onze school te komen en de zaak in handen te nemen. Ze twijfelde er niet aan dat wij wisten dat de Revolutionaire Garde weinig geduld met ons zou hebben, dat dit een serieuze zaak was die mensen schade kon berokkenen. Ze waarschuwde ons dat we ons tegen de islamitische regering keerden en dat daarop de doodstraf kon staan. We hadden een uur om naar de lessen terug te gaan.

Haar boodschap kwam over. De Revolutionaire Garde stond slecht bekend. In de afgelopen maanden had deze talloze burgers gearresteerd en van velen was nooit meer iets vernomen. Hun misdaad was dat ze zich tegen de revolutie, tegen de islam of tegen Khomeini hadden gekeerd.

Er kwam een einde aan de staking.

De revolutionaire bewakers waren niet de enigen om je zorgen over te maken; je had ook Hezbollah, groepen fanatieke burgers met messen en knuppels die elke vorm van openbaar protest aanvielen. Ze waren overal en konden zich in een mum van tijd organiseren. Ze waren vooral gewelddadig tegen vrouwen die de hidjab niet correct droegen. Veel vrouwen waren aangevallen en in elkaar geslagen omdat ze lippenstift droegen of omdat er een paar haarlokken onder hun sjaal uitstaken.

Ongeveer twee maanden na de staking vroeg de scheikundelerares khanoem Bahman mij even na te blijven. Khanoem Bahman was een van de weinige leraressen die al vóór de revolutie had lesgegeven op onze school en ze kende me heel goed. Ze stelde me op de hoogte van de lijst met namen die ze op het bureau van khanoem Mahmudi had gezien. Terwijl ze met me sprak, hield ze haar ogen op de deur gericht om er zeker van te zijn dat niemand zomaar binnenliep en kon horen waarover we het hadden. Ze fluisterde bijna en ik moest me naar haar toebuigen om haar te verstaan.

Eigenlijk had ik wel verwacht dat er zoiets zou gebeuren. Ik wist dat ik in de problemen zou komen na alles wat ik had gezegd en gedaan. Het was geen geheim dat de nieuwe islamitische regels mij niet bevielen en in die tijd kon niemand vrijuit spreken zonder onaangename gevolgen. Maar ook al wist ik dat allemaal, de gevaren die mij te wachten konden staan, leken vaag en ver weg. Op de een of andere manier dacht ik toch dat nare dingen alleen andere mensen overkwamen.

Ik bedankte khanoem Bahman dat ze me over de lijst had verteld. Ze zei dat ik het land uit moest. Ze vroeg me of ik ook familie in het buitenland had en ik legde haar uit dat mijn familie niet rijk was en dat we het ons niet konden veroorloven mij naar het buitenland te sturen. Ze onderbrak me met luide stem.

'Marina, volgens mij begrijp je het niet goed. Dit is een zaak van leven en dood. Als ik jouw moeder was, zou ik je weg zien te krijgen, al moest ik er honger voor lijden,' zei ze met tranen in haar ogen.

Ik mocht haar graag en ik wilde haar niet van streek maken. Daarom zei ik tegen haar dat ik met mijn ouders zou praten, maar dat was ik in het geheel niet van plan. Wat moest ik hun vertellen? Dat ik snel gearresteerd zou worden?

Mijn broer en zijn vrouw hadden het land kort na de revolutie verlaten en waren naar Canada geëmigreerd. Zij hadden beseft dat er voor hen geen toekomst was in de Islamitische Republiek. Niet lang na hun vertrek ontzegde de Iraanse regering Iraniërs het recht naar andere landen te emigreren. Ik hield van de naam 'Canada': het klonk ver weg en heel koud, maar vredig. Mijn broer en zijn vrouw hadden geluk dat ze daar zaten. Ze konden een gewoon leven leiden en zich druk maken over gewone dingen. Mijn ouders hadden erover gedacht om me bij mijn broer te laten wonen, maar dat viel niet te regelen. Ik moest blijven en er het beste van hopen.

Die middag keek ik thuis vanaf mijn balkon naar de straat beneden. Het nieuwe regime had alleen maar afbraak en geweld gebracht. De school, die altijd het beste deel van mijn leven was geweest, was nu in een soort hel veranderd en ik had gehoord dat de regering van plan was om alle universiteiten te sluiten en te reorganiseren. Dat werd de Islamitische Culturele Revolutie genoemd. En Arash was dood. Er bleef niets over.

Het grootste deel van de zomer van 1980 was het rustig en ik was opgelucht dat ik niet naar school hoefde en naar ons vakantiehuisje kon gaan. In juli brachten Aram en zijn ouders ongeveer twee weken in het zomerhuisje van zijn tante door. Ik was heel eenzaam geweest en had erg naar hun komst uitgekeken, maar toen ze kwamen, moest ik aan Arash denken en miste ik hem zelfs nog meer. Aram en ik brachten de meeste tijd binnen door, dan speelden we kaart of deden zijn favoriete spelletje, Master Mind. Soms gingen we op het strand wandelen, maar we konden niet samen gaan zwemmen omdat vrouwen nu in het openbaar geen badpak meer mochten dragen. De meeste vrienden van wie de familie een vakantiehuis in dit gebied bezat, zoals Neda, hadden het land verlaten. We spraken af met een paar oude vrienden, maar we waren allemaal bang voor de Revolutionaire Garde en de islamitische comités die overal waren en die jongens en meisjes niet graag samen zagen. Volgens de nieuwe wetten was dit immoreel.

De oorlog tussen Iran en Irak begon in september 1980. Ik was terug in de stad. Ik was naar een vriendin gegaan en we zaten in de keuken bij haar thuis thee te drinken en rijstkoekjes te eten. Ze liet me haar nieuwe Puma-hardloopschoenen zien, die wit waren met aan weerszijden rode strepen. Plotseling onderbraken twee diepe donderslagen ons gesprek. Ze klonken als explosies. We waren alleen thuis.

Nog meer dreunen.

We keken uit het raam, maar zagen niets. Mijn vriendin woonde op de bovenste verdieping van een gebouw van vijf verdiepingen dicht bij het Jaleh-plein. We besloten snel het dak op te gaan. Op de gang stuitten we op een paar buren die ook naar boven wilden. Op het dak hadden we een goed uitzicht over de stad. Het was een wolkeloze zonnige dag en Teheran was gehuld in een dunne nevel. We hoorden vliegtuigen.

'Daar!' riep iemand.

Een paar kilometer naar het zuiden zoefden twee gevechtsvliegtuigen oostwaarts. Aan de horizon in het westen stegen rookkolommen de lucht in. Een van de buren had een radio meegenomen en die aangezet. Al snel kondigde een opgewonden verslaggever aan dat Irakese Migs het vliegveld van Teheran hadden gebombardeerd. Verschillende eenheden van het Iraakse leger waren de grens over getrokken en waren Iran binnengevallen. We waren in oorlog.

Ik had gelezen over de Eerste en de Tweede Wereldoorlog en over de Amerikaanse Burgeroorlog. Ik had gelezen over bommen die steden verwoestten en niets dan puin en lijken achterlieten. Maar dat waren oorlogen in boeken. Zelfs als die verhalen klopten, dan hadden ze zich allemaal jaren geleden afgespeeld. De wereld was nu heel anders. Niemand zou zomaar steden kapot mogen maken en duizenden mensen doden.

'We zullen ze eens wat laten zien!' De man met de radio zwaaide met zijn vuist in de lucht. 'We zullen Bagdad veroveren en Saddam stenigen! Die schoften!'

Iedereen knikte.

Toen ik thuiskwam, was mijn moeder bezig met afplakband grote kruisen op de ramen te plakken om te voorkomen dat het glas bij een bombardement zou versplinteren. Ze zei dat de mensen op de radio werden aangespoord om voorzorgsmaatregelen te nemen en dat daarbij beloofd werd dat deze oorlog niet langer zou duren dan een paar dagen of hooguit een paar weken en dat ons leger de Irakezen in een mum van tijd zou verslaan. Mijn moeder had ook stukken zwart karton gekocht om de ramen te blinderen als het donker was, zodat de Migs onze lichten niet zouden zien en die niet als richtpunt konden gebruiken. Ik maakte me niet al te veel zorgen. Zo erg kon het niet zijn.

Er gingen dagen voorbij. Het luchtalarm ging een aantal keren per dag af, maar we hoorden zelden explosies. Op de radio- en tv-zenders waren de hele dag militaire marsen te horen en werd verkondigd dat de luchtmacht Bagdad en andere Irakese steden had aangevallen en dat we de Irakezen hadden teruggedreven. Alle mannen, jong en oud, en zelfs tieners werden aangespoord in het leger te gaan en martelaar te worden; per slot van rekening, zo verkondigde de overheid, was martelaar worden een snelle en zekere manier om naar de hemel te gaan. Dit was de oorlog van goed tegen kwaad. De stad Khorram-shahr, die dicht bij de Iraanse grens met Irak lag, was bijna volledig verwoest en daarna bezet.

De grenzen werden snel gesloten en niemand mocht het land verlaten zonder een speciale pas. Maar elke dag vertrokken er, voor een fikse som aan het adres van de mensensmokkelaars, mensen uit Iran om de militaire dienstplicht te ontlopen of om te ontsnappen aan een arrestatie door de Revolutionaire Garde. Ze zetten hun leven op het spel door de overstap naar Pakistan of Turkije te wagen.

Laat in de herfst hoorde ik van vrienden op school over een protestbijeenkomst en ik besloot erheen te gaan. Ook al wist ik dat het gevaarlijk was, het leek me een zinvolle actie. De demonstratie zou om vier uur plaatsvinden op het Ferdosi-plein, op ongeveer tien minuten lopen van school.

Op de dag van de demonstratie verlieten Gita, Sarah en ik na de laatste bel de school en zagen honderden mensen, vooral jonge mannen en vrouwen, op straat lopen. We sloten ons bij de mensenmassa aan die naar het Ferdosi-plein liep. Iedereen was alert en keek om zich heen in de wetenschap dat uiteindelijk de Revolutionaire Garde of de Hezbollah of allebei ons zouden aanvallen. Mijn hart klopte me in de keel. De straat was een kolkende, ademende rivier. Ik zag dat de winkeliers hun winkel sloten en vertrokken. Op het Ferdosi-plein sprak een jonge vrouw met een megafoon tot de menigte over de gewelddadige aanvallen van de Hezbollah op vrouwen: 'Hoe lang laten we nog toe dat criminelen en moordenaars zich ongestraft verschuilen achter de naam van God om onze moeders, zusters en vriendinnen aan te vallen?' vroeg ze. Een oude vrouw stond vlak bij ons met een wit kartonnen bord voor zich. Ze had haar witte chador om haar middel geknoopt waardoor haar dunner wordende grijze haren open en bloot te zien waren in de zon. Midden op het kartonnen bord prijkte een foto van een jong meisje met een brede lach op haar gezicht en onder de foto stond: 'Geëxecuteerd in Evin.'

Plotseling was de straat vol van donderend gebulder. De mensen begonnen te rennen.

'Op de daken!' riep iemand.

Ik keek omhoog en zag overal revolutionaire bewakers. Een jongeman die vlak bij ons stond, viel op de grond en kreunde. Hij drukte zijn handen tegen zijn buik. Een smalle rode streep kwam tussen zijn vingers tevoorschijn, liep langs zijn hand omlaag en drupte op het trottoir. Ik keek als verlamd naar hem. De mensen gilden en stoven uiteen. Er hing rook in de lucht en mijn ogen brandden. Ik keek om me heen; mijn vrienden waren bij mij uit de buurt geraakt. Ik kon die gewonde man niet zo laten liggen. Ik knielde naast hem neer en toen ik hem in de ogen keek, zag ik de roerloosheid van de dood. Arash was ook zo gestorven... als een vreemdeling. Ergens was er iemand die van deze man hield en die verwachtte dat hij thuiskwam.

'Marina!' riep een bekende stem.

Gita greep mijn hand en trok me mee. Er hing een dichte traangasdamp. Bebaarde mannen in burgerkleding zwaaiden met houten knuppels en vielen de vluchtende menigte aan. Mensen gilden. We renden dwars door de ons omringende waanzin heen.

Toen ik thuiskwam, sloot ik me in de badkamer op. Ik wilde dat ik was doodgeschoten, ik wilde niet meer leven. Wat voor zin had al dat leed? Ik ging naar de slaapkamer van mijn ouders en deed de la met medicijnen van mijn moeder open. Hij zat vol flesjes en doosjes in alle soorten en maten: hoestdrankjes, maagtabletten, aspirine en diverse pijnstillers. Ik rommelde er wat in, vond een bijna vol flesje slaaptabletten en haastte me weer naar de badkamer. Dood uit een potje. Ik hoefde alleen maar het deksel eraf te halen en de pilletjes door te slikken. De engel zou me komen halen en ik zou hem zeggen dat ik genoeg mensen had zien sterven. Ik liet water in een beker lopen en draaide het deksel van het flesje. Maar diep vanbinnen wist ik dat het verkeerd was om die pillen door te slikken. Stel dat iedereen die in het goede geloofde ineens besloot zelfmoord te plegen omdat er te veel leed in de wereld was? Ik sloot mijn ogen en zag de ogen van de engel. Ik wilde dat mijn oma, Arash en Irena trots op me zouden zijn. Ik wilde iets met mijn leven doen, iets goeds en waardevols. Ik had het leven van een jongeman op straat zien wegstromen in een uitdijende plas bloed. Ik kon me niet verbergen, de dood was geen schuilplaats. Ik deed het deksel op het flesje en stopte het weer in mijn moeders medicijnla. Misschien kon ik toch wel iets doen. Ik haastte me naar de winkel, kocht een stuk wit karton en schreef over de aanval van de Revolutionaire Garde op de vreedzame demonstratie.

De volgende dag ging ik vroeger naar school dan anders. De gangen waren leeg. Ik plakte het kartonnen bord op de muur in een van de gangen en ging ervoor staan terwijl ik deed alsof ik het las. In ongeveer een halfuur tijd kwamen er steeds meer leerlingen bij staan en al snel probeerde een grote menigte het verhaal te lezen. Het duurde niet lang of khanoem Mahmudi kwam eraan. Ze stormde de gang door met snelle, boze stappen, haar hoofd was rood van woede.

'Aan de kant!' schreeuwde ze.

We gingen aan de kant. Ze las een paar regels en wilde toen weten wie het geschreven had. Toen niemand antwoord gaf, scheurde ze het karton van de muur en schreeuwde: 'Allemaal leugens!'

'Niet waar!' protesteerde ik. 'Ik was erbij!'

'Dus jíj hebt het geschreven.'

Ik zei tegen haar dat de Revolutionaire Garde het vuur had geopend op onschuldige mensen.

'Welke onschuldige mensen? Alleen antirevolutionairen en de vijanden van God en de islam gaan naar zulke bijeenkomsten. Jij zit zwaar in de problemen!' zei ze terwijl ze naar mij wees. Toen draaide ze zich om en liep weg. Ik was woedend. Hoe durfde ze te zeggen dat ik loog.

Een paar dagen later begonnen mijn vrienden en ik een kleine schoolkrant. Elke week schreven we een paar korte artikelen over alledaagse politieke onderwerpen waarmee we te maken hadden gehad; we kopieerden ze met de hand en lieten ze op school circuleren.

De regering had enkele onafhankelijke kranten opgeheven omdat de redactie ervan vijandig zou staan tegenover de Islamitische Revolutie. Je kreeg het gevoel alsof het land langzamerhand onder water kwam te staan: ademen werd elke dag iets moeilijker. Maar we bleven optimistisch en geloofden dat ze onmogelijk iedereen konden verdrinken.

Sinds het begin van de oorlog met Irak had het islamitische regime alles op die oorlog afgeschoven. De prijzen waren gestegen. Vlees, zuivel, babyvoeding en bakolie gingen op rantsoen. Mijn moeder ging gewoonlijk om vijf uur 's ochtends bij de winkel in de rij staan voor ons aandeel en kwam dan rond het middaguur terug. Op de zwarte markt was wel bijna alles te krijgen, maar dat was zo duur dat de lagere en modale inkomens dat niet konden betalen, en de porties waren erg klein.

In Teheran leek de oorlog ver weg, het luchtalarm ging nauwelijks af en zelfs als dat wel zo was, gebeurde er niets. Maar de steden die dicht bij de Iraans-Irakese grens lagen moesten een hoge prijs betalen. Het aantal slachtoffers steeg. Elke dag waren er in de kranten tientallen foto's te zien van jongemannen die aan het front de dood hadden gevonden. En de regering deed haar best om profijt te trekken uit de gevoelens van de mensen door ze aan te zetten tot wraak. In de moskeeën riepen de moellahs over de luidspreker dat de oorlog niet alleen was bedoeld om Iran te verdedigen, maar dat het ook om de islam ging. Saddam was geen echte moslim, maar een volgeling van de duivel.

Langzamerhand werd bijna alles waarvan ik hield illegaal. Westerse romans, mijn ontsnappingsmiddel en troost, werden als 'duivels' bestempeld en waren steeds moeilijker te krijgen. Toen vertelde khanoem Mahmudi mij in het begin van de lente van 1981 dat ik religieuze studiepunten moest halen. Religieuze minderheden waren tot dan toe altijd vrijgesteld van het bijwonen van de godsdienstlessen in de islam of in de leer van Zarathoestra. Nu moest ik ofwel de islamitische godsdienstles bijwonen ofwel ervoor zorgen dat ik de religieuze studiepunten voor school behaalde bij mijn kerk. Weliswaar had ik eerder uit vrije wil de islamitische godsdienstlessen op school bijgewoond, maar dat wilde ik nu niet opnieuw doen. Ik had genoeg islamitisch onderwijs gehad. Religieuze studiepunten bij de kerk behalen leek een praktisch en eerlijk idee, maar in mijn geval ging dat niet op. De Russisch-orthodoxe kerk in Teheran had al lange tijd geen priester gehad. Mijn moeder belde een vriendin die regelmatig naar de kerk ging en zij stuurde me naar een rooms-katholieke kerk. Hoewel deze kerk maar een paar straten verderop was, was hij me nog nooit opgevallen doordat hij geen glas-in-loodramen aan de straatkant had en er net zo grijs en saai uitzag als de overheidskantoren en buitenlandse ambassades die eromheen stonden. De priesters boden aan om me met mijn studie te helpen en om mijn inspanningen met studiepunten te waarderen.

Eens per week ging ik naar de kerk voor mijn godsdienstonderricht. Ik moest aanbellen bij de stalen deur die de straat scheidde van de achterplaats van de kerk, en die dan op afstand met een zoemer voor me werd opengedaan. Daarna sloot ik de deur achter me en liep ik over een smal pad dat tussen de kerk en de stenen ommuring liep. Het pad was geasfalteerd. Het kantoor en het priesterverblijf waren ondergebracht in een apart gebouw naast de kerk. De priester ontving me altijd hartelijk en dan lazen we in de Bijbel en spraken erover. Na

afloop van de les opende ik de zware houten deur naar het kerkgebouw. De deur kraakte en het geluid weerkaatste luid tussen de hoge
boogvormige muren. Ik vond het heerlijk om op een kerkbank te zitten en naar de afbeelding van Maria te kijken: haar lange roze jurk,
haar blauwe kleed dat haar haar bedekte, en de vredige glimlach op
haar gezicht. Voor haar flakkerden kaarsen. Ze wist wat het betekende
om iemand te verliezen. Ze had die pijn ervaren. Hier voelde ik me
thuis.

12

Op 1 mei 1982 werden Taraneh en vijf andere meisjes vroeg in de middag over de luidspreker naar het kantoor geroepen. Stilte daalde over de gevangenis neer. Iedereen wist dat de andere vijf meisjes uit deze groep ter dood veroordeeld waren, maar ik was de enige die het van Taraneh wist. Zoals gewoonlijk zat Taraneh in een hoek de Koran te lezen. Zij was als enige van ons vertrek opgeroepen. Iedereen verstijfde en staarde haar aan. Ze stond op alsof ze even wegging om de benen te strekken. Ik liep op haar af, maar ze keek me aan en schudde haar hoofd. Ze pakte haar kleine tas die aan een haak hing, en haar grotere tas, die boven op de plank lag, liep naar me toe en drukte ze mij in de handen.

'Je weet dat ik niet veel spullen heb. Dit is alles. Verzin een manier om het bij mijn ouders te krijgen.'

Ik knikte. Ze deed haar chador aan en liep de deur uit. Ik wist dat mijn vriendin haar dood tegemoetging. Al zou ik schreeuwen totdat mijn keel ervan bloedde, al zou ik mijn hoofd tegen de muur slaan totdat mijn schedel barstte, ik kon haar er niet mee redden. Met Taranehs tassen in mijn armen stond ik lange tijd midden in de kamer totdat mijn benen dienst weigerden. De hele dag werd er geen woord gezegd. We bewaarden de stilte alsof we zo in staat waren het leven te bewaren, een wonder te verrichten. We wachtten, baden en huilden in stilte, onze lippen bewogen zonder geluid. Maar de dag liep stil ten einde en de horizon kleurde in rode en paarse tinten en het duister kroop de lucht in. We luisterden of we geweerschoten hoorden en spoedig kwamen ze, alsof er wolken van glas uit de hemel vielen.

13

Ongeveer vierenhalve maand na mijn arrestatie werd mijn naam omgeroepen over de luidspreker.

'Marina Moradi-Bakht, doe je hidjab aan en kom naar het kantoor.'

Ik wist niet waarom ik werd opgeroepen. Misschien had Hamehd me weer gemist. Ik bedekte mijn haar met mijn hoofddoek en ging naar het kantoor.

Zuster Maryam begroette me met een glimlach. 'Broeder Ali is terug,' zei ze. 'Hij heeft naar je gevraagd.'

Ik deed mijn blinddoek voor en volgde haar naar een ander gebouw waar ik in de hal wachtte. Elke ademhaling voelde als een steen in mijn keel.

'Marina, volg mij,' klonk Ali's stem en ik gehoorzaamde hem. Hij sloot de deur achter ons en zei dat ik moest gaan zitten en mijn blinddoek afdoen. Hij leek groter dan ik me herinnerde, maar misschien kwam dat doordat hij iets was afgevallen.

Ik keek om me heen. We waren in een kamer zonder ramen en er stonden ook geen martelbedden. Aan een muur hing een portret van ayatollah Khomeini die volgens Ali de opdracht had gegeven mijn leven te sparen. De donkere wenkbrauwen van de ayatollah waren diep gefronst en zijn ogen keken me met intense woede aan. Hij zag eruit als een kwaadaardige oude man. Naast het portret van Khomeini hing een portret van de president ayatollah Khamenei, die er vergeleken met de imam best vriendelijk uitzag.

Mank lopend haalde Ali een stoel vanachter een stalen bureau vandaan en keek me onderzoekend aan. Ik was bijna vergeten hoe hij eruitzag. Er zat een nieuw litteken op zijn rechterwang.

'Je ziet er een stuk beter uit dan de laatste keer dat ik je zag,' zei hij glimlachend. 'Hoe is het je vergaan?'

'Best. En hoe is het met u?'

'Ben je alleen maar beleefd of wil je het echt weten?'

'Ik wil het weten,' zei ik zonder dat ik het meende. Ik wilde alleen maar weg uit die kamer. Ik wilde terugrennen naar 246.

Hij vertelde me dat hij vier maanden aan het front tegen de Irakezen had gevochten, maar dat hij terug had moeten komen toen hij in zijn been geschoten was. Ik zei dat ik dat naar voor hem vond, wat ook zo was. Ik wilde niet dat hem of iemand anders iets akeligs overkwam.

Hij keek me oplettend aan, zijn glimlach ging over in een ernstige gezichtsuitdrukking.

'Marina, ik moet iets belangrijks met je bespreken en ik wil dat je eerst naar me luistert en me niet in de rede valt totdat ik klaar ben met mijn verhaal.'

Ik knikte, in verwarring gebracht. Hij vertelde me dat zijn voornaamste reden om Evin te verlaten was geweest dat hij bij mij uit de buurt wilde zijn. Hij had gedacht dat zijn gevoelens wel zouden veranderen wanneer hij mij niet zag, maar dat was niet het geval geweest. Hij zei dat hij sinds onze eerste ontmoeting al diepere gevoelens voor me had gehad. Hij had geprobeerd dat gevoel te negeren, maar het was alleen maar sterker geworden. Die avond dat hij met me naar het toilet was gelopen, had hij het gevoel gehad dat hij me koste wat het kost moest redden en dat beangstigde hem. Toen ik niet uit het toilet kwam, riep hij mij, maar ik gaf geen antwoord en daarom ging hij naar binnen om te zien wat er aan de hand was, en toen vond hij me op de grond. Even dacht hij dat ik dood was, maar hij voelde mijn pols en besefte dat ik nog leefde. Hij wist dat mijn naam op de executielijst stond en dat Hamehd mij niet mocht. Hij probeerde Hamehd op andere gedachten te brengen, maar Hamehd wilde niet luisteren. Ali zei dat hij alleen mijn leven had kunnen redden door naar ayatollah Khomeini te gaan. Ali's vader was al jaren goed bevriend met de ayatollah. Dus was Ali naar de imam gegaan en had hem gesmeekt mijn leven te sparen door uit te leggen dat ik te jong was en dat ik een kans moest krijgen mijn leven te beteren. De ayatollah zei tegen hem dat de aantijgingen tegen mij ernstig genoeg waren voor een executie, maar hij bleef smeken. De ayatollah stemde er uiteindelijk in toe mijn vonnis om te zetten in een levenslange gevangenisstraf. Ali haastte zich terug naar Evin en vroeg de bewakers waar ik was. Zij lieten hem weten dat Hamehd mij had meegenomen om me te executeren. Hij zei dat hij had gebeden toen hij zich naar het executieterrein haastte.

Er kwam een gevoel van paniek bij me boven.

Na zijn gesprek met de ayatollah had hij besloten me naar 246 te sturen en weg te gaan. Doordat de imam me gratie had verleend, kon Hamehd me geen kwaad meer doen. Ali had geprobeerd me te vergeten, maar hij bleek aldoor aan me te denken en hij was blij toen hij werd neergeschoten omdat hij daarmee een reden had om terug te keren. Zijn vader had hem altijd op het hart gedrukt om eerst heel grondig na te denken over elke belangrijke beslissing in zijn leven. Ali zei dat hij nu meer dan vier maanden had nagedacht over zijn beslissing om met mij te trouwen en dat zijn besluit vaststond.

'Ik wil dat je mijn vrouw wordt, Marina, en ik beloof je dat ik een goede echtgenoot zal zijn en goed voor je zal zorgen. Geef me nu geen antwoord. Ik wil dat je er eerst over nadenkt,' zei hij.

Ik probeerde te begrijpen wat ik net allemaal had gehoord, maar ik kon het niet. Het sloeg helemaal nergens op. Hoe haalde hij het in zijn hoofd om met mij te willen trouwen? Ik wilde niet met hem trouwen. Ik wilde niet eens samen met hem in één kamer zijn.

'U moet begrijpen dat ik niet met u kan trouwen,' zei ik met trillende stem.

'Waarom niet?'

'Daar zijn vele redenen voor.'

'Ik ben bereid te luisteren. Vergeet niet dat ik hier maanden over heb nagedacht, maar je weet maar nooit, misschien heb ik iets over het hoofd gezien. Ga je gang en vertel me wat voor redenen je hebt.'

'Ik hou niet van u en ik ben niet voor u bestemd.'

'Ik verwacht ook niet van je dat je van me houdt. Liefde kan groeien, als je me een kans geeft. En je zegt dat je niet voor mij bestemd bent. Voor wie ben je dan bestemd? Voor Andre?'

Ik snakte naar adem. Hoe wist hij van Andre?

Hij vertelde me dat hij ooit aan mijn bed had gezeten toen ik sliep en dat ik Andre's naam in mijn slaap had geroepen. Hij had wat onderzoek verricht en hij wist precies wie Andre was en waar hij woonde. En al had Andre geen politiek strafblad, Ali zei dat hij er wel een kon regelen als het nodig was.

Ik wist wel dat ik soms praatte in mijn slaap, maar ik geloofde hem eigenlijk niet. Misschien hadden ze me voor mijn arrestatie in de gaten gehouden en wisten ze zo van Andre. Ik had Andre hierin meegesleept. Wat moest ik beginnen?

'Wil je hem hier zien?' vroeg Ali. 'Op een martelbed misschien? Laat hem zijn eigen leven leiden. Je moet aanvaarden dat je leven volledig is veranderd op het moment dat je werd gearresteerd. En vergeet je ouders niet. Ik weet zeker dat je hen niet in gevaar wilt brengen. Waarom moeten zij boeten voor wat jij hebt gedaan? Ik beloof je dat ik je gelukkig zal maken. Je leert wel van me te houden.'

Ik zei dat hij het recht niet had me dit aan te doen en hij zei van wel. Was ik misschien vergeten dat hij me voor een zekere dood had behoed? Als vijand van de islam had ik geen rechten. Hij geloofde dat hij me een dienst bewees. Ik wist niet wat goed voor me was.

Ik zocht wanhopig naar een uitweg. Mijn dood zou een oplossing zijn voor veel problemen.

'Ik ken je maar al te goed,' zei hij en zijn stem rukte me los uit mijn gedachten. 'Ik weet precies wat je nu denkt. Je denkt aan zelfmoord. Ik kan het aan je ogen zien, maar ik weet ook dat je het niet zult doen. Je bent er de persoon niet naar om het op te geven. Dat ligt niet in je aard. Je bent een vechter, net als ik. Laat het verleden los, dan kunnen we samen een prachtig leven hebben. En alleen maar voor de zekerheid zweer ik je dat ik jouw Andre laat executeren als je je leven expres op het spel zet. Hij zal voor je boeten.'

Hoe kon ik in vredesnaam een 'prachtig' leven met hem hebben? Hij dreigde Andre te executeren en mijn ouders te arresteren.

'Ik geef je drie dagen om hierover na te denken, maar haal geen onnozele dingen uit. Alles wat ik heb gezegd, meen ik serieus.'

Ik had Andre en mijn ouders in gevaar gebracht en ik moest er alles aan doen om hen te beschermen. Ik moest niet vergeten dat ik levenslang had gekregen. Voor mij was er geen ontsnapping mogelijk. Ik zou bijna willen dat ik Andre nooit had ontmoet.

14

Ik ontmoette Andre de allereerste keer dat ik naar de zondagsmis in mijn nieuwe katholieke kerk ging. Die dag ging ik na afloop van de dienst naar het kleine kantoor om een praatje met de priesters te maken. Terwijl ik zat te wachten kwam Andre, de organist, binnen. Hoewel ik tijdens de mis achter in de kerk had gezeten, was het me wel opgevallen dat het best een knappe man was. Nu merkte ik dat ik naar de geklede versie van de David van Michelangelo keek. Hij had een ovaal gezicht met een lange aristocratische neus, gouden krullen bedekten zijn brede voorhoofd en zijn ogen hadden de kleur van de Kaspische Zee op een rustige dag. Hij was prachtig. Blozend sloeg ik mijn ogen neer, in de hoop dat mijn gedachten niet zo doorzichtig waren als ik vreesde. We maakten kennis met elkaar.

De kerk bediende maar een heel kleine gemeenschap zodat elke nieuwkomer aardig wat aandacht en nieuwsgierigheid ten deel vielen. Andre vroeg me of ik aan de universiteit studeerde en toen ik hem vertelde dat ik in de vierde klas zat, werd hij knalrood. Ik vertelde hem van mijn Russische achtergrond en hij zei dat hij elektrotechniek studeerde aan de universiteit van Teheran. Maar aangezien alle universiteiten gesloten waren in het kader van de Islamitische Culturele Revolutie, gaf hij nu Engels, natuurkunde en wiskunde aan een Armeense school.

Naarmate we langer met elkaar spraken, raakte ik steeds meer onder de indruk van hem. Hij sprak weloverwogen en met zachte stem. Ik zei dat ik van zijn muziek genoten had en hij vertelde me dat hij nog maar een beginneling was. Toen de regering na de revolutie de jongensschool had overgenomen die bij de kerk had gehoord, waren vele priesters die de school hadden geleid, gedeporteerd op beschuldiging van spionage. Andre had twaalf jaar op hun school gezeten. Een van de priesters die gedeporteerd zouden worden was lange tijd de organist geweest. Hij gaf Andre, die nooit een instrument had bespeeld, een paar muzieklessen en zodra hij was vertrokken nam Andre zijn taak over.

'Je moet bij ons koor gaan,' zei Andre tegen me. 'We zijn op zoek naar nieuwe leden.'

Ik zei dat ik niet kon zingen.

'Probeer het eens. Het is leuk. Onze volgende repetitie is woensdagavond om zes uur. Of heb je al andere plannen voor die avond?'

'Nee.'

'Goed, tot woensdagavond dan.'

Hij stond op en gaf me een hand.

Toen hij eenmaal weg was, kon ik weer wat op adem komen.

Aram liep nog altijd minstens één keer per week met me naar huis. Hij zat in de zesde klas, zijn laatste jaar op de middelbare school.

'We zijn van plan om over een paar maanden uit Iran te vertrekken en hopen dan naar de Verenigde Staten te gaan,' vertelde hij me op een warme, zonnige lentemiddag. Ik wist dat die dag zou komen. We waren al meer dan twee jaar goede vrienden. Ik wilde hem niet kwijtraken, maar ik wist dat het voor hem het beste was om weg te gaan en een nieuw leven te beginnen ver van alle pijnlijke herinneringen die wij met elkaar deelden.

Ik zei dat ik blij voor hem was. Hij stond stil en keek me aan, de tranen stonden in zijn ogen. Hij zei dat hij wilde dat ik met hem mee kon gaan, hij maakte zich zorgen om mijn veiligheid. Veel leerlingen van zijn school waren gearresteerd en naar Evin gebracht en hij had gehoord dat niemand daar levend uit kwam. Ik zei dat hij niet zo paranoïde moest doen, maar hij bracht daar tegen in dat dit niets met paranoia van doen had.

'Aram, je hoeft je echt geen zorgen te maken,' hield ik vol.

'Dat zei Arash ook altijd... Hé, wacht eens even. Ik bedacht me net iets, maar nee, dat is vast niet zo... hoewel...'

Hij stopte midden op het smalle trottoir voor een kleine groentewinkel. Dozen en manden vol fruit en groente versperden een deel van het trottoir.

'Je probeert toch niet om er een einde aan te maken?' vroeg hij plotseling bijna in tranen.

Ik zei dat ik niet van zins was zelfmoord te plegen.

Een grote vrouw, die erlangs wilde om de winkel binnen te gaan en er genoeg van had te wachten tot we klaar waren met ons gesprek, zei gefrustreerd 'pardon' en duwde ons allebei bijna in een grote doos met uien. Terwijl hij zijn evenwicht hervond, keek Aram me aan. Ik zette een stap de straat op om aan de kant te gaan en opnieuw verzekerde ik hem dat ik me wel zou redden. Toen we verder liepen, wilde ik zijn hand pakken. Hij schudde me van zich af.

'Wat doe je nou? Dan worden we gearresteerd!' zei hij terwijl hij snel om zich heen keek met een vuurrood gezicht.

'Het spijt me! Ik ben een sukkel! Ik dacht er niet bij na.' Ik bedwong mijn tranen.

'Het spijt me, Marina. Ik wilde je niet beledigen, maar ik zou het mezelf nooit kunnen vergeven als jij gegeseld werd omdat je mijn hand vasthield.'

'Het spijt me.'

'Zie je nou wel, dat is ook een reden om te vertrekken. Hand in hand lopen is geen misdaad. Als je dit vertelt aan iemand die in een normaal land woont, denkt hij dat je hem voor de gek houdt.'

Even later schoot me weer te binnen dat ik hem wilde vragen of hij iemand wist die van het Russisch naar het Perzisch kon vertalen. Ik legde hem uit dat mijn oma haar levensverhaal had opgeschreven en dat ze mij dat vóór haar dood had gegeven. Iemand moest het voor mij in het Perzisch vertalen. Hij wilde weten waarom ik dat niet aan mijn ouders vroeg en ik vertelde hem dat mijn oma het speciaal aan mij had toevertrouwd. Misschien vond ze dat het niet voor hen bestemd was. Ik wilde dat iemand die me niet kende mij ermee zou helpen. Hij vertelde me dat Irena een vriendin had die een beetje vreemd was maar veel talen sprak en zowel het Perzisch als het Russisch goed beheerste. Hij beloofde haar te bellen.

We waren bijna halverwege op weg naar huis toen ik merkte dat er storm op komst was. Donkere wolken pakten zich samen. Het was vreemd dat een prachtige, zonnige dag binnen een paar minuten zo kon veranderen. We hoorden de eerste donderslag. Het begon te regenen. We waren nog steeds ver van huis en we konden nergens schuilen. Eerst ging het heel langzaam, ik kon elke regendruppel afzonderlijk op de grond zien neerkomen. Misschien konden we nog net thuiskomen voordat de storm in alle hevigheid losbarstte, maar nee, het was te laat. De donder rolde en de afzonderlijke, perfect gevormde regendruppels voegden zich samen tot één geheel. Een felle wind boog de bomen en veranderde de regen in een woeste watergolf. We moesten stoppen. De vertrouwde straat vervaagde en zijn warme kleuren verdwenen. We konden niet verder en stonden daar vol verwarring in de wetenschap dat we de storm het hoofd moesten bieden. We moesten onze ogen sluiten en erop vertrouwen dat dit moment van voorbijgaande aard was.

De volgende dag belde Aram om me te laten weten dat hij met Irena's vriendin Anna had gesproken en dat Anna mij wel wilde ontmoeten. Enkele dagen later vergezelde Aram mij naar Anna's huis, dat aan een rustige zijstraat van de Takht-e Tavus-laan stond. We belden aan en achter de deur die haar voortuin van de straat scheidde, begon een hond te blaffen. 'Wie is daar?' riep een vrouwenstem in het Perzisch. Toen we antwoord gaven, deed Anna de deur open. Ze was in de zeventig, een lange slanke vrouw met prachtig, dik zwart haar dat op haar schouders viel. Ze had grote grijze ogen, droeg een witte zijden blouse op een spijkerbroek en begroette ons in het Russisch. Een Duitse herder volgde haar op de voet. Haar kleine huis van twee verdiepingen stond vol met tropische planten. We moesten de bladeren opzij duwen om haar naar de kamer te kunnen volgen, waar een kleurige papegaai op een roest zat, een paar kanaries in een kooi zongen en een zwarte kat tegen mijn benen aan streek. Het rook er naar vochtige aarde en elke muur in de kamer ging schuil achter boekenkasten die uitpuilden van de boeken.

'Waar is de tekst?' vroeg ze me toen we gingen zitten. Ik gaf hem aan haar en zij keek de bladzijden door.

'Het kost me een paar uur om dit te vertalen.'

Ze stond op en gebaarde ons naar de deur te lopen. 'Irena was erg op jou gesteld, Marina. Je kunt het stuk morgenmiddag om halfvijf komen ophalen.'

De volgende dag deed Anna bijna onmiddellijk de deur open toen we bij haar aanbelden en ze overhandigde me de door mijn oma geschreven tekst met de vertaling.

'Alsjeblieft, liefje. Je oma was een verdrietige maar sterke vrouw,' zei ze en ze deed de deur voor onze neus dicht.

'Ik zei toch dat ze een beetje vreemd was,' zei Aram en hij barstte in lachen uit.

Ik las de vertaling zodra ik thuis was. Deze besloeg ongeveer veertig bladzijden, was in een prachtig handschrift geschreven en was grammaticaal onberispelijk. Als ik niet beter wist, had ik nooit kunnen raden dat het Perzisch niet de moedertaal van de schrijfster was.

Op haar achttiende was mijn oma, Xena Muratova, verliefd geworden op een knappe drieëntwintigjarige man die Andrei heette. Hij had goudblond haar en grote blauwe ogen en hij was een communist. Xena had hem gesmeekt om geen protestbijeenkomsten tegen de tsaar bij te wonen, maar hij luisterde niet naar haar. Hij wilde dat Rusland groter werd dan het was en hij wilde dat de armoede verdween. Xena schreef dat hij prachtige maar onmogelijke ideeën had en dat hij erg naïef was. Ze ging met hem mee naar protestbijeenkomsten om hem te beschermen. Tijdens een van de demonstraties maanden de soldaten de menigte om weg te gaan, maar niemand luisterde en daarom openden de soldaten het vuur.

De mensen gingen rennen, ik draaide me om. Hij lag op de grond en bloedde. Ik hield hem in mijn armen totdat hij stierf. De soldaten hadden medelijden met me en ik mocht hem naar zijn moeder brengen. Ik sleepte zijn lichaam door de straten van Moskou. Een paar jongemannen schoten me te hulp, ze droegen hem voor me en ik liep achter hen aan en keek hoe zijn bloed op de grond drupte. Na die dag heb ik nooit meer rustig geslapen. Ik word nog altijd wakker met het beeld van zijn bloed op mijn bed.

Xena ontmoette haar toekomstige echtgenoot – mijn opa Esah – een paar maanden later. Hij was juwelier en een vriendelijke jongeman. Ze wist niet goed hoe of wanneer ze verliefd op hem geworden was. Al snel vroeg hij haar ten huwelijk en zij stemde daarin toe. Ze trouwden, kregen een dochter en noemden haar Tamara. Kort daarop waren ze gedwongen Rusland te verlaten en naar Iran te gaan. Het was een bijzonder zware reis voor Xena omdat ze zwanger was van haar tweede kind, mijn vader. Toen ze eenmaal in Iran waren, ging het gezin eerst naar de stad Mashad, waar mijn vader geboren werd, en toen naar de stad Rasht, waar Esah familie had wonen. Ze bleven niet lang in Rasht en kwamen naar Teheran. Teheran was heel anders dan Moskou en Xena had heimwee. Ze miste haar vrienden en haar familie, maar dat kon haar niet al te veel schelen want ze was gelukkig met Esah. Maar haar geluk was geen lang leven beschoren. Esah ging op een ochtend de deur uit en kwam nooit meer terug. Dieven hadden hem vermoord om de juwelen die hij bij zich droeg. Hij was van plan geweest om van de opbrengst een huis te kopen.

Het leven was eenzaam en moeilijk voor Xena nadat dit gebeurd was. Ze verlangde terug naar huis, naar Rusland, maar ze was alles kwijt: haar thuis en haar manier van leven waren kapotgemaakt door een bloedige revolutie. Ze kon nergens naartoe en geloofde dat ze altijd een vreemde zou blijven.

Ze begon een pension en werkte hard. De jaren verstreken, haar kinderen groeiden op en Tamara trouwde met een Rus en ging met hem mee naar Rusland. Toen leerde Xena Peter kennen, een Hongaar die in haar pension verbleef. Hij hielp haar en hield haar gezelschap. Na het begin van de Tweede Wereldoorlog vroeg hij haar ten huwelijk en zij nam het aanzoek aan, maar ze kregen de kans niet om te trouwen. De landen raakten verdeeld en Hongarije koos voor Hitler. Alle Hongaren die in Iran woonden, werden als krijgsgevangene naar speciale kampen in India gestuurd. Daar stierf Peter aan een besmettelijke ziekte.

Ik was in tranen toen ik de vertaling had uitgelezen. Ik begreep hoe verdrietig, hulpeloos en eenzaam mijn oma zich gevoeld moest hebben. Revoluties hadden ons allebei kapotgemaakt. De communistische revolutie en de Islamitische Revolutie waren beide uitgedraaid op een vreselijke dictatuur. Mijn leven leek een vervormde kopie van haar leven. Ik kon alleen maar hopen dat de toekomst voor mij iets beters in petto had. Ik moest onthouden dat zij zich erdoorheen had geslagen en dat zou ik ook doen.

De volgende woensdagavond ging ik naar de koorrepetitie. Ik stond naast een vrouw met een prachtige stem. Andre kwam na afloop van de repetitie naar me toe. Ik droeg een spijkerbroek met een eenvoudig T-shirt en wenste dat ik mooiere kleren aanhad. Hoewel het dragen van de hidjab verplicht was en je gegeseld kon worden en in de gevangenis kon belanden als je hem niet droeg, konden vrouwen onder de hidjab dragen wat ze wilden. Als ik naar de kerk ging, vrienden ging opzoeken of bij familie op bezoek ging, kon ik mijn hidjab na aankomst uitdoen.

'Je hebt een prachtige stem,' zei Andre tegen me.

'Nee, ik stond naast mevrouw Masudi. Die heeft een prachtige stem.' Ik moest lachen.

Ik vroeg hem waar hij oorspronkelijk vandaan kwam en hij vertelde mij dat zijn ouders allebei uit Hongarije afkomstig waren, maar dat hij en zijn zus in Teheran geboren waren. Zijn zus was eenentwintig en was onlangs naar Boedapest verhuisd om daar naar de universiteit te gaan. Hij was tweeëntwintig.

Het was een merkwaardig toeval dat hij een Hongaar was. Maar toen ik er een beetje over had nagedacht, besefte ik dat het eigenlijk niet zo vreemd was. Christenen waren in Iran zo'n kleine minderheid dat we allemaal op de een of andere manier wel een band met elkaar hadden.

'Wil je orgel leren spelen?' vroeg Andre mij.

'Is het moeilijk?'

'Helemaal niet. Ik kan het je wel leren.'

'Goed. Wanneer beginnen we?'

'Wat dacht je van nu meteen?'

Ondanks de beangstigende gebeurtenissen rond de bijeenkomst op het Ferdosi-plein was ik aanwezig bij tal van andere protestbijeenkomsten die door diverse politieke groeperingen werden georganiseerd, van de communisten tot de moedjahedien. Dat was het minste wat ik kon doen om te laten merken dat ik afkeurend tegenover de regering en haar beleid stond. Ik zei helemaal niets hierover tegen mijn ouders, Aram of Andre. Alle bijeenkomsten leken in grote lijnen op elkaar: jonge mensen verzamelden zich in een hoofdstraat, borden met leuzen tegen de regering gingen de lucht in, de menigte kwam in beweging, er werden leuzen geschreeuwd en na slechts enkele ogenblikken hing er een dikke traangaswolk in de lucht die de ogen deed tranen en de kelen deed branden. Daarna klonken er geweerschoten. De Revolutionaire Garde was ter plekke. Iedereen rende weg zo hard als hij maar kon met zijn hoofd omlaag. Alles werd scherp en helder. Kleuren werden duidelijker. *Ontwijk legergroen. Blijf uit de buurt van bebaarde mannen.* Het was niet slim om te proberen via smalle straatjes te ontkomen: de kans gearresteerd of in elkaar geslagen te worden was daar veel groter. Hoe breder de straat, hoe groter de kans op overleving. Een paar keer had ik me moeten verbergen achter stinkende vuilnisbakken of dozen met verrot fruit en groente om aan de bewakers te ontkomen. Behalve die ene keer op het Ferdosi-plein heb ik nooit meer gezien dat er iemand werd neergeschoten, maar altijd hoorde ik wel van iemand dat hij of zij mensen had zien neervallen of bloedvlekken op straat had gezien. Telkens wanneer ik na een bijeenkomst weer veilig thuiskwam klopte mijn hart van opwinding. Opnieuw had ik het gered. Misschien was ik immuun voor de kogels en de zwaaiende knuppels.

Ongeveer twee weken voor de zomervakantie kwam Gita, die een jaar eerder eindexamen had gedaan dan ik en wachtte totdat de universiteiten weer zouden opengaan na de Islamitische Culturele Revolutie, mij op een avond opzoeken en ze vertelde me dat een vriendin van haar, een zekere Shahrzad, kennis met mij wilde maken. Ze legde uit dat Shahrzad aan de universiteit studeerde en dat ze in de tijd van de sjah drie jaar lang een politieke gevangene was geweest. Shahrzad had gehoord over de staking die ik op school was begonnen en wist dat ik een aantal boeken van haar groepering had gelezen. Ze had zelfs een paar artikelen gelezen die ik voor mijn schoolkrant had geschreven. Ik vroeg Gita waarom Shahrzad mij wilde ontmoeten en ze zei dat Shahrzad wilde dat ik lid van de Fadayian zou worden. Ik zei tegen Gita dat ik me niet bij de Fadayian wilde aansluiten, ik geloofde in God en ik ging naar de kerk en had dus weinig gemeen met hun groepering.

'Steun je de regering?' vroeg Gita me.

'Nee, dat niet.'

'Je bent voor ze of je bent tegen ze.'

'Zelfs als ik tegen ze ben, maakt me dat nog geen communist. Ik heb respect voor jou en je overtuigingen, maar ik wil me niet in de politiek mengen.'

'Volgens mij heb je je daar al in gemengd, zelfs al denk je dat het niet zo is. Geef haar een kans. Ze wil alleen maar een paar minuten met je praten. We lopen morgen wel een stukje met je mee van school naar huis.'

Ik wilde niet in discussie gaan met Gita en daarom stemde ik erin toe Shahrzad te ontmoeten.

Zodra ik de volgende dag de school uit liep, verschenen Shahrzad en Gita naast me. Gita stelde ons aan elkaar voor, maar ging meteen weg, ze zei dat ze ergens naartoe moest. Ik had nog nooit zo'n meisje als Shahrzad ontmoet. Haar ogen stonden droevig en ze keek de hele tijd zenuwachtig om zich heen.

'Uit wat ik over je gehoord heb, maak ik op dat je een geboren leider bent,' zei ze me terwijl we naar mijn huis liepen. 'Er zijn niet veel mensen die dit kunnen. Anderen luisteren naar je. Ik heb ook je artikelen in je schoolkrant gelezen. Die zijn goed. Jij kunt iets bereiken. Deze islamitische regering zal het land vernietigen en jij kunt daar verandering in brengen.'

'Shahrzad, ik heb respect voor je overtuigingen, maar wij hebben niets gemeen.'

'Volgens mij wel. We hebben dezelfde vijand en daarom zijn we vrienden.'

Ik zei dat ik er zo niet tegen aan kon kijken. Ik had nu eenmaal de gewoonte om te zeggen wat ik dacht en als we een communistische regering hadden in plaats van een islamitische, dan zou ik me daar waarschijnlijk ook wel tegen uitspreken.

Ze vroeg me of ik een verandering wilde teweegbrengen en ik zei dat het soort verandering dat ik voorstond niet hetzelfde was als wat zij wilde. Plotseling stond ze stil en ze keek naar een jongeman die ons net voorbijgelopen was, nam snel afscheid van me en verdween een hoek om. Ik heb haar nooit meer gezien.

Ik wilde nieuwe kleren. Geen verbleekte spijkerbroeken, versleten truien en gymschoenen meer. Maar er was een probleem. De inflatie was enorm toegenomen na de revolutie en ik wist dat mijn ouders geen spaargeld hadden. Het was ongebruikelijk dat tienermeisjes gingen werken en dus moest ik creatief zijn en een manier verzinnen om geld te verdienen. Vooral mooie schoenen waren duur.

Mijn ouders, mijn tante Zenia en mijn oom Ismaël en zijn vrouw kwamen eens in de zoveel weken bij elkaar om rummy te spelen. Ze speelden om geld en namen het spel erg serieus. Ik had ze vaak zien spelen en had me de spelregels eigen gemaakt. Toen de vrouw van mijn oom op een avond ziek was en niet kon spelen, bood ik aan om haar te vervangen. Tante Zenia vond het een geweldig idee en zorgde ervoor dat iedereen me wat geld gaf zodat ik aan het spel kon meedoen. Ik was binnen. Aan het einde van de avond had ik van honderd toman tweeduizend gemaakt. De volgende dag ging ik flink uit winkelen en kocht een paar avondpantalons, blouses en drie paar schoenen met hoge hakken. De dag daarna ging ik naar de kerk in kleren die ik met gokgeld had gekocht: een zwarte avondpantalon, een witte zijden blouse en een paar zwarte schoenen met puntige neuzen.

Toen mijn oma nog leefde en mijn ouders bij ons thuis kaartspeelden met vrienden en familie, schudde ze altijd haar hoofd en zei me dat gokken verkeerd was, dat het families en vriendschappen kwaad kon doen en dat God het daarom afkeurde. Het was een zonde. Ik wist het allemaal en ik voelde me schuldig. Maar ik was er zeker van dat God begrip zou hebben voor de situatie. En voor alle zekerheid zou ik bij mijn biecht ook nog vermelden dat ik had gegokt.

Ik genoot van het klikken van mijn nieuwe modieuze schoenen toen ik door het middenpad naar de koorbanken voorin liep en ik vond het heerlijk dat de koorleden me toefluisterden dat ik er prachtig uitzag. Toen Andre me zag, bleef zijn blik op me rusten en tijdens de mis merkte ik dat hij vanuit zijn ooghoek naar me zat te kijken.

Andre was vastbesloten mij orgel te leren spelen, maar hoe meer hij het probeerde, des te meer besefte ik dat ik geen talent voor muziek had. Hij bracht het grootste deel van zijn vrije tijd in de kerk door, waar hij van alles repareerde, van het pijporgel tot apparaten en meubilair, en hij vroeg me meestal om hem gezelschap te houden. Ik vond het geweldig om bij hem te zijn. Hij vertelde me over zijn leven, zijn familie en zijn vrienden. Vóór de Tweede Wereldoorlog was zijn vader Mihaly, die timmerman was, als jongeman naar Iran gekomen om aan een nieuw paleis te werken dat voor de sjah werd gebouwd. Mihaly had zijn verloofde Juliana in Boedapest achtergelaten in de hoop dat hij naar huis zou terugkeren nadat de klus geklaard was, maar de oorlog maakte dat onmogelijk. Toen de oorlog in Europa voortwoedde en Hongarije partij voor Duitsland koos, vielen de geallieerden Iran binnen om Rusland vanuit het zuiden te bevoorraden. En evenals mijn oma's verloofde Peter werd Mihaly gedeporteerd naar een kamp in India. Maar in tegenstelling tot Peter overleefde hij het wel. Na de oorlog keerde hij terug naar Iran in plaats van naar zijn geboorteland, omdat Hongarije communistisch geworden was. Het Hongaarse volk kreeg in die tijd geen toestemming het land te verlaten en Juliana kon zich dus niet bij Mihaly voegen. Ze was gedwongen in Hongarije te blijven tot de anticommunistische revolutie van 1956, waarbij de Hongaarse grenzen werden opengesteld. Toen kreeg zij de mogelijkheid als vluchteling Oostenrijk binnen te komen en zich later bij haar grote liefde in Iran te voegen, nadat ze achttien jaar van elkaar gescheiden waren geweest. Ze trouwden onmiddellijk en kregen twee kinderen: Andre en vijftien maanden later zijn zus. Juliana overleed toen Andre nog maar vier was en zijn zus tweeënhalf. Na haar dood kwam een van Mihaly's zussen, een oude vrijster van zo'n zestig jaar, naar Iran om haar broer te helpen zijn kinderen groot te brengen. Na verloop van tijd bleek ze een geweldige vervangster te zijn voor de moeder die ze verloren hadden.

Toen we op een dag op de orgelbank in de lege kerk zaten, vertelde ik Andre over mijn problemen op school: de staking, de lijst die khanoem Bahman op het kantoor van de directrice had gezien, de schoolkrant en het feit dat khanoem Mahmudi me haatte. Hij sperde zijn grote blauwe ogen wijdopen van schrik.

'Heb je dat allemaal gedaan?' Vol ongeloof schudde hij zijn hoofd.

'Ja, mijn probleem is dat ik mijn mond niet kan houden.'

'Het verbaast me dat je nog niet bent gearresteerd.'

'Ik weet het. Dat verbaast mij ook.'

Hij raakte mijn hand aan en mijn hart sloeg over. Zijn hand was ijskoud.

'Je moet het land uit,' zei hij.

'Andre, wees realistisch. Met alles wat ik heb gedaan krijg ik nooit een paspoort, en illegaal de grens overgaan is niet alleen gevaarlijk, maar kost ook nog eens veel geld. Mijn ouders kunnen dat niet betalen.'

'Weten je ouders dit allemaal?'

'Ze weten wel wat, maar niet alles.'

'Je zegt me nu dus dat je op je arrestatie zit te wachten?'

'Heb ik een andere keuze dan?'

'Je schuilhouden.'

'Ze vinden me toch wel. En waar moet ik me schuilhouden? Ik kan toch niet zomaar anderen in gevaar brengen?'

Ik besefte dat ik op luide toon had gesproken: het geluid kaatste terug vanaf het plafond. We zaten een ogenblik zwijgend naast elkaar en toen sloeg hij zijn arm om mijn schouder. Ik leunde tegen hem aan en voelde de aangename warmte van zijn lichaam. Als ik bij hem was, voelde ik me geborgen, dan had ik het gevoel dat ik veilig thuiskwam na een gevaarlijke reis. Ik werd weer verliefd en daar voelde ik me schuldig om – ik wilde Arash niet verraden. Maar liefde werkte op een heel eigen manier, net als de lente die aan het eind van de winter weer overal de kop opstak. Elke dag steeg de temperatuur heel lichtjes, kwamen er nieuwe knoppen aan de boomtakken, en bleef de zon iets langer aan de hemel staan dan de voorgaande dag. Voordat je het wist, was de wereld vol warmte en kleur.

Eind juni 1981, een paar dagen nadat mijn moeder en ik in het vakantiehuisje waren aangekomen om daar de zomer door te brengen, belde Aram op. Hij vroeg me of ik had gehoord dat het parlement onder invloed van ayatollah Khomeini een aanklacht had ingediend tegen president Banisadr omdat hij zich had verzet tegen de executie van politieke gevangenen en brieven aan Khomeini had geschreven waarin hij hem maande geen dictator te worden. Daar wist ik nog niets van. In het huisje hadden we alleen maar een oude krakkemikkige radio en konden we niet naar het nieuws van de BBC luisteren, en meestal namen we niet de moeite om naar de plaatselijke tv-zenders te kijken. Een paar dagen later vertelde Aram me dat Banisadr erin was geslaagd naar Frankrijk te vluchten, maar dat veel van zijn vrienden waren gearresteerd en geëxecuteerd.

Op 28 juni zette mijn moeder toevallig net de tv aan voordat we aan tafel gingen zitten voor het avondeten en toen hoorden we dat er eerder die dag een bom ontploft was tijdens een bijeenkomst in het hoofdkwartier van de Islamitische Republikeinse Partij. De bom had aan meer dan zeventig partijleden het leven gekost en onder hen waren veel overheidsfunctionarissen, onder wie ayatollah Mohammad-e Beheshti, die aan het hoofd van het rechtswezen stond en secretaris-generaal van de partij was. De regering verklaarde dat de bom geplaatst was door de moedjahedien.

Begin augustus aanvaardde de nieuwe president Mohammad Ali Rajai het ambt. Hij stond bekend als een van de leiders van de Islamitische Culturele Revolutie. Zijn presidentschap duurde ongeveer twee weken: op 30 augustus ontplofte er een bom in het kantoor van de eerste minister, waarbij president Rajai, de eerste minister en het hoofd van de politie van Teheran omkwamen. Deze aanslag werd ook aan de moedjahedien toegeschreven, maar ik heb geruchten gehoord dat beide bomaanslagen het resultaat waren van een interne strijd tussen de verschillende facties binnen de regering.

Het land leek in een permanente staat van rouw gedompeld: op elke straathoek klonken over luidsprekers religieuze gezangen en muziek, en er liepen groepen mannen over straat die zich volgens de sjiitische traditie op hun borst sloegen of hun rug geselden met metalen kettingen, terwijl de vrouwen die hen volgden jammerden en huilden. Ik was geschokt door de recente gebeurtenissen en begroef me nog dieper in mijn boeken, die meestal een wereld lieten zien die redelijker, barmhartiger en minder grillig was.

Voor het eind van de zomer besloot ik niet terug te gaan naar school. Wat voor zin had het om terug te gaan? Ik was niet in staat me aan de nieuwe regels aan te passen en ik zou alleen maar meer problemen krijgen met khanoem Mahmudi en de leraressen.

Zodra we weer in Teheran waren, zinde ik op het meest geschikte moment om mijn moeder over mijn beslissing te vertellen. Ik was ervan overtuigd dat ze zich niet snel gewonnen zou geven. Ze was er erg trots op dat mijn broer een academische graad had en ze had altijd hoog opgegeven van mensen met een goede opleiding. Maar ze kon me niet dwingen. Ik wist dat mijn situatie alleen maar zou verslechteren als ik nog een dag langer op school zou zitten.

We hadden een paar meubelstukken gekocht voor het vertrek dat vroeger mijn vaders dansstudio was geweest: vier grote stoelen die met een fluweelachtige olijfgroene stof waren overtrokken, twee zwarte salontafels, een eettafel met acht bijpassende stoelen en een dressoir. Maar de wachtruimte was gelijk gebleven, met de ronde tafel in het midden en de vier zwarte leren stoelen eromheen. Er stond een petroleumkachel tussen twee van de stoelen om het vertrek in de winter te verwarmen. Mijn moeder had er altijd plezier in gehad om te breien en vooral sinds het welslagen van de revolutie bracht ze het grootste deel van haar tijd in de stoel links van de kachel door, waar ze truien voor ons zat te breien. Ze haakte ook tafelkleden en beddenspreien. Op de dag dat ik het haar ging vertellen, kwam ik het vertrek binnen, waar ze in haar favoriete stoel zat te breien met haar bril op het puntje van haar neus. Ik ging op de stoel tegenover haar zitten en was een tijdje stil omdat ik probeerde te bedenken hoe ik moest beginnen.

'Maman?'

'Ja?'

Ze keek me niet aan.

'Ik kan niet terug naar school. In elk geval niet dit jaar.'

Ze liet de trui die ze aan het breien was op haar schoot vallen en staarde me over haar bril heen aan. Hoewel ze inmiddels zesenvijftig was en er een paar rimpels rond haar ogen en op haar voorhoofd waren verschenen, was ze nog altijd mooi.

'Wát zeg je?'

'Ik kan niet terug naar school.'

'Ben je soms gek geworden?'

Ik zei dat ze ons op school niets nuttigs leerden. Als ik thuisbleef, hoefde ik niet met de leraressen van de Revolutionaire Garde om te gaan. Ik beloofde haar dat ik alle boeken voor de vijfde klas thuis zou bestuderen en de proefwerken wel zou maken.

'Je weet dat ik het kan,' zei ik. 'Ik weet waarschijnlijk meer dan de nieuwe leraressen.'

Ze zuchtte en sloeg haar ogen neer.

'Maman, dwing me niet om terug te gaan,' snikte ik.

'Ik zal erover nadenken,' zei ze.

Ik ging snel naar mijn kamer.

Toen mijn moeder de volgende ochtend mijn kamer binnenkwam, waren mijn ogen zo gezwollen van de hele nacht huilen dat ze bijna dichtzaten. Het was alsof al mijn verdriet en frustratie losgebarsten waren. Mijn moeder stond vlak bij de balkondeur naar de straat te kijken.

'Je mag thuisblijven,' zei ze, 'maar alleen dit ene jaar.' Deze oplossing had ze met mijn vader bedacht.

Aram belde me op een avond vroeg in september om afscheid te nemen. Hij zou de volgende dag het land uit gaan. Ik had het gevoel dat hij huilde.

'Ik zal je missen. Zorg goed voor jezelf,' zei hij met afgemeten stem. Ik had hem niet over Andre verteld en ik besloot dat het tijd werd dat hij het wist. En dus vertelde ik dat ik in mijn kerk iemand had ontmoet die ik erg graag mocht.

Hij was verbaasd en vroeg me hoe lang dat al gaande was. Ik zei dat Andre en ik elkaar in het voorjaar hadden ontmoet.

'Waarom heb je me dat niet eerder verteld? Ik dacht dat we elkaar alles vertelden?' zei hij.

'Ik was er nog niet zeker van. Ik wilde nooit meer te veel op iemand gesteld raken.'

Hij begreep het.

Alle mannen moesten hun militaire dienstplicht vervullen nadat ze klaar waren met de middelbare school, tenzij ze erin geslaagd waren toegang te krijgen tot de universiteit of de regering hen officieel had vrijgesteld op medische of andere gronden. Arams vader had een vrijstelling voor hem gekregen, omdat zijn broer als een martelaar werd beschouwd en hij het enige nog levende kind van zijn ouders was. Hij hoefde niet te vechten in een oorlog omdat zijn familie al een zoon had opgeofferd. Hij vond het ironisch dat zijn dode broer hem het leven redde. De regering had Aram een officieel paspoort verstrekt en het was hem wettig toegestaan het land te verlaten.

Sarah belde me op een dag in november 1981 en zei dat ze me meteen moest spreken. Haar stem trilde, maar ze wilde me over de telefoon niet meer vertellen. Ik haastte me naar haar huis, waar ze bij de deur stond te wachten. Haar ouders en haar broer waren niet thuis. We gingen naar haar kamer en ze liet zich op het bed vallen. Haar ogen waren rood en gezwollen van het huilen.

Ze vertelde me dat revolutionaire bewakers twee dagen eerder naar Gita's huis waren gegaan om haar te arresteren, maar dat zij toen niet thuis was geweest en dat ze daarom haar moeder en twee zussen hadden gearresteerd. Tegen haar vader hadden ze gezegd dat Gita zich binnen een week moest aangeven of dat ze anders een van haar zussen zouden executeren. Daarom was Gita naar Evin gegaan en had ze zich aangegeven, en toen hadden ze haar moeder en zussen laten gaan. 'Marina, je weet hoe koppig ze is. Ze zullen haar doden. Ze kan haar mond niet houden. En wij zijn waarschijnlijk hierna aan de beurt. Nou ja, Sirus in elk geval, maar hij zegt dat iedereen die openlijk kritiek op de regering heeft geuit, het gevaar loopt gearresteerd te worden.'

Sirus had gelijk. Ik wist dat ze ons vroeg of laat zouden komen halen. Ze wisten wie ze moesten zoeken. Ze wisten waar we woonden. Ik had nooit iemand over de lijst verteld, omdat ik niet wist wie er nog meer op stond en ik niemand bang wilde maken; ook wilde ik khanoem Bahman niet in de problemen brengen.

'Ja, wij zijn waarschijnlijk hierna aan de beurt. Het is slechts een kwestie van tijd en we kunnen er niets aan veranderen. We kunnen niet vluchten. Als we dat doen, worden onze ouders de dupe,' zei ik.

'We kunnen toch niet alleen maar gaan zitten wachten?'

'Wat wil je dan doen?'

'Ik kan het in elk geval mijn ouders vertellen,' zei Sarah.

'Dan raken ze in paniek. Niemand kan iets doen, tenzij jullie allemaal tegelijk kunnen verdwijnen. Als ik het mijn ouders vertel, nemen ze me toch niet serieus. Maak je niet te veel zorgen. Zo erg kan het niet zijn. Mensen overdrijven. We hebben niets gedaan. Gita was echt actief binnen haar groep. Waarom zouden ze zich druk maken om ons?'

'Je hebt ook wel gelijk. We moeten niet in paniek raken. We hebben niets gedaan.'

15

Nadat hij mij een aanzoek had gedaan, bracht Ali me terug naar 246. Mijn vriendinnen kwamen om me heen staan zodra ik het vertrek binnenkwam omdat ze wilden weten wat er was gebeurd. Ik vertelde hun dat Ali terug was en dat hij wilde weten hoe het met me ging. Aan hun blik kon ik zien dat ze me niet geloofden. Ze maakten zich zorgen, maar niemand kon iets doen om me te helpen.

Ik wilde niet dat mijn kamergenoten op de hoogte waren van Ali's aanzoek. Ik voelde me schuldig en beschaamd. Ik had Andre en mijn ouders in gevaar gebracht. Aangezien ik er niet aan twijfelde dat Ali's dreigementen menens waren, moest ik wel doen wat hij wilde.

Ik moest denken aan de kus die Arash en ik elkaar hadden gegeven. Het was de mooiste ervaring van mijn leven geweest omdat ik van Arash hield. Zou Ali me ook gaan zoenen? Ik veegde mijn mond met mijn mouw af en het koude zweet brak me uit.

Laat ze me maar doodmaken als ze dat willen, maar ik wil niet worden verkracht, had Taraneh gezegd.

Al wist ik nog steeds niet precies wat verkrachting was, ik hield mezelf voor dat dit geen verkrachting was. Ali wilde met me trouwen. Dat was wel goed... Nee, dat was het niet... Waarom dacht ik er zelfs maar over na? Ik had geen keus.

Het huwelijk moest voor altijd zijn. Kon ik voor altijd met Ali leven? Misschien had Ali een tijdelijk huwelijk in gedachten. Ik had gehoord dat de islam zoiets kende als *sigheh*, een tijdelijk huwelijk dat van enkele minuten tot jaren kon duren. Ik wist ook dat de vrouw in een tijdelijk huwelijk geen enkel recht had. Dat maakte in mijn geval helemaal niets uit, omdat ik een gevangene was en toch al geen rechten had. Misschien wilde hij alleen maar dat ik voor korte tijd zijn vrouw zou zijn en liet hij me daarna gaan. Als dat zo was, hoefde niemand er iets van te weten. Ik moest dit huwelijk zo lang mogelijk geheim zien te houden.

Uren gingen voorbij waarin ik niet kon eten, denken of met iemand praten. Ik kon niet eens huilen. Ik kon overdag alleen maar de gang op en neer lopen en 's avonds kon ik alleen maar uitgeput in slaap vallen.

Uiteindelijk ging ik op de derde dag met zuster Maryam praten. Ze wist van Ali's aanzoek, dus bij haar hoefde ik mijn geheim niet te bewaren. Ik zei dat ik niet met Ali wilde trouwen. Ze vertelde me dat elk huwelijk in haar familie gearrangeerd was en dat de vrouwen nooit met de man wilden trouwen die hun ouders voor hen hadden uitgekozen. Haar eigen moeder haatte de man met wie ze had moeten trouwen, maar uiteindelijk was ze heel gelukkig met hem geworden. Ik zei dat ik niet wist hoe geluk onder zulke omstandigheden mogelijk was. Ik legde haar uit dat in mijn familie de vrouwen zelf hun man kozen. Ze zei dat ik niet langer bij mijn familie woonde en dat ik niet moest vergeten dat Ali me een nieuw leven had geboden. Volgens haar deed ik buitengewoon moeilijk.

Mijn drie dagen waren voorbij. Aan het begin van de vierde dag werd ik over de luidspreker opgeroepen. Ali zat in het kantoor op me te wachten.

'Je hoeft de blinddoek niet voor,' zei hij. 'We praten wel in mijn auto.'

Vanaf het kantoor liepen we een gang zonder ramen in die baadde in het tl-licht. Tot dat moment had ik behalve 246 en de verhoorkamer nooit de binnenkant van Evin gezien. Het was een zwarte nachtmerrie geweest van boze stemmen, zweepslagen, schreeuwen, geweerschoten en het gedempte geluid van rubberen slippers die langs het linoleum en de stenen vloeren streken. Toch kon de gang die nu voor me lag een willekeurige gang zijn, in een gewoon overheidsgebouw of in een school. Ik volgde Ali de trap af, een gewone trap als alle andere. Een paar revolutionaire bewakers liepen ons voorbij op weg naar boven en bogen lichtjes naar Ali terwijl ze 'salam aleikum' zeiden en mij daarbij volledig negeerden. Hij boog op zijn beurt en groette hen. Toen we onder aan de trap kwamen, deed Ali een grijze metalen deur open en stapten we naar buiten. Ik was geschokt omdat alles er zo gewoon uitzag. Evin deed me denken aan de campus van de universiteit van Teheran aan de Enghelab-laan. Het voornaamste verschil tussen die twee was dat er in Evin meer open ruimten waren. Daar stond tegenover dat om de universiteit van Teheran een hek van doorzichtig draadgaas geplaatst was, terwijl Evin omringd was door hoge stenen muren, uitkijktorens en bewapende bewakers. Hier en daar waren groepjes hoge oude esdoorns te zien en in het noorden verhief zich het Elboersgebergte.

Ali leidde me langs een smal verhard pad om een grijs gebouw heen naar een zwarte Mercedes die geparkeerd stond in de schaduw van een paar bomen. Hij opende het portier aan de passagierskant en ik stapte in. De auto rook gloednieuw. Het zweet drupte van mijn voorhoofd. Hij zat op de bestuurdersplaats en legde zijn handen op het stuur. Het viel me op dat hij lange, slanke vingers had en dat zijn nagels schoon en zorgvuldig geknipt waren. Hij had de handen van een pianist en toch was hij een ondervrager.

'Wat heb je besloten?' vroeg hij terwijl hij naar een snoer amberkleurige gebedskralen keek dat aan de achteruitkijkspiegel hing.

Een mus vloog uit een boom op en verdween in het uitgestrekte blauw van de wolkeloze hemel.

'Is het een tijdelijk huwelijk dat je in gedachten hebt?' vroeg ik.

Hij keek me verbaasd aan.

'Wat ik voor je voel is geen fysieke aantrekkingskracht van voorbijgaande aard. Ik wil je voor altijd.'

'Ali, alsjeblieft...'

'Is je antwoord "ja" of "nee"? En vergeet niet wat voor consequenties dat antwoord heeft. Ik meen dit heel serieus.'

'... ik zal met je trouwen,' zei ik met het gevoel alsof ik levend begravend werd.

Hij glimlachte. 'Je bent een verstandig meisje. Ik wist dat je de juiste keuze zou maken. Ik beloof je dat je geen spijt zult krijgen van je besluit. Ik zal goed voor je zorgen. Ik moet de nodige voorbereidingen treffen en met mijn ouders spreken. Het zal nog wel even duren.'

Ik vroeg me af wat zijn ouders ervan zouden denken dat hij met een christelijke gevangene trouwde. En mijn familie? Hoe zou die reageren?

'Ali, mijn familie mag nog niets weten van dit huwelijk,' zei ik. 'Ik ben nooit zo hecht geweest met mijn ouders. Ik weet zeker dat ze hier niets van zullen begrijpen en dat het er alleen maar moeilijker van wordt.'

Ik kon mijn tranen niet langer bedwingen.

'Marina, niet huilen alsjeblieft. Je hoeft het niemand te vertellen, niet voordat je eraan toe bent en het maakt niet uit hoe lang dat duurt. Ik begrijp dat dit moeilijk voor je is. Ik zal er alles aan doen om het gemakkelijker te maken.'

Zolang mijn vrienden en mijn familie niets wisten van dit huwelijk had het meisje dat ik vóór Evin was geweest nog een kans te overleven. Ze kon bestaan, dromen, hopen en liefhebben, ook al moest ze zich verborgen houden in mijn nieuwe ik: de vrouw van een ondervrager. Ik wist niet hoe lang ze zo'n leven kon volhouden, maar ik zou haar beschermen. Zij was mijn ware ik, degene die mijn ouders en Andre liefhadden en terug wilden.

Ali bracht me terug naar 246 en ik vroeg zuster Maryam of zij me naar een van de kamers beneden kon sturen. Ik wilde mijn vriendinnen niets uitleggen. Boven en beneden waren volledig gescheiden en de gevangenen konden geen contact met elkaar hebben. Ik wilde met rust gelaten worden op een plek waar niemand me kende. Ze stemde erin toe en gaf de vertegenwoordigster van kamer 7 opdracht mijn bezittingen naar het kantoor te brengen en ik verhuisde naar kamer 6 op de benedenverdieping die net als mijn oude kamer op de bovenverdieping bewoond werd door ongeveer vijftig meisjes.

Snel hierna ging mijn gezondheid achteruit. Elke keer als ik at, moest ik overgeven en ik werd verlamd door migraineaanvallen. Met een deken over mijn hoofd getrokken lag ik het grootste deel van de tijd in een hoek, niet in staat om te slapen. Mijn gedachten draaiden in een kringetje rond en kwamen steeds weer bij Taraneh uit. Ik besefte hoe erg ik haar miste. Sinds ze haar hadden weggehaald, had ik iedere gedachte aan haar verdrongen, omdat ik me de laatste uren van haar leven niet precies wilde voorstellen. Waarom sloten we ons af voor de werkelijkheid wanneer het te veel werd om die te verdragen? Ik had zuster Maryam moeten vertellen dat ik met Taraneh wilde sterven. Ik had haar executie moeten proberen te voorkomen. Ik wist wel dat het me nooit gelukt zou zijn, maar ik had het moeten proberen. Was een onschuldig leven geen strijd waard? Zelfs als die strijd gedoemd was te mislukken? Ik was verantwoordelijk voor haar dood, omdat ik haar lot had geaccepteerd. Maar waarom was ik stil gebleven? Was ik bang om dood te gaan? Dat geloofde ik niet. Misschien was hoop wel de reden. Ik hoopte op een dag naar huis te gaan. Mijn ouders en Andre wachtten op me. Hoe kon ik voor de dood kiezen als hij mijn naam nog niet geroepen had? Goed en fout raakten in elkaar vervlochten en ik wist niet welke kant ik uit moest gaan.

Ik stond midden in het duister. Een open veld met zwarte heuvels eromheen. Taraneh stond naast me, ze had haar rode gelukstrui aan en keek voor zich uit. Ik raakte haar hand aan en ze keek me aan met haar lichtbruine ogen. Ali kwam uit de nacht tevoorschijn. Hij liep op ons af en hield een geweer tegen mijn hoofd. Ik kon me niet bewegen. Met haar kleine hand pakte Taraneh Ali's pols vast. 'Nee,' zei ze. Ali zette het geweer

tegen haar hoofd en haalde de trekker over. Ik zat helemaal onder het bloed van Taraneh. Ik gilde.

Ik werd wakker met een schreeuw die in mijn keel was blijven steken. Mijn longen wilden geen lucht meer binnenhalen. Er verscheen
een gezicht boven mij, vaag en onscherp. Het vertrek was vol luide en
onverstaanbare stemmen. Maar als je geen lucht hebt, is alleen lucht
krijgen belangrijk. Met mijn handen probeerde ik iets te pakken, alles
wat me voor een verstikkingsdood kon behoeden. Ik probeerde te
zeggen dat ik geen lucht kreeg. Het gezicht... het was zuster Maryam.
Ze zei iets, maar haar woorden leken van heel ver weg te komen. Het
vertrek vervaagde alsof iemand het licht had gedimd en het toen uit-
draaide.

Toen ik mijn ogen opendeed, zag ik Ali met dokter Sheikh praten,
die een kaki legeruniform droeg. Ik kon weer ademen. Om ons heen
hingen witte gordijnen. Ik lag op een schoon, comfortabel bed. Mijn
haar was bedekt met een witte sjaal en over mijn lichaam lag een stevig
wit laken. Uit een plastic zak die aan een metalen haak hing, druppelde
een heldere vloeistof in een doorzichtig slangetje dat aan mijn hand
bevestigd was. Dokter Sheikh merkte als eerste op dat ik wakker was.

'Hallo, Marina. Hoe voel je je nu?' vroeg hij.

Ik kon me niet herinneren wat er gebeurd was en ik wist niet waar
ik was. De dokter vertelde me dat ik sterk was uitgedroogd en dat ik
naar het gevangenisziekenhuis was gebracht. Toen verdween hij door
een smalle kier in het gordijn. Ik keek naar Ali en hij glimlachte.

'Ik ga naar huis om wat van mijn moeders eten voor je te halen. Dat
helpt tegen alle kwalen. Probeer nu maar wat uit te rusten. Ik maak je
wakker zodra ik terug ben. Wil je nog iets anders? Kan ik iets voor je
meenemen vanbuiten?'

'Nee.'

'Waarom heb je tegen niemand gezegd dat je zo ziek was?'

'Ik weet echt niet wat er is gebeurd.'

'Je kamergenoten zeiden tegen zuster Maryam dat je al een paar dagen overgaf.'

De tranen sprongen me in de ogen. 'Ik heb altijd al last van mijn maag gehad. Dat was niets nieuws voor mij. Het was alleen wat erger dan anders. Maar ik stond er niet zo bij stil. Echt niet. Ik dacht dat het wel zou overgaan. Die nachtmerries en die hoofdpijn. Ik probeerde...' Ik kreeg weer een beklemd gevoel op de borst.

Ali boog zich dichter naar mij toe, met zijn handen op de zijkant van het bed geleund.

'Maak je niet druk. Het is goed. Alles komt goed. Je was ziek. Dat is alles. Nu kun je uitrusten en beter worden. Haal eens diep adem. Heel diep.'

Dat deed ik.

'De dokter zal je iets geven om goed te kunnen slapen. Je hebt rust nodig. En je zult geen nachtmerries en hoofdpijn meer hebben. Afgesproken?'

Ik werd wakker door Ali's stem. Hij riep mijn naam en hield een kom zelfgemaakte kippensoep met noedels voor mijn neus. De soep rook naar citroen. Thuis deed ik ook altijd citroensap in mijn kippensoep. Hij vertelde me dat de dokter van mening was dat frisse lucht en een andere omgeving me goed zouden doen en hij bood aan me mee uit rijden te nemen. Ik vroeg hem of hij buiten Evin bedoelde en hij zei dat hij dat bedoelde en dat ik mijn soep moest opeten zodat we konden gaan.

Zodra ik klaar was met eten hielp hij me in een rolstoel en trok toen het witte gordijn opzij dat om ons heen hing. We bevonden ons in een grote zaal die door vele witte gordijnen in afgesloten stukken was verdeeld. Twee van die gordijnen werden opzijgetrokken en daar waren twee bedden te zien; het ene was leeg en in het andere lag een meisje van mijn leeftijd te slapen. Ze droeg een marineblauwe hoofddoek en haar lichaam was bedekt met een stevig wit laken. Er waren geen ramen. Ali duwde mijn rolstoel een deur door en we kwamen op een smalle gang. Ook deze keer had hij me niet geblinddoekt. Hij deed een deur open en ik kneep mijn ogen samen tegen het felle licht vanbuiten. Hij stuurde mijn rolstoel van een hellingbaan af.

De lucht zag eruit als een ondersteboven gekeerde zee, wolken dreven als schuimende golven naar de horizon. We passeerden een aantal geblinddoekte vrouwen die donkerblauwe chadors droegen. Ze liepen een voor een in een rij achter een revolutionaire bewaker aan. Elke vrouw hield de chador vast van degene die voor haar liep. De revolutionaire bewaker die hen leidde hield een stuk touw in zijn hand dat was vastgebonden aan de handboeien van de vrouw die voorop liep. Hij trok haar mee en de rest volgde. Een paar dagen eerder was ik er net zo aan toe geweest. Nu kreeg ik bescherming van Ali en lagen de zaken heel anders. Ik schaamde me. Ik had hen verraden. Ik had iedereen verraden.

Aan onze rechterkant werd mij het zicht ontnomen door grote esdoorns en aan de linkerkant stond een bakstenen gebouw van twee verdiepingen waarachter Ali's Mercedes geparkeerd stond. Toen we eenmaal bij de auto waren gekomen, besefte ik dat ik niet alleen met hem wilde zijn. Angst had bezit van mij genomen.

'Kom, laat me je helpen,' zei hij en hij pakte mijn linkerarm en probeerde me uit de rolstoel omhoog te trekken. Ik weerde hem af.

'Marina, wees alsjeblieft niet bang voor me. Ik doe je niets. Ik heb je nog nooit pijn gedaan.'

Hij had gelijk, hij had me nooit echt pijn gedaan.

'Geloof me maar. Ook als we getrouwd zijn, zal ik zorgzaam en vriendelijk zijn. Ik ben geen monster.'

Er zat niets anders op dan hem te vertrouwen. Mijn spieren waren ongetraind en slap en ik was duizelig toen ik opstond, maar toch wist ik in de auto te komen zonder mijn evenwicht te verliezen. Bij de uitgang gebaarde Ali naar de bewakers, zij openden het hek en we reden gewoon Evin uit. Ik was geschokt toen ik merkte hoe gemakkelijk het voor hem was om me mee naar buiten te nemen. Hij was waarschijnlijk veel belangrijker dan ik had gedacht.

Op straat was het leeg en doods, maar naarmate we verder van de gevangenis kwamen, werd het steeds levendiger. Er waren mensen, huizen en winkels. Op een open stuk grond rende een groep jonge jongens achter een plastic bal aan, hun gezichten zaten onder een dikke laag stof dat er nog het meest uitzag als bloem. Vrouwen brachten hun boodschappen naar huis en mannen stonden gewoon op straat een praatje te maken. Al die eenvoudige dingen die mensen deden kwamen mij voor als wonderen.

'Wat ben je stil, waar denk je aan?' vroeg Ali na ongeveer een halfuur.

'Aan het leven en aan hoe gewoon het hier allemaal lijkt te zijn.'

'Het zal nog wel even duren voor het zover is, maar ik beloof je dat we uiteindelijk een normaal leven zullen leiden. Ik ga werken en zal in je onderhoud voorzien. Jij zorgt voor het huis, je gaat winkelen en je bezoekt familie en vrienden. Je zult gelukkig zijn.'

Hoe kon hij op zo'n achteloze manier over zijn werk spreken? Hij was geen leraar, arts of technicus.

'Mijn vrienden zijn dood of ze zitten in de gevangenis en ik vraag me af of mijn familie me nog wel wil zien,' zei ik.

'Je zult nieuwe vrienden maken. En waarom denk je dat je familie zo faliekant tegen ons huwelijk is?'

'Om te beginnen vanwege je werk.'

'Marina, geloof me nu maar, er is hoop. Ze zullen zien hoeveel ik om je geef. Ik heb vele hindernissen moeten nemen om je in leven te houden en veel mensen zijn tegen ons huwelijk. Ik moet nog veel meer hindernissen nemen, maar ik zal alle problemen oplossen. Je familie zal inzien dat ik jou een goed leven bied en ze zullen wel van gedachten veranderen. We treden je familie samen tegemoet zodra jij daaraan toe bent.'

Waarom had hij míj uitgekozen? Ik was de belichaming van alles waar hij tegen was: ik was een christen, een antirevolutionair en een gevangene. Hij had ervoor moeten vechten om me van de dood te redden en nu moest hij weer vechten om met mij te kunnen trouwen. Waarom deed hij dat?

Een tijdlang gingen we elke avond uit rijden. Zolang ik in zijn auto zat, wendde ik voor dat ik een normaal persoon was. Ik probeerde niet meer te denken aan het verleden of de toekomst. Ik probeerde me te concentreren op het kalmerende gebrom van de motor, de zachte leren zittingen en de straten die bruisten van zorgeloos leven. Hoewel de stad precies zo was gebleven als ik die had achtergelaten, kwam elke zucht, geur en klank mij vreemd voor. Ali's stem die me vertelde over zijn familie klonk boven alles uit. Hij was de enige zoon en had een zus van vijfentwintig die getrouwd was. Zijn moeder was nog twee keer zwanger geworden na de geboorte van zijn zuster, maar ze had beide keren een miskraam gehad. Volgens het islamitisch recht mogen mannen meer dan één vrouw hebben, maar Ali's vader Hossein-e Musavi was zijn enige vrouw en twee kinderen toegewijd gebleven. Meneer Musavi was een zeer religieus man en had ayatollah Khomeini vele jaren geholpen. Hij was er trots op dat Ali een dappere soldaat was in de jihad tegen de sjah. Meneer Musavi was een pientere zakenman die een grote rijkdom had opgebouwd, maar niet vergat om de nooddruftigen te helpen. Al jaren wilden Ali's ouders graag dat hij zou trouwen, maar op zijn achtentwintigste had hij die stap nog altijd niet gezet.

'Ik heb mijn ouders over je verteld,' zei hij tijdens een van onze avondritjes.

'Wat zeiden ze?' vroeg ik.

'Ze waren diep geschokt,' zei hij lachend.

Misschien was er toch nog hoop dat ik niet met hem hoefde te trouwen.

'Maar ik heb hun verteld dat jij de ware was,' ging hij verder. 'Ik heb hun verteld dat er niets is waarnaar ik meer verlang dan naar jou. Ik ben altijd een goede zoon voor hen geweest. Ik heb hun altijd gehoorzaamd, maar deze keer is de beslissing aan mij. Met minder kan ik geen genoegen nemen. Ik ben achtentwintig, ik heb veel moeten doormaken in mijn leven en mijn beslissing staat vast. Ik wil dat jij mijn vrouw wordt, mijn metgezel en de moeder van mijn kinderen.'

'Ali, we komen uit twee verschillende werelden. Je ouders zullen me nooit mogen. Ze zullen altijd kritiek op me hebben omdat ik anders ben.'

Hij zei dat zijn ouders vriendelijk en grootmoedig waren en dat hij er niet aan twijfelde dat ze van mij zouden gaan houden.

Ik sloot mijn ogen en probeerde niet verder te denken.

Na een paar minuten zei hij me dat er nog iets was wat hij met mij moest bespreken. Hij wist dat ik het niet leuk zou vinden, maar hij benadrukte dat het slechts een formaliteit was. 'Mijn vader heeft mij gezegd dat hij niets tegen ons huwelijk heeft als jij je bekeert tot de islam. Dan zal hij het zelfs aanmoedigen,' zei hij. 'Dan zullen mijn ouders je vol trots als hun dochter aanvaarden. Dan zullen ze je steunen en beschermen als hun eigen kind. Marina, dat is wat ik wil. Ik wil dat je bij mij hoort en ik wil dat mijn familie van je houdt. Vanaf het eerste moment dat ik je zag, wist ik dat we bij elkaar hoorden.'

Ik was mijn familie kwijtgeraakt, de man van wie ik hield, mijn vrijheid, mijn huis en alles waarop ik hoopte en waarvan ik droomde. Nu moest ik mijn geloof verloochenen.

Hij vond het niet erg als ik in mijn hart christen bleef. Ik smeekte hem om me te laten gaan, maar hij zei dat het niet mogelijk was.

'En als ik weiger?' vroeg ik.

'Maak het nu niet moeilijker voor jezelf,' zei hij. 'Dit is voor je eigen bestwil. Je wilt toch niet dat de mensen van wie je houdt, moeten lijden omdat jij zo trots bent? Je bent nog maar zeventien. Er zijn zoveel dingen in de wereld die je niet begrijpt. Ik beloof je dat ik je gelukkiger zal maken dan je ooit bent geweest.'

Hoe kon ik hem aan het verstand brengen dat ik nooit gelukkig zou zijn met hem?

Hij parkeerde de auto in een rustige straat. Ik kende de buurt; het was vlak bij het huis van mijn tante Zenia. Ik vroeg hem of hij begreep dat ik mijn ouders, mijn vrienden en mijn kerk dan helemaal moest vergeten, en dat iedereen me voor altijd zou haten. Als ze me haatten omdat ik me tot de islam bekeerde, betekende dat volgens hem dat ze nooit echt van mij gehouden hadden.

Hij stapte de auto uit en opende mijn portier.

'Wat doe je?' vroeg ik.

'Kom. Ik heb een huis voor ons gekocht.'

We liepen de paar treden op naar de voordeur van een grote baksteenen bungalow. Hij deed de deur van het slot en ging naar binnen. Ik aarzelde.

'Waar wacht je op? Wil je het niet zien?' vroeg hij.

Ik liep achter hem aan. Het huis bestond uit een woonkamer, een eetkamer, de grootste keuken die ik ooit had gezien, vier slaapkamers en drie badkamers. De muren waren allemaal pas geschilderd in neutrale kleuren, maar er waren geen meubels. In de grootste slaapkamer stond ik voor een schuifdeur die uitkwam op de achtertuin. Het grasveld was dichtbegroeid en groen en in de bloembedden bloeiden geraniums, viooltjes en goudsbloemen. In rode, witte, paarse en gele tinten. Een witte vlinder fladderde van de ene naar de andere bloem en wist met moeite tegen de wind in zijn bibberige evenwicht te bewaren. Een hoge bakstenen muur scheidde de tuin van de straat. Hoe kon er in zo'n wrede wereld zoveel schoonheid bestaan?

Ali deed de schuifdeur open.

'Kom mee naar buiten. De bloemen moeten nodig water hebben,' zei hij.

In de tuin stroopte hij zijn mouwen op, draaide de kraan open en pakte de tuinslang. De wind blies wat koele nevel in mijn gezicht. Ali besproeide de planten en zorgde ervoor dat hij geen aarde omhoogspoot. Op de bladeren kwamen grote parelachtige waterdruppels te liggen die het gouden zonlicht vasthielden. Hij plukte de uitgebloeide bloemen af terwijl hij een deuntje neuriede en glimlachte. Hij zag er gewoon uit, als zomaar een man. Had hij ooit iemand gedood, niet aan het oorlogsfront, maar in Evin? Had hij ooit de trekker overgehaald en een einde gemaakt aan het leven van een ander?

'Vind je het een mooi huis?' vroeg hij.

'Het is prachtig.'

'Ik heb de bloemen voor jou geplant.'

'Ali, ik ben een gevangene die tot levenslang is veroordeeld. Ik krijg toch nooit toestemming om hier te wonen?'

'Ik heb alle belangrijke functionarissen in Evin overgehaald om jou hier bij mij te laten wonen, als een vorm van huisarrest, en ze hebben erin toegestemd. Marina, dit is ons huis, van jou en van mij.'

Ons huis. Ik weet niet eens meer wie ik ben. Dit huis is een verlengstuk van Evin.

'Ik zal hier dus een gevangene zijn,' zei ik.

'We moeten dit goed aanpakken. Je weet heel goed dat sommige mensen, zoals Hamehd, tegen ons huwelijk zijn en ons in de gaten houden. We moeten geen enkele fout maken. Je bent ter dood veroordeeld door een islamitische rechtbank en...'

'Maar ik heb nooit een proces gehad,' zei ik.

Op de nacht van de executies had Ali mij gezegd dat ik ter dood was veroordeeld, maar ik had aangenomen dat Hamehd en misschien een paar anderen domweg besloten hadden me te executeren. In mijn ogen hoorde een proces te zijn zoals ik in boeken had gelezen en in films had gezien: een grote zaal met een rechter, een jury, een verdediger en een aanklager.

Ali zei dat ik wel een proces had gehad, maar dat ik niet aanwezig was geweest toen het plaatsvond. Daarna had de imam mij gratie verleend en was mijn straf omgezet in levenslange opsluiting in de gevangenis. Volgens Ali zou het niet gepast zijn om opnieuw naar de imam te gaan, maar had hij wel het recht om een herziening aan te vragen. Als ik een nieuw onderzoek kreeg nadat ik me tot de islam had bekeerd en met hem getrouwd was, zou mijn straf volgens hem niet meer dan twee of drie jaar zijn.

Ik vroeg hem waarom Hamehd mij zo haatte. Hij legde uit dat Hamehd en vele anderen zoals hij niets gaven om mensen die anders waren en een ander leven leidden.

Ik zuchtte. Ik begreep maar weinig van deze eigenaardige islamitische wereld.

'Alles komt goed,' ging hij verder. 'Ik heb nog geen meubels gekocht omdat ik dacht dat je misschien zelf het huis wilde inrichten.

We kunnen morgen beginnen met spullen kopen voor het huis; dan zal het waarschijnlijk op tijd klaar zijn. Ik weet dat je er nog steeds over inzit hoe je familie zal reageren, maar geloof me nu maar. Als ze zien wat voor leven ik je bied, zullen ze blij zijn.'

Misschien had Ali gelijk. Mijn ouders waren niet rijk en zo'n groot en luxe huis zouden zij zich nooit kunnen veroorloven. Mijn vader had nooit in God geloofd en had altijd spottend gedaan over mijn geloofsovertuiging, maar geld was iets waaraan hij altijd waarde had gehecht. Grote, dure dingen hadden altijd indruk op hem gemaakt. Misschien zou hij Ali wel aardig vinden. Mijn vader was dol op luxe auto's en Ali reed in een splinternieuwe Mercedes. Mijn moeder had nooit iets duurs bezeten en woonde al sinds ze met mijn vader getrouwd was in een huurappartement. Zij zou dit huis geweldig vinden. Had ik heel misschien een kleine kans om ooit gelukkig te worden met Ali? Dat hing van hem af, maar ook van mij. Op zijn manier hield hij van mij. Hoewel hij een heel ander leven leidde dan ik, zag ik zijn liefdevolle blik wanneer hij naar me keek.

Toen we terugreden naar Evin zei Ali: 'Volgens mij moet je niet teruggaan naar 246. Het is voorlopig een beter idee om naar de cellen van 209 te gaan. Dan kan ik je vaker opzoeken en je eten van thuis brengen. Wat zeg je daarvan?'

Ik knikte.

Onderweg stopten we bij een klein restaurant en Ali kocht voor ons allebei een broodje met ei en een flesje cola. Ik was dol op ei en had het in geen maanden gegeten. We aten in de auto. Het brood was vers, er zat boter op en er zaten plakjes tomaat tussen de plakjes hardgekookt ei. Ik had mijn broodje al op toen Ali nog niet eens halverwege was. Hij vroeg me of ik er nog een lustte en dat wilde ik wel. Hij kocht er voor ons allebei nog een.

In Evin parkeerde Ali de auto voor een gebouw en we gingen er naar binnen. Voor ons strekte zich een lange, schemerig verlichte gang uit, met aan weerszijden vele metalen deuren. Een bewaker liep ons tegemoet.

'Salam aleikum, broeder Ali, hoe gaat het met u?'

'Heel goed, broeder Reza. God zij gedankt. En hoe is het met u?'

'Niet slecht. God zij gedankt.'

'Is de cel klaar waarom ik heb gevraagd?'

'Jazeker. Deze kant op.'

We volgden hem naar een deur waar 27 op stond. Hij stak een sleutel in het slot en maakte de deur open. Een luid knarsend geluid weerklonk in de gang. Ali stapte de cel in en keek om zich heen. Daarna kwam hij naar buiten en gebaarde me om naar binnen te gaan. Dat deed ik. De cel was ongeveer drie bij twee meter met een toilet en een kleine wasbak die beide van roestvrij staal waren. Op de vloer lag een versleten bruin tapijt en het enige raam, van ongeveer dertig bij dertig centimeter, was met tralies afgeschermd en was buiten mijn bereik. Ali stond bij de deur.

'Hier zit je wel goed. Ik kom morgen terug met het ontbijt. Probeer wat te slapen.'

Ik zag de deur dichtgaan en hoorde de sleutel in het slot omdraaien. De klik klonk bijna als 'verrader'.

Er klonk een militaire mars over de luidsprekers. Weer een overwinning. Als al deze 'overwinningen' werkelijkheid waren, dan zou Iran inmiddels de wereld wel hebben veroverd.

Ik deed mijn sjaal af, ging naar de wasbak en waste mijn gezicht. Dat gaf een goed gevoel. Ik deed het steeds opnieuw, wel dertig keer, totdat mijn gezicht verdoofd aanvoelde. Het stromende water had met zijn geluid en zijn kou iets geruststellends. Het water verbond me op de een of andere manier met de wereld. Maar die band, ook al kon ik hem op mijn huid voelen, was als een herinnering. De troost die hij me gaf, behoorde niet tot het heden, het was iets uit het verleden, het had iets weemoedigs en verdrietigs.

Ik was uitgeput. Er lagen een paar opgevouwen legerdekens in een hoek. Ik spreidde ze op de vloer uit en ging liggen. De muren van de cel waren lichtbeige geschilderd, maar een deel van de verf was afgebladderd en het stucwerk eronder was zichtbaar geworden. De resterende verf zat onder de vingerafdrukken, vreemde, vettig uitziende tekens van verschillende soorten en maten en een paar bruinachtig-rode vlekken, waarvan ik veronderstelde dat het bloedvlekken waren. Er waren ook nogal wat woorden en getallen in de muren gekrast, de meeste waren onleesbaar. Ik liet mijn vingers over de inkervingen gaan alsof ze in braille waren geschreven. Een ervan luidde: 'Shirin Hashemi, 5 januari 1982. Kan iemand me horen?'

Ik was thuis op 5 januari en dit meisje, Shirin, was hier. Waar was ze nu? Misschien was ze dood. Hoe erg was ze gemarteld toen ze deze woorden opschreef?

'Kan iemand me horen?' had ze gevraagd.

Nee, Shirin, niemand kan ons horen. We zijn hier alleen.

Er stonden nog meer namen: Mahtab, Bahram, Katayun en Piruz, en nog meer data: 2 december 1981, 28 december 1981, 12 februari 1982 enzovoort. Ik slaagde erin een zin te lezen: 'Firuzeh jan, ik hou van jou.' Gevangen en verloren levens hadden hun afdrukken achtergelaten op de muren om me heen. Ik volgde een onzichtbare lijn, als een weg op een kaart, die woorden, data en zinnen met elkaar verbond, die me omringden als grafzerken. De dood was hier aanwezig, zijn schaduw verleende elk woord een definitieve klank. 'Kan iemand me horen?'

Ik ben een verrader. En ik heb dit allemaal verdiend, deze pijn, deze cel. Vanaf het ogenblik dat ik Evin binnenstapte, was ik ertoe veroordeeld mezelf te verraden. Zelfs de dood keerde me de rug toe. Ze zullen me haten: mijn ouders, Andre, de priesters en mijn vrienden. En hoe zit dat met u, God? Haat u mij ook? Nee, ik geloof niet dat dat zo is, maar misschien ook wel. Dit slaat nergens op. Het is niet aan mij om te beslissen wat u denkt. Maar u hebt me toch in deze situatie gebracht? U had me kunnen laten sterven. Maar ik ben blijven leven. Dit was dus meer uw beslissing dan de mijne. Wat verwachtte u van mij? Alstublieft, ik smeek het u, zeg iets...

God zei niets.

Zoals hij had beloofd, kwam Ali me 's ochtends ontbijt brengen: *barbari*-brood met zelfgemaakte jam van zure kersen. De thee in een plastic beker geurde heerlijk en rook niet naar kamfer. De hele ochtend dacht ik eraan wat Andre en mijn ouders nu aan het doen zouden zijn. Ik wist bijna zeker dat mijn moeder in haar lievelingsstoel zat te breien of aan een kopje thee zat te nippen. Mijn vader was aan het werk en Andre... nou ja, ik wist niet wat híj aan het doen was. De lente liep al bijna ten einde en de scholen waren uit, dus hij gaf geen les. Was ik een verdrongen herinnering ergens in hun achterhoofd? Of was ik een levendige aanwezigheid, die ze vergeven hadden en voor wie ze baden?

Kan iemand me horen?

Die avond haalde Ali me om een uur of zes op en zei dat hij me meenam om zijn ouders te ontmoeten. Hun huis was niet zo ver van Evin. Toen we aankwamen, parkeerde hij de auto in de rustige straat waar ze woonden. De straat was aan weerszijden afgeschermd door oude lemen bakstenen muren waarachter oude esdoorns, wilgen en populieren zich ten hemel hieven, maar die met het grootse Elboersgebergte op de achtergrond net kleine plantjes leken. Ik had een verschrikkelijk droge keel en mijn handen waren koud en klam. Hoewel Ali me had verzekerd dat zijn ouders bijzonder vriendelijk waren, had ik er geen flauw idee van wat ik moest verwachten. Ik volgde Ali naar een metalen groene deur waar hij aanbelde. Een kleine vrouw deed de deur open. Ze droeg een witte chador en ik vermoedde dat ze zijn moeder was, Fatemeh khanoem. Ik had verwacht dat ze groter zou zijn.

'Salam, *madar joen*,' zei Ali en hij kuste haar voorhoofd. 'Madar, dit is Marina.'

'Salam, liefje. Aangenaam kennis te maken.' Ze glimlachte. Haar kleine bruine ogen keken mij onderzoekend aan. Ze had een vriendelijk gezicht.

We gingen de deur binnen en kwamen in de voortuin. Een smal wandelpad met grijze kiezelstenen boog naar rechts tussen oude walnotenbomen en esdoorns door. Het grote huis kwam al snel in zicht met muren die overladen waren met wijnranken. Op de brede trap die naar de grote veranda leidde stonden aan weerskanten aardewerken potten vol geraniums en goudsbloemen.

In het huis lagen prachtige, kostbare Perzische tapijten op de vloer. Ali's zus Akram was er met haar man Massud. Ze had een rond gezicht met grote bruine ogen en blozende wangen. Ik wist niet of ik haar moest omhelzen, de hand schudden of geen van beide; sommige fanatieke moslims beschouwden christenen als onrein en daarom besloot ik haar niet aan te raken voor het geval ik haar zou beledigen. Ali omhelsde zijn vader en kuste hem op beide wangen. Hij was een stukje langer dan Ali en vrij slank en hij had een kortgeknipte grijze baard. De familie begroette me beleefd, maar ik kon merken dat ze zich er ongemakkelijk bij voelden. Een christelijk meisje en daarbij nog een politieke gevangene ook was niet bepaald hun idee van een geschikte vrouw voor Ali, en ik nam het hun niet kwalijk dat ze probeerden te ontdekken wat hij in dit vreemde, bleke meisje zag.

We gingen naar de woonkamer die ruim was en heel fraai was ingericht. Er lagen fruit en lekkernijen op zilveren en kristallen schalen op elke salontafel. Ik ging naast Akram op de bank zitten. Ali's moeder bood ons Earl Grey-thee aan. Ik merkte dat ze me het grootste deel van de tijd observeerde en ik kreeg de indruk dat ze een beetje met me te doen had. Ik dronk met kleine slokjes van mijn thee, die in een verfijnd goudgerand glaasje geschonken was, en ik begon me iets meer op mijn gemak te voelen. Het was bijna alsof ik bij kennissen van mezelf op bezoek was. Akram bood me rijstkoekjes aan en ik pakte er een. Meneer Musavi begon een gesprek met Ali over zijn zaak. Hij had een winkel in de bazaar van Teheran en importeerde en exporteerde goederen, waaronder Perzische tapijten en pistachenoten. Het eten kwam al snel op tafel. Er was langkorrelige rijst met saffraan, gebraden kip, runderstoofpot met kruiden en salade. Hoewel alles heerlijk rook, had ik geen honger. Misschien zaten mijn ouders ook aan tafel.

'Dit is een moeilijke situatie, Marina,' zei meneer Musavi nadat we klaar waren met eten. 'En je hebt het recht mijn mening te kennen. Je moet weten hoe je ervoor staat, vooral omdat je zo jong bent.'

Als gelovige moslim eerbiedigde meneer Musavi het gebruik om nooit een *namahram*-vrouw – dat wil zeggen een vrouw die geen naaste verwante is – recht aan te kijken.

'*Baba*, we hebben deze kwestie al talloze malen besproken,' wierp Ali tegen.

'Ja, dat is zo, maar volgens mij is Marina nog nooit bij een van die gesprekken aanwezig geweest. Laat mij dus nu even met mijn toekomstige schoondochter praten.'

'Ja, baba.'

'Beste meid, je moet weten dat ik begrip heb voor je problemen. Ik wil je een paar vragen stellen en ik wil dat je me eerlijk antwoord geeft. Kun je je daarin vinden?'

'Ja, meneer.'

'Heeft mijn zoon je goed behandeld?'

'Ja, meneer,' antwoordde ik terwijl ik naar Ali keek. Hij glimlachte naar me.

'Wil je met hem trouwen?'

'Ik wil niet met hem trouwen,' zei ik, 'maar hij wil met mij trouwen. Hij heeft veel moeite gedaan om mijn leven te redden. Ik ben me ervan bewust in wat voor situatie ik verkeer. Hij heeft beloofd goed voor me te zorgen.'

Ik hoopte dat ik niets verkeerds had gezegd.

Meneer Musavi zei dat ik een slim meisje was en heel volwassen voor mijn leeftijd. Hij zei dat ik een vijand van God en de islamitische regering was geweest en dat ik het verdiend had om te sterven, maar dat Ali had ingegrepen omdat hij geloofde dat ik van mijn fouten kon leren en kon veranderen. Meneer Musavi hoopte dat ik besefte dat de persoon die ik vóór Evin was geweest, nu dood was. Hij zei dat ik spoedig aan een nieuw leven als moslima zou beginnen en dat mijn bekering mijn zonden zou wegwassen. Hij zei ook dat hij zijn zoon verantwoordelijk hield voor zijn beloften aan mij. Hij had geprobeerd Ali af te brengen van zijn beslissing met mij te trouwen, maar Ali had niet willen luisteren. Ali was altijd een goede zoon geweest en had nooit iets tegen zijn vaders wil gedaan. Ali was nooit eerder ergens zo volhardend in geweest en daarom had meneer Musavi erin toegestemd om het huwelijk te laten plaatsvinden, maar alleen als ik bereid was me tot de islam te bekeren. Hij begreep dat mijn familie mij misschien zou verstoten als ik me bekeerde en hij beloofde me dat ik, zolang ik mijn nieuwe geloof eerbiedigde en een respectabele islamitische leefwijze aanhield en zolang ik voor zijn zoon een trouwe echtgenote was, zijn dochter was en dat hij mij persoonlijk zou beschermen en voor mijn welzijn zou instaan.

'Zijn we het allemaal eens over deze kwestie?' vroeg hij toen hij klaar was met zijn betoog.

'Ja,' zei iedereen.

Ik was verrast dat Ali's vader zich zoveel moeite getroostte om een oplossing te vinden voor een moeilijke situatie. Ook al waren onze standpunten volkomen tegengesteld aan elkaar, ik kwam tot de conclusie dat ik respect had voor meneer Musavi. Ik kon merken dat hij van Ali hield en dat hij wilde dat hij gelukkig was. Als mijn broer met een meisje had willen trouwen dat mijn vader afkeurde, dan had mijn vader nooit een familiebijeenkomst belegd, maar dan had hij tegen mijn broer gezegd dat hij hem, als hij met dat meisje zou trouwen, nooit meer wilde zien.

'Dus, Marina,' zei meneer Musavi, 'ik heet je welkom in deze familie. Je bent nu mijn dochter. Vanwege de ongebruikelijke omstandigheden zullen we hier in dit huis een besloten huwelijksceremonie houden en hoef jij, beste meid, voorlopig jouw familie niet op de hoogte te stellen. Wij zullen jouw familie zijn en wij zullen je alles geven wat je nodig hebt. Jij, mijn zoon, bent altijd goed voor ons geweest en we wensen je geluk in je huwelijk. Je hebt onze zegen.'

Ali stond op, kuste zijn vader en bedankte hem. Zijn moeder huilde toen ze mij omhelsde.

'Wat vind je van mijn familie? Vond je ze aardig?' vroeg Ali me op de terugweg naar Evin.

'Ze zijn erg lief voor je. Mijn familie is anders.'

'Wat bedoel je met "anders"?'

Ik vertelde hem dat ik van mijn ouders hield en dat ik hen miste, maar dat ze altijd heel afstandelijk tegenover me geweest waren; we hadden nooit echt ergens over gepraat. Het speet hem dat te horen en hij vertelde me dat zijn vader het oprecht had gemeend toen hij zei dat ik een deel van zijn familie was. 'Over iets van een week houden we een kleine ceremonie in Evin waarbij jij je bekeert en onze bruiloft zal dan op de vrijdag ongeveer twee weken later zijn,' zei hij.

Alles ging zo snel dat ik het niet kon bijbenen. Hij zei dat ik me nergens ongerust over hoefde te maken, het enige waar ik me mee bezig moest houden was de inrichting van het huis. Hij wilde me de volgende dag mee uit winkelen nemen. Ik kon me niet voorstellen dat ik zomaar uit winkelen zou gaan.

Ik had verwacht dat zijn familie gemeen en wreed tegen me zou zijn. Maar ze waren heel aardig geweest. Ze waren juist zoals mijn familie nooit was. Ik had het moeilijk gevonden om Ali als zoon te zien, maar nu wist ik dat hij liefhad en dat hij werd liefgehad.

'Trouwens, iedereen die zich tot de islam bekeert moet godsdiensten koranlessen volgen en een islamitische naam kiezen. Je hebt de islam al bestudeerd vanaf het moment dat je gearresteerd werd, zodat je alleen nog maar een naam hoeft te hebben. Je moet weten dat ik vind dat je een prachtige naam hebt. Ik hou van die naam en ik zal je beslist niet anders noemen, maar voor de vorm moet je iets kiezen,' zei hij.

Ik kreeg zelfs een andere naam. Het was alsof ze me stukje bij beetje uit elkaar haalden; alsof ik levend werd ontleed. Hij kon me noemen zoals hij wilde.

'Kies jij maar een naam voor me,' zei ik.

'Nee, ik wil dat je het zelf doet.'

De eerste naam die bij me opkwam was Fatemeh en ik zei hem hardop.

'De naam van mijn moeder. Ze zal heel blij zijn!'

Ik zou Jezus de rug toekeren. Er viel niet aan te ontkomen. Ik dacht aan Judas. Hij had Jezus ook verraden. Ging ik dezelfde weg? Alleen besefte hij op het laatst wat voor vreselijks hij had gedaan en benam hij zich daarom het leven. Wanhopig verloor hij alle geloof en hoop en gaf zich over aan de duisternis. Was dat niet zijn grootste vergissing? Misschien had zijn ziel gered kunnen worden als hij de waarheid onder ogen had gezien, als hij God om vergeving had gevraagd. Toen Jezus gearresteerd werd, zei Petrus driemaal dat hij Jezus niet kende, maar Petrus had geloofd in vergeving en had daar ook om gevraagd. God was liefde. Jezus was gemarteld en stierf een pijnlijke, verschrikkelijke dood. Ik hoefde hem niets uit te leggen. Hij wist het al.

Ik moest afscheid nemen van Andre, alleen afscheid nemen en verder niet. Hij hoefde niet alles te weten. Ook moest ik mijn ouders op de hoogte brengen, maar ik kon hun beter eerst vertellen dat ik me tot de islam had bekeerd en dan zien hoe ze reageerden. Ik wilde ook mijn kerk nog één keer zien. Misschien kon ik daarna verder met mijn nieuwe leven.

Ali bracht me de volgende ochtend vers barbari-brood en kaas voor het ontbijt.

'Ben je klaar om te gaan winkelen?' vroeg hij nadat we het opgegeten hadden.

'Ja, maar voordat we gaan moet ik je eerst iets vragen.'

'Wat dan?'

'Wil je me echt helpen om van je te houden?'

'Jazeker.' Hij zag er verbaasd uit.

'Breng me dan naar mijn kerk, voor deze ene keer, om afscheid te nemen.'

'Ik breng je wel. Anders nog iets?'

Ik zei dat er nog iets was en dat ik wist dat hij dat niet leuk zou vinden. Ik legde hem uit dat ik begreep dat we een overeenkomst hadden. Ik zou me aan mijn woord houden en mijn uiterste best doen een goede vrouw te zijn, maar ik moest afscheid nemen van Andre. Als ik dat niet deed, zou ik het verleden nooit kunnen loslaten.

Ik kon aan zijn ogen zien dat hij niet boos was.

'Goed, ik moet maar accepteren dat je niet van de ene op de andere dag je gevoel kunt veranderen. Ik sta je toe om hem slechts één keer te zien, maar je moet weten dat ik dit tegen mijn zin doe en dat ik dit alleen doe om jou gelukkig te maken.'

'Dank je wel.'

'Ik zal het regelen. Hij zal toestemming krijgen om je te bezoeken in de bezoektijd, waarschijnlijk niet deze keer, maar de volgende.'

Ik bedankte hem en zei dat ik van plan was mijn ouders bij het volgende bezoek over mijn bekering te vertellen.

'Ga je ze ook vertellen dat we gaan trouwen?'

'Nee, nog niet. Ik ga dit stap voor stap aanpakken.'

'Je moet doen wat je het beste lijkt,' zei hij.

Ongeveer een week later bekeerde ik me tot de islam. De ceremonie werd gehouden na het vrijdaggebed buiten in een rustig, bosrijk deel van Evin. Er lagen tapijten op het gras, waarop de werknemers en bewakers van Evin in rijen zaten, eerst de mannen en daarna de vrouwen, maar de meerderheid bestond uit mannen. Iedereen zat met zijn gezicht naar de houten verhoging waarop ayatollah Ghilani, die op deze dag optrad als de *imam-e jomeh* – de voorganger in het vrijdaggebed –, een toespraak zou houden en de namaz zou leiden. Ik volgde Ali naar de laatste rijen waar de vrouwen zaten. Iedereen zat, behalve een lange vrouw die stond rond te kijken. Dat was zuster Maryam. Ze glimlachte, pakte mijn hand en zei me dat ik naast haar kon gaan zitten. Al gauw kwam ayatollah Ghilani en begon zijn toespraak. Hij vertelde zijn gehoor over de gruweldaden van de Verenigde Staten en prees alles wat de Revolutionaire Garde en de medewerkers van de Rechtbanken van de Islamitische Revolutie deden om de islam te beschermen. Na de namaz riep ayatollah Ghilani mijn naam en vroeg me naar de verhoging te komen. Zuster Maryam gaf me een kneepje in mijn hand en ik stond een beetje duizelig op. Iedereen keek naar me. Met wankele stappen liep ik naar de ayatollah en hij vroeg me een eenvoudige zin uit te spreken: 'Ik verklaar dat er geen andere God is dan Allah en dat Mohammed zijn profeet is.' Om hun goedkeuring te laten blijken riep het gezelschap driemaal 'Allahoe akbar'. Ik was geen christen meer.

Mussen tjilpten vrolijk verder op de takken van de bomen en door het briesje dat vanuit de bergen kwam, bewogen de bladeren en vormde het zonlicht grillige patronen op de grond. De hemel bleef net zo blauw als daarvoor. Ik wachtte op Gods toorn. Ik wenste dat er een bliksemschicht kwam die me ter plekke zou treffen. Ali zat op de eerste rij en zijn liefdevolle blik trof me harder dan de bliksem ooit zou kunnen. Mijn hart werd erdoor verteerd van schuldgevoel. 'Heb elkaar lief, zoals ik jullie heb liefgehad,' had Jezus gezegd. Verwachtte hij van me dat ik van Ali zou houden? Hoe kon hij zoiets verwachten?

Ali stond op en gaf me een opgevouwen zwarte chador.

'Mijn moeder heeft van vreugde gehuild en voor je gebeden toen ze dit gewaad naaide. We zijn heel trots op je.'

Ik wou dat ik dat ook zo kon voelen.

Bij het bezoek vertelde ik mijn ouders over mijn bekering. Ik had niet verwacht dat ze me zouden vragen waarom ik me had bekeerd, en dat deden ze ook niet. Niemand durfde te vragen wat er in Evin gebeurde. Ze keken me aan en huilden. Ik vermoedde dat ze wisten dat een gevangene in Evin niemands zoon of dochter was, niemands man of vrouw, moeder of vader; hij of zij was alleen maar een gevangene en meer niet.

Ali hield zijn belofte en bracht me een paar dagen later naar de kerk. Zijn vriend Mohammad ging met ons mee, omdat Mohammad, zo had Ali me verteld, nog nooit in een kerk was geweest en wilde weten hoe het er daarbinnen uitzag. Ali parkeerde de auto voor het gebouw. Het was totaal niet veranderd, maar ik voelde me een volslagen vreemdeling. Ik stapte de auto uit en liep naar de hoofdingang. Die zat op slot. Ik ging naar de zijdeur en belde aan.

'Wie is daar?' vroeg de priester, pater Martini, via de intercom.

Ik voelde me intens bedroefd. 'Marina,' antwoordde ik.

Gehaaste stappen kwamen naar de deur, die openzwaaide. Heel even stond pater Martini als versteend door de schok en het ongeloof mij voor zich te zien.

'Marina, wat ben ik blij je te zien. Toe... kom binnen,' zei hij uiteindelijk.

Ik volgde hem over de binnenplaats naar het kleine kantoor. Ali en Mohammad kwamen achter ons aan.

'Mag ik haar moeder en Andre, een van haar vrienden, bellen om haar hier te komen opzoeken?' vroeg pater Martini aan Ali.

Ali en ik wisselden een blik. Mijn hart viel bijna stil.

'Ja, ga uw gang,' zei hij en hij vroeg Mohammad met hem naar buiten te gaan.

Mohammad kwam een ogenblik later weer binnen, maar ik zag Ali niet. Hij wachtte waarschijnlijk in de auto. Ik vermoedde dat hij Andre niet wilde zien. Pater Martini vroeg me hoe het met me was en ik zei dat het goed ging. Zijn ogen gingen van mij naar Mohammad en terug. Ik realiseerde me hoe beangstigend mijn aanwezigheid voor hem was. Ik had er nooit aan gedacht wat voor angst ik daarmee teweeg zou brengen. Ik wist dat ik de priesters niet in gevaar had gebracht, maar dat konden zij niet weten. Ik had verwacht dat ik me hier gelukkig en veilig zou voelen, maar nu zag ik in dat mijn geluk en veiligheid niet meer bestonden sinds de dag dat ik was gearresteerd.

Zowel mijn moeder als Andre was er binnen een paar minuten. Wat zou ik hun graag het hele verhaal vertellen, maar ik wist dat ik dat misschien nooit zou kunnen. Was het eigenlijk wel mogelijk zoveel pijn onder woorden te brengen? Ik was gekomen om afscheid te nemen. Dat was de enige juiste daad. Ik moest hun en mijzelf een kans geven om in het reine te komen met de situatie en te vergeten. Ik moest de deur naar het verleden sluiten.

Mijn moeder droeg een grote marineblauwe sjaal, die haar haar bedekte, en een zwarte islamitische manteau met een zwarte broek. Ze omhelsde me en wilde me niet meer loslaten. Ik kon haar ribben onder mijn handen voelen, ze was afgevallen en rook zoals altijd naar sigaretten.

'Gaat het wel?' fluisterde ze in mijn oor.

Haar handen bewogen voorzichtig over mijn rug en mijn armen; ze probeerde vast te stellen dat ik geen ledematen miste. Uiteindelijk deed ik een stap bij haar vandaan en haar ogen onderzochten me van top tot teen, maar door mijn zwarte chador kon ze niet veel van mij zien; alleen mijn gezicht was zichtbaar.

'Mam, het gaat goed met me,' glimlachte ik.

Ze glimlachte geforceerd.

'Hoe kom je aan die chador?' vroeg ze.

Ik zei dat ik die van een vriendin had gekregen.

'U weet toch dat Marina zich tot de islam heeft bekeerd?' Mohammads diepe stem klonk door de kamer.

'Ja,' zeiden mijn moeder en pater Martini tegelijk. Mijn moeder deed haar tasje open, pakte er een papieren zakdoek uit en veegde haar tranen af.

'Gaat het echt wel goed met je?' vroeg Andre terwijl hij eerst naar mij keek en daarna naar Mohammad.

'Het gaat prima.' Ik had zoveel te zeggen, maar ik kon niet nadenken.

Andre had in mijn ogen gezien hoe ik met dat antwoord worstelde.

'Wat is er?' vroeg hij.

De woorden waren diep in mijn binnenste zoekgeraakt. Door de laatste paar maanden van mijn leven was ik in een cirkel van pijn en verwarring terechtgekomen die me gevangenhield, niet alleen binnen de muren van Evin, maar binnen mezelf. Ik deed mijn mond open, maar er kwam niets uit.

'Wanneer kom je thuis?' vroeg Andre.

'Nooit,' fluisterde ik.

'Ik wacht op je,' zei hij en hij glimlachte vol overtuiging. De blik in zijn ogen zei me dat hij onvoorwaardelijk van me hield. Ik hoefde niets meer te zeggen. Ik wist dat hij me niet zou vergeten, zelfs al smeekte ik hem daarom. Wanneer iemand op je wacht, houdt dat in dat er hoop is. Hij was mijn leven zoals dat was geweest voordat ik naar Evin ging, en ik moest me aan hem vastklampen om te overleven. Terwijl de tranen stilletjes over mijn wangen stroomden, draaide ik me om en liep naar buiten. Mohammad en ik stapten in de auto en Ali reed weg, maar even later zette hij de auto aan de kant.

'Waarom stop je?' vroeg ik.

'Ik heb je nog nooit zo bleek gezien.'

'Het gaat best. Bedankt dat je me erheen hebt gebracht. Je had niet hoeven toe te staan dat ze me daar kwamen opzoeken. Ik ben je dankbaar. Ik weet dat het niet gemakkelijk voor je was.'

'Je vergeet dat ik van je hou.'

'Hoe kan ik je ooit bedanken?'

'Dat weet je wel,' zei hij.

16

Op onze huwelijksdag, 23 juli 1982, haalde Ali me na de ochtend-namaz af uit mijn eenpersoonscel in 209, waar ik ongeveer een maand zonder enig contact met andere gevangenen had doorgebracht. De nacht ervoor had ik niet geslapen. Mijn angst was mijn redding; die verlamde mijn gedachten en maakte me gevoelloos. Ik zat in een hoek naar mijn kleine tralievenster te kijken, naar de grijze metalen lijnen die het eindeloze donkerblauw erachter in kleine, platte rechthoekjes sneden. Ik had altijd van de vroege ochtend gehouden, wanneer het licht langzaam de duisternis van de nacht vulde: een diepblauw dat in het zwart van de lucht kroop, als regen die in de bodem van de woestijn doordringt. Maar vanhier leek deze schoonheid volkomen onwerkelijk.

Ali klopte zachtjes op de deur. Met trillende handen deed ik mijn chador aan en stond op. Hij keek me recht aan toen hij binnenkwam en deed de deur achter zich dicht. Ik keek omlaag.

'Je zult er geen spijt van krijgen,' zei hij, terwijl hij een stap dichterbij kwam. 'Heb je wel geslapen vannacht?'

'Nee.'

'Ik ook niet. Ben je er klaar voor?'

Ik knikte.

Zwijgend reden we naar het huis van zijn ouders. We waren nog maar net gearriveerd, of Ali en zijn vader liepen het huis uit. Zijn moeder omarmde me en kuste me. Ze drong erop aan dat ik goed zou ontbijten. Ik had geen honger, maar daar wilde ze niets van weten. Ik liep achter haar aan naar de keuken. Ze wilde dat ik ging zitten en sloeg een paar eieren stuk in de koekenpan. Haar keuken was, anders dan die van mijn moeder, heel ruim en licht. De grote samowar van roestvrij staal siste zachtjes en doorbrak de ongemakkelijke stilte.

'Alle familieleden en vrienden wilden naar het huwelijk komen,' zei ze na enkele minuten. 'Ik heb drie zussen en twee broers, en allemaal hebben ze kinderen. De meesten zijn getrouwd en hebben zelf ook weer kinderen. Meneer Musavi heeft drie broers en een zus, die ook weer kinderen hebben enzovoort. Verder zijn er tantes, ooms, neven en nichten, en vrienden van de familie. Ze waren bijzonder teleurgesteld toen ze hoorden dat er niemand voor het huwelijk van Ali werd uitgenodigd. Maar we hebben het uitgelegd en de meesten hadden er begrip voor en lieten hun beste wensen aan jullie overbrengen. Zodra jij en Ali er aan toe zijn, zal ik hen hier uitnodigen om kennis met je te maken.'

Ze had langzaam gesproken en had ook enkele pauzes ingelast, omdat ze haar best deed haar woorden zorgvuldig te kiezen.

Weer een ongemakkelijke stilte. De houten lepel schraapte over de bodem van de koekenpan.

'Ik weet wel dat je bang bent.' Ali's moeder zuchtte, terwijl ze nog steeds met haar rug naar mij toe voor het fornuis stond. 'Ik herinner me nog de dag waarop ik met meneer Musavi trouwde. Ik was toen jonger dan jij nu bent. Het was een gearrangeerd huwelijk en ik was doodsbenauwd. Ali heeft me verteld dat je erg moedig bent, en van wat ik heb gehoord en gezien weet ik dat ook. Maar ik besef ook dat je op een dag als vandaag bang bent, en dat je daar alle reden toe hebt, vooral zonder familie om je te steunen. Maar ik wil je wel zeggen dat Ali een goede man is. Hij lijkt veel op zijn vader.'

Toen ze zich omdraaide, huilden we allebei. Ze kwam naar me toe, hield mijn hoofd tegen haar boezem en streelde mijn haar. Sinds de dood van mijn oma had niemand mij meer zo getroost. Daarna gingen we zitten en aten roereieren. Ze legde uit dat het traditie was dat ik – de aanstaande bruid – een uitvoerig bad zou nemen, en ze meldde ook dat ze de *bandandaz*, die een goede vriendin van haar was, over ongeveer twee uur verwachtte. Ik was al maanden niet in bad geweest, ik had alleen af en toe kort mogen douchen. Ik moest denken aan het bad dat ik niet meer had kunnen nemen op de avond van mijn arrestatie.

Voordat ze me naar de badkamer begeleidde, nam ze me mee naar een van de slaapkamers die was vrijgemaakt voor de *sofreh-ye aghd*, het zogeheten 'huwelijkskleed'. Op de vloer werd een zijdeachtig wit tafelkleed uitgespreid en in het midden stond een grote spiegel in een zilveren lijst, met aan weerszijden een witte kaars in een grote kristallen kandelaar; voor de spiegel lag een Koran. De rest van het tafelkleed was bedekt met zilveren schalen vol met lekkernijen en vruchten. Ik wist dat het gebruikelijk was dat de moellah met de bruid en de bruidegom gezeten aan de sofreh-ye aghd de huwelijksceremonie voltrok.

In de badkamer glinsterden de kostbare keramische tegels. Ik liet de badkuip vollopen en dompelde me onder in het stomende water. Ook al was het zomer, ik had het de hele ochtend koud gehad. Nu de bedwelmende warmte me omhulde, begonnen mijn strakke spieren zich te ontspannen. Ik sloot mijn ogen. God had me een vaardigheid gegeven die me het leven kon redden: ik kon meestal mijn gedachten uitschakelen wanneer ze ondraaglijk werden. Ik zou niet nadenken over wat er die nacht stond te gebeuren.

Een tijdje later, toen het water al wat was afgekoeld, klonk er een zachte klop op de badkamerdeur. Akram vertelde me dat de bandandaz, Shirin khanoem, was gearriveerd. 'Je hebt je hidjab niet nodig. De mannen zijn nog steeds buiten en komen pas aan het eind van de middag terug,' voegde ze eraan toe. Ik kleedde me aan en liep de badkamer uit. In Akrams oude slaapkamer spreidde een grote vrouw een wit beddenlaken uit over de vloer. Zodra ik de kamer binnenkwam, namen haar ogen mijn lichaam van top tot teen op.

'Mooi meisje,' zei ze goedkeurend. 'Wel te mager. Fatemeh khanoem, jij zult haar goed te eten moeten geven. Met vollere rondingen ziet ze er nog mooier uit.' Ze kwam op me af, zette een vinger onder mijn kin en bestudeerde mijn gezicht. 'Mooie huid. Haar wenkbrauwen moeten wel een beetje worden bijgewerkt.'

'Akram en ik zijn in de keuken als je iets nodig hebt,' zei Ali's moeder tegen Shirin khanoem en glimlachte tegen me toen Akram en zij de kamer verlieten.

Terwijl ze op het laken ging zitten, zei Shirin khanoem: 'Nou, mijn beste, ik ben er klaar voor. Doe je kleren uit en kom tegenover mij zitten.'

Ik verroerde geen vin.

'Waar wacht je op? Kom nou maar,' zei ze lachend. 'Je hoeft niet verlegen te zijn. Dit moet nu eenmaal gebeuren. Je wilt er toch op je best uitzien voor je echtgenoot?'

Nee, helemaal niet, dacht ik, maar ik zei niets.

Huiverend trok ik langzaam mijn kleren uit en ging op het laken zitten met mijn knieën tegen mijn borst getrokken. Shirin khanoem zei tegen me dat ik mijn benen moest uitstrekken. Ik gehoorzaamde. Ze nam een lang stuk garen, wikkelde het ene uiteinde een paar keer om haar vingers, hield het andere uiteinde tussen haar tanden, boog zich voorover boven mijn benen en ging met het garen in een razendsnelle scherende beweging heen en weer om het haar te verwijderen. Het deed zeer. Toen ze klaar was, zei ze dat ik een koude douche moest nemen. Na de douche vlocht ze mijn haar, dat bijna tot mijn middel reikte, en bracht het in een knot achter op mijn hoofd bijeen.

Om twaalf uur 's middags galmde de stem van de muezzin over de buurt rond de moskee als uitnodiging aan de gelovigen om zich voor te bereiden op de tweede namaz van de dag. We voerden het ritueel uit van de woezoe, de reiniging van handen, armen en voeten, en toen ik daarna de badkamer uitliep, trof ik Ali's moeder aan die op mij wachtte met een witte, zijdeachtige bundel in haar handen. Zij overhandigde die aan mij: een prachtig gebedskleed dat zij zelf had gemaakt.

Haar hartelijkheid gaf me een geborgen gevoel.

Ali's ouders hadden een namaz-kamer. Met uitzondering van de dikke Perzische tapijten op de vloer was het vertrek volkomen leeg. Met ons gezicht naar Mekka gericht rolden we daar allemaal een gebedskleed uit en gingen erop staan voor het gebed. Mijn kleed was fraai versierd met zilver- en goudborduursels en kralen. Ali's moeder moest er urenlang aan hebben gewerkt.

Na het gebed dekte Akram de eettafel met het mooiste servies en gingen we aan tafel voor de lunch, een stoofpot van rundvlees en aubergine met rijst. Het lukte me er iets van door te slikken. Na de lunch dronken we thee. Terwijl ik van mijn thee nipte, merkte ik dat Ali's moeder me aandachtig aankeek, alsof ze iets belangrijks wilde zeggen maar niet wist hoe ze moest beginnen. Ik keek omlaag.

'Marina, er is iets met Ali, ik heb er geen idee van of je het weet,' zei ze uiteindelijk. 'Heeft hij je verteld dat hij in Evin gevangen heeft gezeten in de tijd van de sjah?'

Ik schrok. 'Nee, dat heeft hij me nooit verteld.'

'De SAVAK – de geheime politie van de sjah – heeft hem ongeveer drie jaar en drie maanden voor de revolutie gearresteerd. Ik was er kapot van,' zei ze. 'Ik verwachtte niet dat hij het zou overleven. Hij was de imam erg toegewijd en haatte de sjah en zijn corrupte bewind. Ik dacht dat ze meneer Musavi ook zouden arresteren, maar dat hebben ze niet gedaan. Maar Ali was weg. Ik wist dat hij werd gemarteld. We zijn naar Evin gegaan en vroegen of we hem mochten bezoeken, maar drie maanden lang hebben ze het ons niet toegestaan. Toen we uiteindelijk toestemming voor een bezoek kregen, zag hij er vreselijk mager en verzwakt uit. Mijn mooie, sterke zoon.'

Langzaam liepen de tranen over de wangen van Fatemeh khanoem. 'Ze lieten hem ongeveer drie maanden voor het welslagen van de revolutie vrij. Ze hadden ons niet verteld dat ze hem zouden laten gaan. Op die dag stond ik hier in de keuken toen ik de deurbel hoorde. Het was een bewolkte dag in de herfst en de tuin lag bezaaid met bladeren. Ik rende naar de deur en vroeg: "Wie is daar?" Er kwam geen antwoord. En toen wist ik dat hij het was. Ik weet niet hoe, maar ik wist het. Ik deed de deur open en daar was hij. Hij glimlachte en omhelsde mij, en we konden elkaar niet loslaten. Hij voelde zo mager aan. Ik voelde zijn botten onder mijn vingers. En zijn glimlach was anders. Die was terneergedrukt en triest. Ik wist dat hij verschrikkelijke dingen had meegemaakt. Ik wist dat die trieste blik in zijn ogen nooit meer zou verdwijnen. Hij pakte zijn oude leven weer op, maar hij was veranderd. De pijn die hij in zich droeg, ging nooit helemaal weg. Soms hoorde ik hem de hele nacht door het huis lopen. Toen kwam hij een paar maanden geleden op een dag thuis van zijn werk, pakte een tas in en ging naar het front om tegen de Irakezen te vechten. Zomaar. Zonder enige uitleg. Ik was geschokt. Zo was hij helemaal niet. Begrijp me niet verkeerd: het verraste me niet dat hij naar het front ging, dat had hij al eerder gedaan. Maar het moment waarop was vreemd. Ik besefte dat er iets was gebeurd, maar hij vertelde me niet wat het was. In de vier maanden dat hij weg was, heb ik nauwelijks kunnen slapen. Uiteindelijk werden we op een dag gebeld en kregen we te horen dat hij een schotwond in zijn been had opgelopen en in het ziekenhuis lag. Ik dankte God een miljoen keer. Toen ik hem bezocht, glimlachte hij net als vroeger naar me, zoals het jongetje van vroeger, en zei tegen me dat hem iets geweldigs was overkomen. Ik dacht eerst dat hij zijn verstand had verloren.'

Ali was dus een gevangene geweest en was ook gemarteld. Misschien dat hij me daarom, toen ik was gegeseld en hij me naar de eenpersoonscel bracht, vroeg of ik iets nodig had om de pijn te verlichten en liet hij daarom een arts komen om me te onderzoeken. Misschien had hij dat gedaan omdat hij net als ik had geleden.

Na de revolutie was Ali uit op wraak, zodat hij in Evin ging werken. In de eerste paar maanden na de revolutie bestonden de meeste gevangenen in Evin uit voormalige SAVAK-agenten, en had hij de kans om hun met gelijke munt terug te betalen. Oog om oog. Het waren niet alleen vijanden van de islam, het waren zijn persoonlijke vijanden. Maar daarna werd het anders. Nu werden degenen gearresteerd die in de tijd van de sjah aan zijn zijde hadden gevochten, leden van de organisaties Mujahedin-e Khalq en Fadayian-e Khalq. Ik was ervan overtuigd dat het aanvankelijk niet erg moeilijk voor hem was om hun arrestatie te rechtvaardigen; zijn voormalige celgenoten en hun aanhangers waren vijanden van de islamitische staat geworden en daarmee waren ze, zoals Khomeini had verkondigd, vijanden van God en zijn profeet Mohammed geworden. Ali was grootgebracht als een vrome moslim en hij zou zijn imam tot in de dood volgen, maar waarschijnlijk zag hij nu in dat het verkeerd was wat ze in Evin deden in naam van de islam. Maar omdat hij zijn religie zo toegewijd was, had hij er grote moeite mee deze waarheid te accepteren en kon hij er niet mee omgaan. Zijn geloof had hem verblind, maar soms zag hij de situatie, wellicht als gevolg van zijn persoonlijke ervaringen, vanuit het perspectief van de gevangenen. En zijn ouders waren trots op hem omdat hij in de frontlinie stond van de strijd tegen de vijanden van de islam. In hun ogen was zijn optreden als ondervrager een van de eervolste dingen die een moslim kon doen. In hun ogen was alles wat er na de revolutie in Evin gebeurde, volkomen gerechtvaardigd; ze beschermden hun leefwijze en hun waardestelsel. Ze waren er uiteindelijk van overtuigd dat dit een oorlog was tussen goed en kwaad.

Nadat we de tafel hadden afgeruimd, vroeg Ali's moeder mij of ik kon koken.

'Jawel, maar niet zo goed als u en Akram. Ik heb het geleerd uit kookboeken. Mijn moeder had me liever niet in de keuken.'

'Wil je ons helpen met het diner? We moeten nu meteen beginnen. De moellah komt om vijf uur, en na het huwelijk gaan we eten.'

Ik assisteerde hen in de keuken. Akram en ik sneden en bakten de uien, verse peterselie, bieslook en andere kruiden. Ali's moeder sneed het rundvlees en kookte de langkorrelige rijst. Ze had de stukken kip al gemarineerd in een mengsel van yoghurt, eierdooiers en saffraan. We maakten *khoresh-e ghormeh sabzi* – een stoofpot van rundvlees en kruiden – en *tachin* – een mix van kip, rijst, yoghurt, eierdooiers en saffraan.

Meneer Musavi, Ali en Akrams echtgenoot Massud kwamen rond vier uur terug in huis. Ali's moeder duwde me de badkamer in met de woorden dat ik nog een keer moest douchen omdat ik naar uien rook.

Na de douche hulde ik me in een witte islamitische manteau, een grote witte sjaal, een witte broek en een witte chador, die Ali's moeder voor mij op het bed had klaargelegd. Kort daarop klonk er een klop op de deur.

'Marina, het is zover,' riep Akram.

Ik deed de deur open en stapte de kamer uit zonder mezelf de tijd te geven om na te denken. Ali zat al bij de sofreh-ye aghd. Ik ging naast hem zitten, terwijl ik me afvroeg of iemand doorhad hoe erg ik beefde. De moellah kwam de kamer binnen. Hij droeg enkele zinnen in het Arabisch voor, die ik wel had kunnen verstaan als ik me had kunnen concentreren. Daarna vroeg hij me in het Perzisch: 'Fatemeh khanoem-e Moradi-Bakht, bent u bereid Seyed Ali-e Musavi tot uw wettige echtgenoot te nemen?'

Ik wist dat het gebruikelijk was dat de bruid de eerste keer dat de vraag werd gesteld geen antwoord gaf. De moellah moest op het antwoord wachten en omdat hij dat niet kreeg, de vraag nog tweemaal herhalen. Ik zei meteen ja bij de eerste keer. Ik wilde het zo snel mogelijk achter de rug hebben.

Na het eten gingen Ali en ik met de auto naar het huis dat hij voor ons had gekocht. Hij greep mijn linkerhand, die op mijn schoot lag, en hield die stevig vast tot we er waren. Dit was de eerste keer dat hij me op zo'n manier aanraakte.

Terwijl ik mijn nieuwe huis en mijn vreemde nieuwe leven betrad, beloofde ik mezelf dat ik niet om zou kijken en niet aan het verleden zou denken, maar deze belofte was moeilijk na te komen. Ali leidde me naar onze slaapkamer, waar de geschenken op het bed opgestapeld lagen.

'Maak maar open,' zei hij. 'Sommige zijn van mij, en de rest is van mijn familie.'

Er waren veel sieraden, kristallen schotels en glazen, borden en verzilverde schalen bij. Ali zat naast me op bed en keek naar me terwijl ik de geschenken uitpakte.

'Ik ben nu je man, je hidjab is niet meer nodig,' zei hij.

Ik wou dat ik me verstoppen kon. Hij trok aan de grote sjaal die mijn haar bedekte. Ik pakte hem weer terug.

'Ik begrijp dat je je ongemakkelijk voelt, maar dat is echt niet nodig. Je raakt wel aan me gewend.'

Hij haalde mijn ineengevlochten haar los en streek er met zijn vingers doorheen.

'Je hebt prachtig haar. Het is zijdezacht.'

Hij deed me een halsketting om mijn nek en een armband om mijn pols. Ik keek naar mijn trouwring. Hij had een grote glinsterende diamant.

'Ik heb naar jou verlangd sinds het allereerste moment dat ik je zag,' zei Ali, terwijl hij zijn armen om me heen sloeg en me op mijn haar en in mijn nek kuste. Ik duwde hem weg.

'Marina, het is in orde. Je weet hoe lang ik hierop heb gewacht. Je bent eindelijk de mijne, en ik mag je aanraken. Je hoeft niet bang te zijn. Ik doe je geen pijn. Ik doe zachtjes, dat beloof ik.'

Hij knoopte zijn overhemd los, en verstijfd van angst deed ik mijn ogen dicht. Ik voelde hoe zijn vingers de knopen van mijn manteau losmaakten. Ik opende mijn ogen en probeerde me tegen hem te verzetten, maar hij duwde me met zijn hele gewicht tegen de matras. Ik smeekte hem te stoppen, maar hij zei dat hij dat niet kon. Hij trok de kleren van mijn lijf. Ik gilde. Zijn blote huid duwde tegen die van mij, en de vreemde, onbekende warmte van zijn lichaam drukte op me neer. Hij rook naar shampoo en zeep. Met alle kracht die ik in me had probeerde ik hem van me af te duwen, maar het had geen enkele zin; hij was te groot en te sterk. Woede, angst en een gevoel van vreselijke vernedering woelden en gingen tekeer in mij als een storm die nergens heen kon gaan, totdat ik geen energie meer over had, totdat ik accepteerde dat ik nergens heen kon gaan, totdat ik me overgaf. Het deed pijn. De weerzinwekkende pijn was niet de pijn van een geseling. Toen ik werd gemarteld, had ik nog een gevoel van gezag weten te behouden, een vreemd soort macht die je nooit kon worden afgenomen door een lichamelijke kwelling. Maar nu was ik de zijne. Hij bezat me.

Ik huilde de hele nacht. Mijn binnenste brandde. Ali hield zijn armen stevig om me heen. Net voor zonsopkomst stond hij op voor de namaz, maar ik bleef in bed. Hij ging op de rand van het bed naast me zitten en kuste mijn wang en mijn arm.

'Ik moet je aanraken om te kunnen geloven dat je mijn vrouw bent. Heb je pijn gehad?'

'Ja.'

'Dat wordt wel beter.'

Ik viel in slaap nadat hij het bed uit was gestapt; de slaap was mijn enige uitweg.

'Het ontbijt staat klaar,' riep hij omstreeks acht uur vanuit de keuken. De zon scheen door de schuifdeuren. Ik stond op en schoof ze open. Een briesje waaide naar binnen en bracht het getjilp van mussen mee. De achtertuin was prachtig. De geraniums en goudsbloemen stonden in volle bloei. Ik had het gevoel alsof ik het leven van iemand anders leidde. De buurvrouw riep haar kinderen binnen voor het ontbijt. Het was een volmaakte zomerdag zonder een wolkje aan de hemel, maar ik wenste dat de aarde onder een laag sneeuw bedekt lag; ik wenste dat mijn warme huid werd omhelsd door de kou in een eerlijke aanraking. Ik wenste dat mijn vingers gevoelloos werden door de zware vorst en de pijn. Ik wenste dat alle tinten groen en rood verdwenen onder het gewicht van de winter en zijn tinten wit, zodat ik kon dromen en mezelf kon voorhouden dat alles anders zou zijn als de lente kwam.

'Daar ben je,' hoorde ik hem achter mij zeggen. 'Het ontbijt is klaar, en je thee staat koud te worden. Er ligt vers brood op tafel.'

Hij hield me weer in zijn armen. 'Je kunt je niet voorstellen hoe gelukkig ik ben,' fluisterde hij in mijn oor. Hij vertelde me dat ik, toen hij mij voor het eerst zag, op de vloer in de hal had gezeten, maar dat ik anders dan de overige vrouwen met hun zwarte chador mijn haar had bedekt met een beige omslagdoek van kasjmier. Hij kon wel zien dat ik klein en mager was, maar ik leek langer dan de anderen om me heen doordat ik met rechte rug tegen de muur zat. Hij zei dat ik mijn hoofd schuin omhoog naar het plafond gericht hield en mijn lippen heel lichtjes bewoog in wat een gebed leek. Ik was kalm geweest te midden van een wereld van angst en wanhoop om me heen. Hij zei dat hij de andere kant op had willen kijken, maar dat hij dat niet kon.

In de volgende paar dagen verwende hij me zozeer dat ik me ongemakkelijk voelde. Ik had altijd voor mezelf gezorgd. Ik wilde niet als een kind worden behandeld. Het meisje van vroeger was er niet meer. Ik was een getrouwde vrouw. Ik kon me niet meer onder mijn bed verstoppen zoals vroeger. Misschien was Ali het kruis dat ik te dragen had en moest ik hem accepteren. Ik kon het tenminste proberen. Ik wilde alleen dat hij me in bed met rust zou laten. Telkens wanneer hij zijn kleren uittrok en me aanraakte, smeekte ik hem te stoppen. Soms luisterde hij en soms niet. Dan zei hij dat ik eraan moest wennen, dat het een belangrijk onderdeel was van het huwelijksleven en dat het minder pijn zou doen als ik me niet meer tegen hem verzette.

Uiteindelijk stond ik ongeveer een week na onze trouwdag bij zonsopkomst naast mijn bed met het voornemen om iets van dit leven te maken en zelfmedelijden geen kans meer te geven. Gedane zaken namen nu eenmaal geen keer, daar kon ik niets aan veranderen. Ik begon met het huis schoon te maken en het ontbijt klaar te maken, en ik zei tegen Ali dat hij zijn ouders en zijn zus moest uitnodigen om te komen eten. Hij dacht dat ik gek was geworden en zei dat ik volgens hem helemaal niet kon koken. Ik zei van wel, en hij gaf me mijn zin.

'Oké, ik zal mijn ouders en mijn zus vragen,' zei hij. 'En dan gaan we boodschappen doen... en Marina?'

'Ja.'

'Dank je wel.'

'Waarvoor?'

'Dat je het probeert.'

Mijn hart voelde iets warmer dan in heel lange tijd het geval was geweest. Ik begon meteen na de lunch met de bereiding van het diner. Ali was voor een paar uur van huis, en toen hij terugkeerde, rook het in huis naar lasagne en een stoofpot van rundvlees met champignons en rijst. Ik was juist een appeltaart aan het bakken. Hij kwam de keuken in en zei tegen me dat de geur van het eten hem hongerig maakte. Hij wilde weten of mijn moeder me had leren koken, en ik vertelde hem dat mijn moeder geen geduld had gehad om me ook maar iets te leren. Ik kookte graag en had het geleerd uit kookboeken. Hij bood aan thee voor ons te zetten en schonk wat water in de samowar. Nadat hij enkele losse theebladeren in een porseleinen theepot had gedaan, kwam hij op me af. Ik sloeg een ei stuk in een kom. Ik was nog steeds bang voor hem. Elke keer dat hij dicht bij mij in de buurt kwam, elke keer dat ik zijn adem op mijn huid voelde, elke keer dat hij me aanraakte, wilde ik wegrennen. Hij hield mijn gezicht in zijn handen en kuste mijn voorhoofd. Ik vroeg me af of ik ooit zou wennen aan zijn aanraking.

Ali's ouders, Akram en Massud kwamen en waren vol lof over alles wat ik had bereid. Ali's moeder was een beetje verkouden; na het diner en het dessert zette ik daarom wat thee met citroen voor haar en gaf haar een deken om even op de bank te rusten. Akram kwam de keuken in om me te helpen met de afwas.

'Het eten was heerlijk,' zei ze met een geforceerde glimlach. Aan haar stem merkte ik dat ze zich ongemakkelijk voelde; ze probeerde aardig voor me te zijn, en dat waardeerde ik.

'Dank je. Ik ben geen goede kok, maar ik heb mijn best gedaan. Jij kunt vast en zeker veel beter koken.'

'Nee, niet echt.'

Er viel een stilte tussen ons. Ik zette de restjes in de koelkast.

'Waarom ben je met mijn broer getrouwd?' vroeg ze plotseling.

Ik keek haar recht aan, maar ze wendde haar blik af.

'Heeft je broer je iets verteld over wat er tussen ons is voorgevallen?' vroeg ik.

'Hij heeft me niet zoveel verteld.'

'Waarom vraag je het dan niet aan hem?'

'Hij wil het me niet zeggen, en ik wil het van jou horen.'

'Ik ben met hem getrouwd omdat hij dat wilde.'

'Dat is niet genoeg.'

'Waarom niet? Waarom ben jij met je man getrouwd?'

'Mijn huwelijk was gearrangeerd. Toen ik nog een kind was, zijn mijn ouders en de ouders van mijn man overeengekomen dat ik met hun zoon zou trouwen zodra ik oud genoeg was. Jij komt uit een ander soort familie, een andere cultuur. Als jij echt niet met hem wilde trouwen had je nee kunnen zeggen.'

'Waarom denk je dat ik echt niet met hem wilde trouwen?'

'Ik weet het gewoon. Een vrouw voelt zoiets aan.'

Ik haalde diep adem. 'Vergeet niet dat ik een gevangene ben. Ali heeft gedreigd dat hij zich zou wreken op de mensen die mij na aan het hart liggen als ik niet met hem zou trouwen.'

'Zoiets zou Ali nooit doen!'

'Zie je, daarom wilde ik het je niet vertellen. Ik wist dat je me niet zou geloven, omdat je van je broer houdt.'

'Zeg je met je hand op de heilige Koran nog steeds dat hij dit heeft gedaan?'

'Ja, ik spreek de waarheid.'

Ze viel in een stoel neer en schudde haar hoofd.

'Dat is verschrikkelijk! Haat je hem daarom?'

Ik wist niet wat ik moest zeggen. Niet omdat ik de waarheid niet wilde zeggen, maar omdat ik besefte dat ik het ware antwoord op die vraag niet wist. Enkele dagen terug zou ik vol overtuiging gezegd hebben dat ik hem haatte. Maar nu was ik er niet zo zeker meer van. Er was iets veranderd, niet ingrijpend, maar aan de oppervlakte en ik begreep niet waarom mijn gevoelens voor Ali nu anders waren. Ik had immers alle recht om hem te haten.

'Nee, ik geloof van niet. Ik heb hem wel gehaat, maar nu niet meer. Haat is wel heel sterk uitgedrukt.'

Ze keek me aan.

'Heb je je ook tot de islam bekeerd omdat dat moest?'

'Ja.'

'Dus je meende het niet echt?'

'Nee, maar vergeet niet dat ik het je alleen heb verteld omdat je het per se wilde weten en ik niet wilde liegen. Het zijn gedane zaken. Ik ben nu moslim, ik ben de vrouw van je broer, ik heb beloofd hem trouw te zijn en dat zal ik ook zijn. Zo staan de zaken er nu voor. Ik wil er verder niet over praten.'

'God geve je kracht,' zei ze. 'Ik weet hoe moeilijk dit voor je moet zijn.'

'Het is in elk geval goed om te weten dat iemand het begrijpt.'

Er gleed een ongedwongen glimlach over haar gezicht.

'Hoe lang ben jij al getrouwd?' vroeg ik.

'Zeven jaar.'

'Hou je van je man?'

Ze keek me verrast aan alsof ze nooit over haar gevoelens voor hem had nagedacht.

'Liefde is wel heel sterk uitgedrukt,' zei ze lachend, terwijl ze naar haar trouwring keek en met een vinger over de glinsterende diamant streek. 'Volgens mij bestaat liefde alleen in sprookjes. Mijn man is goed voor me en trouw, en ik heb alles wat mijn hartje begeert. Je kunt dus, denk ik, wel zeggen dat ik gelukkig ben, behalve...' Haar blik dwaalde af, en ik herkende de melancholie die een verlies teweegbrengt. Ik kreeg er een triest gevoel bij.

'Behalve wat?' fluisterde ik.

'Ik kan geen kinderen krijgen,' zei ze met een zucht, alsof het de moeilijkste zin was die ze ooit had uitgesproken. 'Ik heb alles geprobeerd. In het begin vroeg iedereen me steeds of ik al zwanger was, maar na een paar jaar hebben ze het opgegeven. Nu ben ik gewoon zo'n vrouw die geen kinderen kan krijgen. Maar ik heb je al gezegd:

mijn man is goed voor me. Ik weet hoe belangrijk een zoon voor hem is, maar hij heeft me verzekerd dat hij niet met een andere vrouw zal trouwen.'

'Wat zijn jullie hier aan het doen, dames? Het duurt eeuwen,' zei Ali's moeder terwijl ze de keuken in liep. 'Jullie mannen willen graag nog wat thee.'

Zodra we in de woonkamer zaten, ging de telefoon. Ali nam op. Ik kon aan alles merken dat het een telefoontje vanuit Evin was. Hij stond overwegend te luisteren en keek zorgelijk. Iedereen zweeg. Na afloop van het gesprek vroeg ik hem wat er aan de hand was.

'We weten al een tijdje dat de moedjahedien plannen hebben om een aantal mensen met een belangrijke functie in Evin te vermoorden,' zei hij. 'We hebben geprobeerd de betrokkenen op te sporen en te arresteren. Pas geleden zijn er een paar gearresteerd en ondervraagd. Ik had Mohammad aan de lijn. Hij belde om me te laten weten dat hij informatie heeft verkregen waaruit blijkt dat ik op hun dodenlijst sta. Mijn collega's en vrienden zijn van mening dat het veiliger is voor Marina en mij als we een tijdje in Evin blijven. Wat mezelf betreft maak ik me geen zorgen, maar ik wil Marina's leven niet in gevaar brengen.'

Ik had al zo'n idee dat hij belangrijk was in Evin, en dat werd hierdoor nog eens bevestigd.

'Volgens mij is het een goed idee om in Evin te blijven. Je kunt beter het zekere voor het onzekere nemen,' zei meneer Musavi. Hij keek zorgelijk.

Ik was er toentertijd niet van op de hoogte omdat ik geen toegang had tot televisie, radio of dagbladen, maar kort tevoren waren er enkele overheidsfunctionarissen vermoord, en al die aanslagen waren toegeschreven aan de moedjahedien.

'Marina, vind je het goed als we een poosje in Evin blijven? Dat is veel veiliger,' zei Ali.

'Tuurlijk,' zei ik in de wetenschap dat ik weinig keus had.

'Ik zal het met je goedmaken wanneer de rust is weergekeerd.'

Nadat onze gasten waren vertrokken, gingen we naar bed.

'Ali, zie je niet wat geweld met mensen doet? Jij doodt hen en zij doden jou. Wanneer houdt dit een keer op, pas als iedereen dood is?'

'Je bent naïef,' zei hij. 'Denk je werkelijk dat ze hun strijd tegen de regering zullen staken als we het hun maar aardig vragen? We moeten de islam, de wet van God, en Gods volk beschermen tegen de kwade machten die tegen hen aan het werk zijn.'

'God heeft geen bescherming nodig. Ik zeg dat geweld alleen maar meer geweld oplevert. Ik weet niet wat de oplossing is, maar ik weet wel dat het doden van mensen niet het juiste antwoord is.'

Hij trok me naar zich toe. 'Niet iedereen is zo goed als jij,' zei hij. 'Het is een wrede wereld.'

'Ja, inderdaad, maar alleen omdat wij wreed tegen elkaar zijn.'

Hij lachte. 'Jij geeft het ook nooit op, hè?'

'Wanneer gaan we terug naar Evin?' vroeg ik.

'Morgenochtend. Ik hoop dat je er begrip voor hebt dat je in Evin net zo wordt behandeld als voorheen, zelfs al ben je nu mijn vrouw. Officieel ben je nog steeds een gevangene. Wil je een eenpersoonscel of wil je weer naar 246?'

Ik zei dat het me niet uitmaakte, en hij hield me voor dat een eenpersoonscel handiger was omdat hij dan vaker bij me kon zijn. Ik bracht er niets tegen in. Ik wilde nog steeds niemand van 246 iets over mijn situatie uitleggen.

'Zijn er de laatste tijd veel mensen gearresteerd?' vroeg ik.

'Ja.'

'Arme zielen. Ze zullen wel doodsbang zijn.'

'Marina, veel van die mensen zijn terroristen.'

'Sommige misschien, maar je weet ook wel dat de meeste van hen nog maar kinderen zijn, en dat ze vaak helemaal niets verkeerds hebben gedaan. Als ik in een eenpersoonscel zit, wil je dan de jongste meisjes bij mij plaatsen in de periode dat ze worden verhoord? Er is genoeg ruimte voor twee in zo'n cel. Ali, ik vind het vreselijk om niets te doen. Ik kan ze helpen zodat ze zich wat beter voelen, en dan voel ik me zelf ook beter.'

Hij glimlachte. 'Dat kan nog interessant worden. Goed, dat is afgesproken.'

'Maar vertel niet dat ik je vrouw ben, anders zijn ze bang voor me.'

Als alles om me heen slecht was, moest ik daar misschien iets goeds tegenoverstellen.

'Ali, waar is Sarah Farahani?' vroeg ik.

'Zij heeft lange tijd in het gevangenisziekenhuis gelegen. Niet het ziekenhuis waar jij lag, trouwens. Voor gevangenen met psychische problemen is er nog een ander ziekenhuis. Ze zit nu in een cel in 209.'

'Ze moet naar huis. Ze heeft genoeg doorgemaakt. Ze heeft helemaal niets gedaan. Ze heeft alleen maar te veel gepraat. Ze overleeft het niet in Evin.'

'Hamehd is belast met haar zaak, en je weet hoe moeilijk hij kan zijn. Ik verwacht niet dat Sarah al snel weg kan.'

'Is haar broer Sirus echt terechtgesteld?'

'Ja, hij was een actief lid van de Mujahedin-e Khalq en hij heeft totaal niet meegewerkt,' zei hij op zakelijke toon.

'Dus het is jullie beleid om iedereen te doden die jullie in de weg staat.'

'Als Sirus de kans had gehad, zou hij mij door mijn hoofd hebben geschoten.'

'Je had hem gevangen kunnen houden in plaats van hem te doden.'

'Dat was niet mijn beslissing, en ik wil er niet over praten.'

'Mag ik Sarah bezoeken?'

'Ik zal je meenemen naar haar cel zodra we terug zijn.'

Ik moest hem de vraag stellen die me al een tijdje voor op de tong lag. Het was toch nooit het juiste moment om het te vragen en daarom kon ik het net zo goed nu doen.

'Ali, heb je ooit iemand gedood? Ik bedoel niet aan het front, ik bedoel in Evin.'

Hij stapte uit bed en liep naar de keuken. Ik liep achter hem aan. Hij draaide de kraan open, vulde een glas met water en nam een paar slokjes.

'Ja dus?'

'Marina, waarom kun je het niet laten rusten?'

'Ik haat je!'

Ik was me bewust van het enorme gewicht van mijn woorden, maar ik had er geen spijt van. Ik wilde hem pijn doen. Dit was wraak, en die verdiende hij. Ik had geprobeerd mijn situatie te accepteren en begrip voor hem te hebben, maar ik kon niet net doen alsof ik onwetend was van de afschuwelijke dingen die hij had gedaan.

Hij zette zijn glas langzaam op de tafel en stond ernaar te staren. Toen hij opkeek, gaven zijn donkere ogen een vreemde mengeling van woede en pijn te zien. Hij kwam op me af. Ik deed een paar passen achteruit en stootte tegen een kast. Ook al zette ik het op een rennen, ik zou niet ver komen. Hij greep mijn armen vast en zijn vingers boorden zich in mijn vlees.

'Je doet me pijn!' zei ik.

'Doe ík jóu pijn?'

'Ja. Je doet me al pijn sinds de eerste keer dat ik je zag. En je hebt andere mensen ook pijn gedaan, en je doet jezelf pijn.'

Hij tilde me op van de grond en droeg me naar de slaapkamer. Ik schopte en schreeuwde tevergeefs.

De volgende ochtend weigerde ik uit bed te komen. Ali riep me driemaal vanuit de keuken met de mededeling dat het ontbijt klaar was. Snikkend trok ik de dekens over mijn hoofd. Het bed kraakte. Ik opende mijn ogen en door de witte sluier van het dunne katoenen laken heen zag ik hem naast mij zitten. Hij zat zijdelings op de rand van het bed, met zijn ellebogen op zijn knieën en met ineengeklemde handen. Ik verroerde me niet.

'Marina?' zei hij na een paar minuten.

Ik gaf geen antwoord.

'Het spijt me dat ik boos op je ben geworden. Je had alle recht om mij verwijten te maken. Maar je moet begrijpen dat de situatie nu eenmaal zo is. Ik schep geen genoegen in wat ik doe. De wereld is onvriendelijk en wreed, en er zijn nu eenmaal dingen die we wel móeten doen. Ik weet dat je het niet met me eens bent. Maar zo is het, en ik heb de wereld niet zo gemaakt. Je kunt me haten als je wilt, maar ik hou van je. Het was niet mijn bedoeling je pijn te doen gisteravond. Kom mee ontbijten.'

Ik reageerde niet.

'Kom, alsjeblieft. Wat kan ik doen om het goed te maken?'

'Laat me naar huis gaan.'

'Marina, je bent mijn vrouw. Je huis is waar ik ben. Wen daar maar aan.'

Mijn gesnik werd dieper en luider. Hij peuterde het laken van me los en probeerde me in zijn armen trekken. Ik duwde hem weg.

'Wen nu eens aan de situatie zoals die is. Is er niet iets rédelijks wat ik kan doen om je gelukkig te maken?'

Ik moest iets goeds uit deze pijn zien te halen want anders zou ik erin verdrinken.

'Help Sarah.'

'Dat zal ik doen.'

Ali had zijn pyjamabroek nog aan, maar hij droeg geen hemd. Over zijn blote rug liepen van zij naar zij smalle, witte lijnen. Littekens. Hij had er vele. Littekens van geselingen. Ik had ze niet eerder opgemerkt, omdat ik steevast mijn ogen sloot wanneer hij zijn kleren uittrok.

Ik raakte zijn rug aan.

'Je hebt littekens...'

Hij stond op en trok zijn overhemd aan.

Voor het eerst voelde ik dat we dicht bij elkaar stonden, dat er een band tussen ons was. Dat wilde ik helemaal niet, maar hij was net zo tastbaar als het laken dat me bedekte. Net zo echt als zijn littekens en de mijne: een trieste verstandhouding die geen woorden nodig had, die alles wat moest worden gezegd overbracht in een stille blik of een lichte aanraking.

'Kom, we gaan eten,' zei hij.

We zetten ons aan het ontbijt.

Zo'n drie uur later zat ik weer in mijn oude eenpersoonscel. Ik kon niet zeggen dat ik die had gemist. Ali bracht me een grote stapel boeken – allemaal over de islam – en zei tegen me dat hij het de komende tijd erg druk zou hebben. Ik herinnerde hem eraan dat hij had beloofd mij naar Sarah te brengen. Hij nam me mee naar haar cel, maar waarschuwde me ervoor dat Sarah zwaar onder de medicijnen zat en niet veel reactie zou vertonen.

'Je mag een uur of twee bij haar blijven, maar niet langer. Ik wil geen problemen met Hamehd.'

Sarah zat op de muur te schrijven toen ik haar cel betrad. Ze was nog magerder geworden en haar huid zag er gelig uit. Ik legde mijn handen op haar schouders. Ze reageerde totaal niet.

'Sarah, ik heb je gemist.'

De muren stonden helemaal vol met woorden; ze voerden me terug naar ons leven van vroeger: Sarahs huis met het bloembed, haar moeder die op een schommel in de tuin zat, haar vader die gedichten van Hafez voordroeg, Sirus die met zijn vrienden voetbalde, onze school met de grote ramen, onze wandeling naar huis vanaf de winkel van agha-ye Rostami terwijl we een ijsje aten. Het ging maar door. Ze had zelfs over mijn pennendoos geschreven. Ik wilde me niets herinneren. Dat terugblikken deed mijn hart branden van verlangen om naar huis terug te keren. Thuis. Ik voelde me er hele oceanen en werelden ver van verwijderd. Maar het bestond wel. Ergens buiten Evin. Als ik de Mount Everest had moeten beklimmen om thuis te komen, had ik dat gedaan. Zelfs tien Mount Everests leken nog te overwinnen.

'Sarah, ik weet dat je me kunt horen. Veel van deze herinneringen zijn ook van mij. Thuis bestaat nog, en je moet het hier in Evin volhouden om te kunnen terugkeren. Thuis bestaat nog en wacht op je. Vergeet niet dat het altijd weer morgen wordt, maar dat je er moet zijn om het mee te maken. Sirus wil dat je het meemaakt. Vecht deze strijd voor hem, voor je moeder, voor je vader.'

Ik greep Sarahs schouders en draaide haar om zodat ze me aankeek.

'Hamehd wil graag dat je zo bent, dat je verliest. Gun hem dat genoegen niet. Je zult naar huis terugkeren. Je moest eens weten wat ik heb gedaan. Het valt me zwaar om in Ali's bed te slapen, maar hij is anders dan Hamehd. Hij heeft iets goeds in zich, en hij houdt van me... maar het is ontzettend moeilijk. Dat kun je je niet voorstellen.'

Sarah omhelsde me en haar greep werd steeds steviger. We hielden elkaar vast en huilden.

Na ongeveer twee weken, die ik voornamelijk doorbracht met lezen behalve als Ali bij me was, kreeg ik mijn eerste celgenoot, Sima. Ze had grote lichtbruine ogen en was vijftien jaar, ook al leek ze niet ouder dan dertien. De bewaker die haar naar mijn cel bracht, zei alvorens de deur achter zich te sluiten dat ze haar blinddoek moest afdoen. Ze deed hem af, wreef in haar ogen en keek me met grote, angstige ogen aan.

Ze vroeg me wie ik was. Ik vertelde haar hoe ik heette en dat ik een gevangene was. Ze keek een beetje opgelucht en ging op veilige afstand van mij zitten. Haar voeten waren wat opgezwollen. Ik vroeg of ze pijn deden.

'Ze hebben me gemarteld!' huilde ze.

Ik schoof dichter naar haar toe en zei tegen haar dat ik ook was gemarteld, nog meer dan zij. Ze vroeg hoe lang ik al in Evin zat, en ik antwoordde: 'Zeven maanden.'

'Zeven maanden? Dat is vreselijk lang! Heb je de hele tijd in deze cel gezeten?' vroeg ze.

Ik legde uit dat ik in 246 had gezeten en dat zij misschien na afloop van haar ondervragingsperiode ook daarheen werd gestuurd in afwachting van haar proces. Ze vroeg hoe lang dat zou duren, en ik zei dat het een kwestie van dagen of maanden was. Ze wilde weten of ik al een proces had gehad.

'Zoiets, ja,' zei ik.

'Wat is je vonnis?' vroeg ze.

'Levenslang.'

'O, mijn god!'

Ze zei dat ze zich niet kon indenken dat ze het langer dan een week in Evin zou uithouden. Ik vroeg haar wie haar had ondervraagd, en ze vertelde dat haar ondervrager Ali heette en dat hij heel gemeen was.

'Hij is soms wel gemeen,' zei ik. 'Maar er zijn anderen die nog veel erger zijn.'

Ze had er niets aan als ik haar de waarheid zou vertellen.

Sima wilde alles weten over de gang van zaken in Evin en in 246, en ik vertelde haar zoveel mogelijk.

Ali klopte om ongeveer acht uur 's avonds op de celdeur en riep mijn naam. Ik greep mijn chador en liep naar de deur.

'Wat wil hij van je?' fluisterde Sima.

'Maak je geen zorgen; hij doet me geen pijn,' zei ik terwijl ik de chador aantrok en de cel uitliep.

Ali wilde weten hoe het met Sima ging, en ik zei dat ze zich al iets beter voelde. Ik vroeg hem waarom hij haar had gegeseld, en hij antwoordde dat hij geen keus had gehad. Haar broer was een moedjahied en was betrokken geweest bij de aanslag op een regeringsfunctionaris. Ali had al maandenlang geprobeerd hem te vinden en te arresteren. Hij moest zeker weten dat Sima niet op de hoogte was van de verblijfplaats van haar broer.

'Beloof me alsjeblieft dat je haar niet nog een keer geselt.'

'Nee, ze weet niets. Ik stuur haar naar 246. We laten haar gaan zodra haar broer zich aangeeft.'

Ik vroeg hem waar hij me naartoe bracht.

'Gewoon naar een andere cel. Ik ben doodop. Ik heb je echt nodig,' zei hij.

Toen ik na het ochtendgebed naar mijn cel terugkeerde, was Sima nog in diepe slaap.

'Hoe laat ben je gisteravond teruggekomen?' vroeg ze zodra ze wakker was. 'Ik heb oneindig lang op je gewacht, en toen ben ik waarschijnlijk in slaap gevallen.'

'Ik was pas heel laat terug.'

'Wat is er in die tijd allemaal gebeurd?'

'Niets belangrijks.'

'Wil je er niet over praten?'

'Nee, maak je geen zorgen over mij.'

Ze huilde. Ik sloeg mijn armen om haar heen en zei dat ze het er goed van af zou brengen als ze de hoop maar niet verloor. Ik vertelde haar dat ik had gehoord dat Ali haar naar 246 zou sturen, waar ze mijn vriendinnen zou ontmoeten. Zij zouden haar helpen. Ik vroeg haar aan hen door te geven dat het goed ging met mij.

De volgende dag werd Sima naar 246 overgeplaatst, en werden mijn dagen onnoemelijk saai en eenzaam. Ik vroeg Ali me een paar poëziebundels te brengen, en dat deed hij. Zo kon ik mijn dag besteden aan het lezen en het uit mijn hoofd leren van het werk van Hafez, Sadi en Rumi; en slapen.

Een paar dagen later haalde Ali me 's avonds uit mijn cel om voor het avondeten naar zijn ouders te gaan. We hielden halt bij de gevangenispoort om te wachten tot de bewakers de auto zouden doorlaten. Ali draaide zijn raampje omlaag om de bewakers te begroeten, die altijd vriendelijk tegen hem waren maar mij altijd volkomen negeerden. Maar na Ali goedenacht te hebben gewenst knikte de dienstdoende bewaker ditmaal in mijn richting en zei: 'Goedenacht, mevrouw Musavi.'

Verward keek ik om me heen, totdat het tot me doordrong dat hij mij had aangesproken.

Ali raakte mijn hand aan. Ik schrok.

'Wat kijk je geschrokken,' zei hij.

'Ze hebben altijd gedaan alsof ik onzichtbaar was.'

'Ze accepteren je. Ze weten dat we getrouwd zijn.'

Toen we bij het huis van Ali's ouders kwamen, werd ik omhelsd door Akram en Ali's moeder. 'Je bent nog steeds broodmager,' klaagde Ali's moeder hoofdschuddend. Ik liep achter haar aan naar de keuken om haar te helpen met de voorbereidingen voor het eten. Akram begon het geroosterde lamsvlees in de oven te bedruipen. Ali's moeder schonk thee in voor de mannen en vroeg me op weg naar de woonkamer of ik een salade wilde maken. Naast de gootsteen stond een vergiet met gewassen sla en er lagen een paar tomaten en komkommers. Ik pakte een mes en onder het snijden schoot me opeens te binnen dat ik de afgelopen nacht over Akram had gedroomd.

'Ik heb vannacht over je gedroomd,' zei ik.

'Wat heb je gedroomd?'

Ik moest even nadenken of ik het wel of niet zou vertellen.

'Toe, vertel! Of was het soms een nare droom?'

'Nee, nee. Helemaal niet.'

'Hoe ging je droom dan? Ik geloof in dromen. Weet je het nog?'

Ik vertelde haar dat het een merkwaardige droom was: ze stond in mijn kerk, stak een kaars aan en vertelde me dat ik tegen haar had gezegd dat ze negen dagen lang negen Weesgegroetjes per dag moest bidden om een baby te krijgen.

Ze reageerde verrast en wilde toen weten wat een Weesgegroetje was, en ik legde het haar uit.

'Geloof je echt dat Maria de moeder van God was?' vroeg ze nadat ze het gebed had aangehoord.

Ik legde uit dat christenen geloofden dat het Gods wil was dat zijn zoon Jezus mens werd in Maria's schoot en dat Maria geen gewone vrouw was; hiertoe was zij op aarde gekomen.

'Wij geloven dat Maria een geweldige vrouw was, maar niet de moeder van God,' zei Akram met grote stelligheid.

'Ik vraag je niet om iets te geloven. Jij vroeg me naar mijn droom, en die heb ik je verteld,' zei ik wat bits.

Ze keek omlaag en probeerde tot een besluit te komen. 'Ik doe het. Ik zal dat gebed opzeggen. Ik heb niets te verliezen, toch?'

Na een paar dagen kwam Ali vroeg in de middag in mijn cel. Dat was ongebruikelijk; hij kwam altijd 's avonds. Ik deed een middagdutje en schrok wakker. Hij ging naast me zitten, leunde tegen de muur en sloot zijn ogen.

'Gaat het?' vroeg ik.

'Ja hoor.'

Hij legde zijn armen om me heen.

'Wat is er aan de hand?'

'De Revolutionaire Garde heeft een paar nachten geleden een meisje hierheen gebracht. Ze is een jaar of zeventien. Ze werd betrapt terwijl ze met een spuitbus een muur in de Enghelab-laan bekladde met leuzen als DOOD AAN KHOMEINI en KHOMEINI IS EEN MOORDENAAR. Toen ze haar arresteerden, zei ze dat ze de imam haatte omdat hij haar zusje had vermoord. Hier heeft ze ook zulke dingen gezegd. Volgens mij is ze helemaal de kluts kwijt. Hamehd heeft haar behoorlijk toegetakeld, maar ze blijft die dingen maar zeggen. Ze wordt binnen de kortste keren geëxecuteerd als ze zich niet gedraagt en meewerkt. Wil je met haar praten? Ze heeft eigenlijk een psycholoog of zo nodig, maar dat gaat er niet van komen.' Hij zuchtte. 'Zeg maar niks. Ik weet dat het niet eerlijk is. En ik weet dat er een grote kans is dat je haar niet tot rede kunt brengen. Ik vind het vervelend om jou hiermee te belasten. Maar ik kan niets anders verzinnen.'

'Ik praat wel met haar. Waar is ze?'

'In het verhoorgebouw. Ik ga haar halen.'

Ongeveer een halfuur later duwde Ali een rolstoel mijn cel in. Het meisje dat erin zat, droeg een donkerblauwe chador en leunde naar een kant met haar hoofd tegen haar schouder.

'Mina, je kunt nu je blinddoek afdoen,' zei Ali, maar ze bewoog niet. Ali trok haar blinddoek weg en ze gluurde tussen haar wimpers door. Haar rechterwang was blauw en opgezwollen. Ik wist dat ze niet veel kon zien, horen of begrijpen. Alles zou haar een betekenisloze nachtmerrie schijnen.

'Ik heet Marina,' zei ik, terwijl ik op mijn knieën voor haar ging zitten. 'Ik ben een gevangene. Je zit in een cel. Ik help je uit de rolstoel. Niet bang zijn. Ik doe je geen pijn.'

Ik greep haar armen, trok haar omhoog, en ze viel in mijn armen.

Ik hielp haar op de vloer te gaan zitten. Ali pakte de rolstoel en liep de cel uit.

'Layla is dood,' fluisterde Mina.

'Wat zeg je?'

'Layla is dood.'

'Wie is Layla?'

'Layla is dood.'

Toen ik een deken op de vloer uitspreidde zodat zij erop kon liggen, zag ik haar voeten. Ik snakte even naar adem, ze waren nog erger opgezwollen dan die van mij destijds.

'Ik doe nu je slippers uit. Ik zal het heel zachtjes doen.'

De huid van haar voeten voelde aan als een kapotte ballon en zag er ook zo uit, maar de slippers gleden gemakkelijk van haar voeten.

Ik schonk wat water in een plastic bekertje en zette het aan haar droge, gebarsten lippen. Ze nam een paar teugjes.

'Neem nog wat.'

Ze schudde haar hoofd; ik hielp haar te gaan liggen en deed haar chador en sjaal af. Ze huiverde en daarom legde ik een paar dekens over haar heen. Ze viel al snel in slaap. Ik bleef naast haar zitten. Ze was lang en mager. Haar krullerige bruine haar was vuil en plakkerig doordat het sinds haar arrestatie voortdurend onder een sjaal had gezeten. Ik dacht aan haar gezwollen voeten, en ik voelde meteen een kloppende pijn in mijn eigen voeten. De pijn die ik me van mijn eerste dagen in Evin herinnerde, was meer dan een herinnering. Die zat nog in mijn lichaam.

Na zo'n vier uur begon Mina te kreunen. Ik pakte een beker water en hielp haar rechtop te zitten.

'Luister naar me. Ik weet hoe je je voelt. Ik weet dat alles pijn doet, maar ik weet ook dat het beter gaat als je dit opdrinkt. Niet opgeven.'

Ze nam een paar slokjes en keek me aan.

'Wie ben jij?' vroeg ze.

'Een gevangene. Ik heet Marina.'

'Ik dacht dat ik dood was en dat je een engel was of zo.'

Ik lachte. 'Ik kan je wel zeggen dat ik geen engel ben – en dat jij beslist nog leeft. Ik heb wat brood en dadels. Je moet eten. Je lichaam heeft kracht nodig om te herstellen.'

Ze at een paar dadels en een stukje brood. Op het moment dat ze weer ging liggen, werd er op de celdeur geklopt.

'Marina, doe je chador aan en kom naar buiten,' klonk Ali's stem aan de andere kant van de deur. Hij nam me mee naar een andere cel. We aten wat van het brood en de kaas die hij had meegebracht. Hij vroeg me niet naar Mina.

'Wil je niet weten of ik met Mina heb gepraat?' vroeg ik hem.

'Eerlijk gezegd wil ik nu even helemaal niets weten. Ik wil nergens aan denken. Ik wil alleen maar slapen.'

Toen ik om ongeveer vier uur 's nachts naar mijn cel terugkeerde, lag Mina nog te slapen. Ze werd wakker toen de zon opkwam.

'Wie is Layla?' vroeg ik haar.

Ze wilde weten hoe ik van Layla wist. Ik vertelde haar wat ze bij haar binnenkomst had gezegd.

'Layla is mijn zus.'

'Hoe is ze gestorven?'

'Ze is neergeschoten bij een demonstratie.'

Ze zei dat een vriendin van Layla, Darya geheten, op een dag door leden van de Hezbollah was aangevallen omdat er haar onder haar sjaal uit kwam. Mina's moeder was op weg naar de winkel geweest en had de molestatie gezien. Na afloop hadden de Hezbollah-leden Darya in een auto gegooid en waren weggereden. Darya's ouders hadden overal naar haar gezocht, in elk ziekenhuis en bij elk islamitisch comité, maar ze was van de aardbodem verdwenen. Een paar maanden later hoorde Layla van een demonstratie en besloot mee te doen. Ze moedigde Mina aan om met haar mee te gaan. Mina probeerde haar op andere gedachten te brengen, maar Layla zei dat ze hoe dan ook zou gaan, met of zonder Mina. Ze vroeg Mina wat ze zou doen als haar was overkomen wat er met Darya was gebeurd. Uiteindelijk gaf Mina zich gewonnen en ging met haar mee. Layla liet Mina beloven hun ouders niets over de demonstratie te vertellen.

'Zodoende gingen we er samen heen,' zei Mina. 'Er waren heel veel mensen. De leden van de Revolutionaire Garde vielen ons aan en openden het vuur. Iedereen begon te rennen. Ik greep Layla's hand en probeerde een veilig heenkomen te vinden, maar ze viel. Ik draaide me om, ze was dood.'

Ik vertelde Mina over de demonstratie op het Ferdosi-plein, over de jongeman die was neergeschoten, en over mijn besluit om zelfmoord te plegen toen ik na de demonstratie thuiskwam. En ik vertelde haar dat ik toch niet de slaappillen van mijn moeder had ingenomen, maar had besloten iets te doen aan het onrecht waarvan ik getuige was geweest. Ik had besloten actie te ondernemen.

'Wat heb je gedaan?' vroeg Mina.

'Ik heb op een kartonnen bord over de demonstratie geschreven en dat bij mij op school aan de muur gehangen. Daarna heb ik een schoolkrant opgezet.'

'Ik ben twee of drie keer per week laat in de avond eropuit gegaan,' zei Mina, 'en dan schreef ik met een spuitbus op de muren over wat er met Layla was gebeurd. Ik heb ook leuzen tegen Khomeini en de regering geschreven. Het zijn allemaal moordenaars.'

'Mina, ik ben bijna geëxecuteerd. Ze zullen je executeren als je je tegen Khomeini en de regering blijft uitspreken. Ik heb vrienden verloren en ik weet hoe je je voelt. Maar met je dood los je niets op.'

'Dus heb je meegewerkt en ben je in leven gebleven,' zei ze terwijl ze haar ogen tot spleetjes kneep.

'Zo is het niet helemaal gegaan. Ze hebben gedreigd mijn familie en dierbaren pijn te doen. Ik kon hen onmogelijk in gevaar brengen.'

'Ik begrijp het. Maar mijn familie is toch al kapot. Mijn vader heeft diabetes en hartstoornissen en ligt nu in het ziekenhuis. Mijn moeder heeft na Layla's dood geen woord meer met iemand gesproken. Sinds een tijdje wonen we bij mijn oma in en die zorgt nu voor mijn moeder. De bewakers kunnen me zoveel bedreigen als ze willen. Veel erger kan het niet worden. En voor een deel is het mijn schuld. Ik had Layla ervan moeten weerhouden om naar die demonstratie te gaan. Dan zou het nu nog goed met haar zijn. Dan zou het met ons allemaal nog goed zijn.'

Ik zei tegen haar dat ruziemaken met haar ondervragers praktisch neerkwam op zelfmoord, maar dat was ze niet met me eens.

'Ik werk niet mee met de mensen die mijn zus hebben vermoord,' zei ze.

'Je weet nooit wat er morgen gebeurt of wat er zal gebeuren over twee, vijf of tien maanden. Je moet jezelf een kans geven. God heeft jou het leven gegeven, leef het.'

'Ik geloof niet in God. En als er al een God is, dan is hij wreed.'

'Nou, ik geloof wel in God en volgens mij is hij niet wreed; wíj zijn soms wreed. Of jij er nu wel of niet was, Layla zou net zo hebben geleefd en zijn gestorven als nu is gebeurd. Maar God heeft jou het geschenk gegeven dat je haar zus was, dat je haar kende en liefhad, dat je goede herinneringen met haar deelde. Nu heb je die herinneringen om aan haar te denken. Je kunt leven en goede dingen doen ter nagedachtenis aan haar.'

'Ik geloof niet in God.' Ze wendde zich van mij af.

Mina sliep de rest van de dag. Ik kon haar verbittering wel begrijpen. Haar woede was omgeslagen in een haat die haar verteerde. Mijn geloof in God had me hoop gegeven. Het had me geholpen in het goede te blijven geloven ondanks al het kwaad om me heen.

's Avonds kwam Ali bij de celdeur en riep mijn naam. Mina verroerde zich niet en hield haar ogen dicht. Ook nu weer nam Ali me mee naar een andere cel. Ik probeerde met hem over Mina te praten, maar dat wilde hij niet.

Hij bracht me vóór de ochtend-namaz, toen het nog donker was, terug naar mijn cel. Nadat de deur achter me was dichtgevallen, was het pikdonker. Ik zag geen hand voor ogen. Ik ging ter plekke op de grond zitten om niet op Mina te stappen. Er klonk geen enkel geluid.

Ik kroop op de tast vooruit. Mina was er niet.

'Mina?' riep ik.

De lichten gingen aan zodra het geluid van de muezzin in de lucht weerklonk: 'Allahoe akbar...'

'Mina!'

'Allahoe akbar...'

Mina was weg. *Ali was de hele nacht bij mij in de andere cel. Lieve God. Zonder dat Ali het weet heeft Hamehd haar meegenomen.* Ik probeerde mijn gedachten te ordenen. Misschien was ze nog in leven. Wat kon ik doen? Ik wist zeker dat Ali op weg was naar het verhoorgebouw. Ik kon op de celdeur kloppen en een bewaker vragen hem op te halen. Aan de andere kant zou dat Ali juist alleen maar van het verhoorgebouw weghouden. Ik moest maar afwachten.

Ik liep in mijn cel te ijsberen; over de lengte van de cel kon ik maar vijf of zes stappen zetten, en de breedte was niet veel meer dan drie stappen. Beelden van de nacht dat ik was meegenomen voor de executie spookten door mijn hoofd. Ik had de laatste ogenblikken in het leven van twee jonge mannen en twee jonge vrouwen meegemaakt. Ik kende hun namen niet eens. Hadden hun families te horen gekregen dat hun dierbaren waren terechtgesteld? Waar lagen zij begraven? Hetzelfde kon met Mina gebeuren. Ik bonsde zo hard ik kon met mijn vuisten op de celdeur.

'Wat is er?' klonk een mannenstem.

'Kunt u alstublieft broeder Ali opzoeken en hem zeggen dat ik hem onmiddellijk moet spreken?'

Hij zou het doen.

Met kloppend hart ging ik door met ijsberen. Ik had geen horloge en had geen idee hoe lang ik had gewacht. De muezzin had de middag-namaz nog niet aangekondigd, dus het was nog geen twaalf uur. Ik werd duizelig en zwalkte van links naar rechts waarbij ik tegen de muren stootte. Er moest toch nóg wel iets zijn wat ik kon doen. Ik vroeg alle heiligen die ik kende om hulp. *Heilige Paulus, help Mina. Heilige Marcus, help Mina. Heilige Matteüs, help Mina. Heilige Lucas, help Mina. Heilige*

Bernadette, help Mina. Heilige Jeanne d'Arc, help Mina. Toen ik geen heiligen meer wist, klopte ik weer op de deur.

'Ik heb het tegen hem gezegd,' klonk dezelfde stem.

'Wat zei hij?'

'Dat hij zo snel mogelijk zou komen.'

Ik ging in een hoek zitten en snikte.

'Allahoe akbar...' klonk de aankondiging van de muezzin voor het middaggebed. 'Allahoe akbar...'

De celdeur ging open. Ali kwam naar binnen en sloot de deur achter zich. Hij stond een paar ogenblikken naar mij te kijken.

'Ik was te laat,' zei hij ten slotte. 'Ze is vannacht tijdens het verhoor gestorven.'

'Hoe?'

'Hamehd zei dat ze brutaal reageerde. Hij sloeg haar en toen viel ze met haar hoofd ergens tegenaan.'

'Mijn god! Geloof je hem?'

'Het doet er niet toe wat ik geloof.'

Ik wilde huilen, maar ik kon het niet. Ik wilde het uitschreeuwen, maar ik kon het niet. Ik wilde een eind aan deze verschrikking maken, maar ik kon het niet.

Ali ging naast me zitten.

'Ik heb mijn best gedaan,' zei hij.

'Niet genoeg,' riep ik.

Hij vertrok.

Hierna kwam Ali vijf of zes nachten niet bij me. Het grootste deel van de tijd sliep ik, overweldigd door de dood van Mina. Uiteindelijk kwam hij op een ochtend naar mijn cel met een jonge vrouw die Bahar heette en die een baby in haar armen hield. Hij sprak nog steeds geen woord, maar we keken elkaar aan en ik had het gevoel dat hij met me wilde praten; toch vertrok hij meteen weer.

Bahars kindje was vijf maanden oud, een mooi jongetje dat Ehsan heette. Bahar kwam uit Rasht, een stad in het noorden van Iran en niet ver van de Kaspische kust, in de regio van ons zomerhuisje. Ze had kort, golvend zwart haar en bewoog en sprak met een kalm zelfvertrouwen, al stonden haar ogen zorgelijk. Haar man en zij waren aanhangers van Fadayian geweest. Ze waren thuis gearresteerd en naar Evin overgebracht. Bahar was tijdens haar verhoor niet gegeseld of anderszins gepijnigd.

Die avond riep Ali mijn naam voor de gesloten deur. Voordat ik vertrok, nam Bahar mijn handen in de hare en zei tegen me dat ze ervan overtuigd was dat me niets zou overkomen. Ze had de grootste handen die ik ooit bij een vrouw had gezien, ze voelden warm aan tegen mijn koude huid.

Zoals gewoonlijk nam Ali me mee naar een andere eenpersoonscel, maar hij was erg stil. Hij ging in een hoek zitten en keek naar me terwijl ik mijn chador uitdeed.

'Oordeel niet te streng over mij,' zei hij plotseling.

'Mina is dood,' zei ik. 'Een onschuldig meisje is dood en jij maakt je zorgen om mijn oordeel over jou? Natuurlijk oordeel ik streng over je. Wat kan ik anders? Jij hebt hier de leiding.'

'Ik heb niet de leiding. Dat heb ik wel geprobeerd, maar het is niet zo.'

'Wie heeft dan de leiding?'

'Marina, ik doe mijn uiterste best. Je moet vertrouwen in me hebben. Het is niet gemakkelijk. En je moet begrijpen dat ik er liever niet over praat.'

Toen ik om ongeveer vier uur 's nachts naar mijn cel terugkeerde, was het erg stil en daarom liep ik op mijn tenen.

'Is het goed met je?' klonk de stem van Bahar in het duister.

'Ja hoor. Sorry als ik je wakker heb gemaakt.'

'Dat is niet zo. Ik was wakker. Wil je praten?'

'Waarover?'

'Wat je maar op het hart ligt. Tot dusver hebben we bijna alleen maar over mij gepraat, nu is het jouw beurt. En zeg niet dat het goed met je gaat, want ik weet dat het niet zo is.'

Ik probeerde mijn tranen te bedwingen. Haar vraag had me over-rompeld. Waar moest ik beginnen?

'Ik wil het je wel vertellen, maar ik kan het niet.'

'Waag een poging. Je hoeft me niet alles te vertellen.'

'Ik ben Ali's vrouw.'

'Dat meen je niet.'

'Jawel.'

'Hoe kan dat nou? Heeft hij zijn eigen vrouw gearresteerd?'

'Nee. Voordat ik hierheen werd gebracht, kende ik hem niet. Hij was een van mijn ondervragers. Toen mijn andere ondervrager, Ha-mehd, mij meenam om me te executeren, hield Ali dat tegen. Daarna dreigde hij maatregelen te nemen tegen de mensen die ik liefhad, als ik niet met hem trouwde. Ik had geen keus.'

'Dat noem ik verkrachting!'

'Zeg het tegen niemand. Mijn vriendinnen in 246 weten het niet.'

'Ben je zijn sigheh?'

'Nee, hij wilde een permanent huwelijk.'

'Gezien de omstandigheden weet ik niet of je met een permanent huwelijk beter of slechter af bent. Bij een sigheh weet je tenminste dat hij je na verloop van tijd met rust laat. Maar nu...'

'Het gaat wel goed met me.'

'Hoe kan het nu ooit goed met je gaan?'

Dat was het breekpunt. Ik begon te snikken. De baby werd wakker. Bahar pakte hem op, wiegde hem en zong een slaapliedje dat ze zelf had verzonnen. Het ging over de Kaspische Zee, de dichte bossen van het noorden en de kinderen die er onbekommerd speelden.

Ik kon goed overweg met Bahar. Ik vertelde haar over Gita, Taraneh en Mina, en over mijn zelfhaat omdat ik hen niet had kunnen helpen. Zij vertelde me dat ze ook vrienden had verloren en zichzelf had ver-weten dat ze nog in leven was.

Ik vroeg haar hoe de situatie buiten Evin was geweest voordat ze was gearresteerd, en ze vertelde dat er in het afgelopen jaar niet veel was veranderd. De islamitische regering had haar greep op het land met succes verstevigd. De mensen met geen of weinig opleiding volgden Khomeini blindelings, omdat ze naar de hemel wilden, en de mensen met een hogere opleiding hielden zich stil uit angst voor gevangenis, marteling en executie. Ook waren er mensen die geen geloof aan de moellahs en hun propaganda hechtten, maar hen toch volgden in de hoop op een betere baan en een hoger salaris.

Na drie weken bij mij in de cel te hebben gezeten ging Bahar naar 246; ik begon me eenzaam te voelen. Op een avond halverwege september vroeg ik Ali om me terug naar 246 te laten gaan, en hij stemde ermee in. Hij had wat rijst en gebraden kip meegebracht, en we aten samen.

'Morgen is de dag van je nieuwe proces,' zei hij.

Daar werd ik niet blij of geëmotioneerd van. Ik wist dat er zelfs bij vrijspraak niet veel zou veranderen. Ik was getrouwd met Ali en ik moest voorgoed bij hem blijven.

Hij vertelde me dat ik toestemming kreeg om bij dit proces aanwezig te zijn.

'Moet ik dan iets zeggen?'

'Nee, tenzij je iets wordt gevraagd. Ik ben er ook, maak je geen zorgen.'

Hij had nog meer nieuws: het ging beter met Sarah en ze was inmiddels terug in 246. Ze was veroordeeld tot acht jaar.

'Acht jaar? Je had beloofd dat je haar zou helpen!'

'Marina, ik heb haar ook geholpen. Het zou veel erger zijn geweest als ik niets had gedaan. Ze hoeft niet de hele periode uit te zitten. Ik zal proberen haar naam op de lijst voor voorwaardelijke vrijlating te krijgen.'

'Het spijt me, Ali. Je hebt gelijk. Ik weet echt niet wat ik zonder jou had moeten beginnen.'

'Volgens mij is dat het aardigste wat je ooit tegen mij hebt gezegd,' lachte hij en ik realiseerde me dat hij gelijk had.

De volgende ochtend haalde Ali me af uit mijn cel. De rechtszaal was in een ander gebouw op een afstand van tien minuten lopen. Medewerkers en bewakers haastten zich van het ene gebouw naar het andere, soms met een paar gevangenen achter zich aan. Bijna iedereen die we zagen, groette Ali met een lichte buiging en de rechterhand op het hart. Daarna gaven ze omlaag kijkend een hoofdknik in mijn richting. Moslimvrouwen werden niet geacht mannen recht aan te kijken, met uitzondering van hun man, vader, broers en een paar andere verwanten, en ik leefde deze regel maar al te graag na. Ali boog ook voor vrienden en collega's en groette hen met een paar vriendelijke woorden. We betraden het gerechtsgebouw, een bakstenen bouwwerk van twee verdiepingen met tralievensters en donkere gangen. Ali klopte aan bij een gesloten deur en een sonore stem weerklonk: 'Binnen.' We betraden de zaal, waar drie moellahs zaten, ieder achter een lessenaar. Zodra we binnenkwamen, stonden ze op en gaven Ali een hand. Toen ze mij groetten, keek ik omlaag en zei alleen maar: 'Salam aleikum.' Ze vroegen ons plaats te nemen.

'In de naam van God, de erbarmer, de barmhartige,' sprak de moellah die in het midden zat. 'Deze rechtbank van het islamitisch recht is nu officieel in zitting. Mevrouw Marina Moradi-Bakht werd in januari 1982 tot de doodstraf veroordeeld, maar haar werd gratie verleend door de imam en haar straf werd omgezet in een levenslange gevangenisstraf. Sinds die tijd is haar situatie aanzienlijk veranderd. Ze heeft zich bekeerd tot de islam en is getrouwd met de heer Ali-e Musavi, die de islam altijd naar zijn beste vermogen heeft beschermd en bij diverse gelegenheden grote persoonlijke offers heeft gebracht in dienst van de imam. In het licht van al deze veranderingen heeft deze rechtbank haar zaak opnieuw geopend en heeft haar straf verminderd tot drie jaar gevangenisstraf, waarvan zij reeds acht maanden heeft uitgezeten.'

De moellahs stonden op, gaven Ali weer een hand en vroegen ons te blijven voor de thee. Het nieuwe proces was voorbij.

Een paar dagen later keerde ik terug naar kamer 6 op de benedenverdieping van 246. Toen ik de kamer binnenkwam, trof ik Sheida en Sarah pal voor mijn neus aan. We omhelsden elkaar als zussen die elkaar na jaren weer terugzagen, en voordat ik het wist hielden Sima en Bahar ons zo stevig vast dat we hen moesten smeken ons los te laten. Ik kon er niet bij hoezeer Sheida's zoontje Kaveh was gegroeid; hij was nu zes maanden.

'Wat doe jij beneden?' vroeg ik Sheida zodra we in een rustig hoekje zaten.

'Ze hebben me een paar weken geleden weer hierheen overgeplaatst. Waar ben jij geweest?'

'De eenpersoonscellen van 209.'

'Waarom?'

'Ik had veel last van migraine en kon het lawaai hier niet verdragen; daarom hebben ze mij naar 209 overgeplaatst.'

'O.' Ik wist dat ze me niet geloofde, maar ze wilde niet doorvragen. Ze vertelde me dat haar straf was omgezet in levenslang, maar dat haar man nog steeds de doodstraf wachtte.

'Ik denk erover Kaveh naar mijn ouders te sturen. Ik mag hem hier bij me houden totdat hij drie is, maar volgens mij is het egoïstisch om hem hier te houden. Hij heeft nog nooit een boom gezien, een bloem, een schommel of een ander kind,' zei ze. Het was waar: zijn wereld werd omringd door hoge muren, prikkeldraad en gewapende bewakers. Dat verdiende hij niet. Maar telkens wanneer Sheida overwoog hem naar haar ouders te sturen, werd het haar te veel. Ze wist niet of ze hem kon laten gaan.

Sarah en ik kregen werk in een klein naaiatelier dat in de gevangenis was opgezet. We maakten overhemden voor mannen en deden het werk graag, omdat het ons de hele dag bezighield. De bewaaksters zeiden tegen ons dat we voor ons werk betaald zouden krijgen wanneer we uit de gevangenis werden vrijgelaten, maar het loon was zo laag dat je je daar niets van hoefde voor te stellen. Sarah leek zich een stuk beter te voelen. Maar wanneer ze de kans had, schreef ze nog steeds op haar lichaam en op alles waar ze maar op schrijven kon. In het naaiatelier concentreerde ze zich echter op haar werk.

Ondertussen hoopte en bad ik dat Ali genoeg van mij zou krijgen, maar dat gebeurde niet. Zo'n drie avonden per week werd mijn naam over de luidspreker omgeroepen, en na de nacht met hem te hebben doorgebracht in een cel van 209 keerde ik steeds op tijd naar 246 terug voor de ochtend-namaz. De meeste meisjes stelden geen vragen over waar ik 's nachts heen ging, maar als iemand dat wel deed, zei ik dat ik me als vrijwilliger had opgegeven om in het gevangenisziekenhuis te werken. Drie of vier andere meisjes van 246 werden ook geregeld 's avonds opgeroepen. Net als ik keerden ze gewoonlijk net voor zonsopkomst terug. We spraken er niet met elkaar over. Ik kon wel raden dat hun situatie met die van mij te vergelijken was.

De dagelijkse routine van Evin voerde ons door de dagen, de weken en de maanden. Met elk moment dat voorbijging, gleed ons leven uit de tijd vóór de gevangenis verder weg, maar ook al werd de hoop om naar huis terug te keren steeds meer een vage droom, heimelijk koesterden we die nog altijd en weigerden we die op te geven.

17

'Ik heb goed nieuws,' zei Ali op een avond in februari tegen me. Hij had een vrolijke, jongensachtige glimlach op zijn gezicht. 'Akram heeft me vanochtend gebeld. De dokter heeft haar gezegd dat ze zwanger is!'

Ik was bijzonder blij voor haar.

'Ze heeft me ook verteld over jouw droom en het gebed. Ze gelooft dat ze haar geluk aan jou te danken heeft, en ze heeft me laten beloven dat ik je meteen mee naar haar huis neem.'

Ik zei niets. Ali keek me glimlachend aan.

'Wat heb je nog meer achter mijn rug uitgevoerd?' vroeg hij.

'Ik heb helemaal niets achter je rug uitgevoerd.'

'Waarom heb je me hier niets van verteld?'

'Het was iets tussen twee vrouwen.'

'Ben je soms nog bang voor me?'

'Is dat nodig dan?'

'Nee, geen moment. Weliswaar denken we over veel zaken verschillend, maar in zekere zin vertrouw ik jou meer dan mezelf. Als dit kindje in leven blijft, zal Akram je eeuwig dankbaar zijn.'

'God heeft Akrams gebeden verhoord. Het had niets met mij van doen.'

Akram was buiten zichzelf van blijdschap. Ik had nog nooit iemand zo gelukkig zien.

'Toen Ali belde en zei dat je meekwam, heb ik tegen Massud gezegd dat hij snel naar de bakker moest gaan om roomsoesjes voor je te halen. Ik wist nog hoe dol je daarop bent,' zei Akram toen we aan het koken waren. Ze pakte twee grote witte dozen uit de koelkast.

'Lieve hemel, Akram, je hebt genoeg roomsoezen voor een heel leger!'

'Massud is zo blij dat hij de hele bakkerij had leeggekocht als ik hem dat had gevraagd.'

'Heb je hem over het gebed verteld?' vroeg ik, bang dat ze dat inderdaad had gedaan.

'Ik heb het aan iedereen verteld!'

'Werd hij niet kwaad op me?'

'Kwaad? Waarom?'

'Nou ja, je snapt wel, een christelijk gebed.'

'Dat kan hem niets schelen! Het gebed heeft immers gewerkt. We krijgen een kind. Dat is het enige wat telt. Hij zegt dat Maria in de Koran als een edelmoedige vrouw wordt beschreven, en dat er niets mis mee is om haar hulp in te roepen.'

Het geluk van Akram voelde als een klap in mijn gezicht. Maar ik wilde me niet van streek laten maken door haar vreugde.

'Wat is er aan de hand, Marina? Is Ali kwaad op je? Want als dat zo is, zal ik...'

'Ali is niet kwaad.'

Ik legde de roomsoesjes op een dienblad. Ze roken heerlijk vers, maar ik had geen honger. Akram had niet het recht om zo gelukkig te zijn terwijl jonge moeders als Sheida in Evin leden. Het was niet eerlijk.

'Maar je kijkt zo triest, Marina. Wat is er?'

'Het spijt me. Ik ben heel blij voor je, maar ik moet steeds denken aan mijn vriendin Sheida. Zij was in verwachting toen haar man en zij werden gearresteerd en allebei ter dood werden veroordeeld. Ze heeft in de gevangenis het leven geschonken aan een zoontje, Kaveh. Binnenkort is Kaveh één jaar. Het is een verrukkelijk ventje. Sheida's straf is teruggebracht tot levenslang, maar voor haar man geldt nog steeds de doodstraf. Sheida wil Kaveh naar haar ouders sturen, maar ze kan geen afscheid van hem nemen. Hij is haar hele leven. Maar het arme jongetje groeit op in Evin. Hij heeft de buitenwereld nog nooit gezien.'

'Dat is verschrikkelijk. Waarom zit ze in de gevangenis?'

'Dat weet ik niet precies. We praten er nooit over, maar waarschijnlijk had ze zich aangesloten bij de moedjahedien.'

'De moedjahedien zijn terroristen, Marina. Zij zijn slecht.'

'Sheida is niet slecht. Ze is een heel verdrietige vrouw, een moeder. Het geloof dat iemand slecht is geeft ons nog niet het recht om met die persoon te doen wat we maar willen, om zelf slechte dingen te doen. Verkeerd is verkeerd, hoe je er ook tegen aankijkt. Ik weet zeker dat Sheida geen levenslang verdient.'

'Ik zal eens met Ali praten. Misschien kan hij iets voor haar doen.'

'Goed, het kan geen kwaad om het hem te vragen, maar ik denk niet dat hij iets kan doen. Hij is niet haar ondervrager. Hij heeft eerder ook al geprobeerd mensen te helpen, maar dat lukt niet altijd.'

In de samowar begon het te borrelen.

'Kom, Marina, we gaan theedrinken en roomsoesjes eten.'

Ik omhelsde haar en zei haar dat ze me erg dierbaar was. Ik zei dat er zoveel pijn en droefenis in Evin was dat ik was vergeten wat geluk was.

Ongeveer vier maanden later, op onze trouwdag, nodigden Ali's ouders ons bij hen thuis uit voor het eten. We hadden hun in de afgelopen elf maanden ongeveer eens per twee weken een bezoek gebracht en ze waren altijd aardig voor me geweest. Het ging goed met Akrams zwangerschap. Haar baby zou over zo'n drie maanden komen.

'Geef je je vrouw ook een cadeau voor jullie eerste trouwdag?' vroeg meneer Musavi die avond na het eten aan Ali.

Ali zei dat hij met mij een paar dagen naar de Kaspische Zee zou gaan.

'Maar is dat niet gevaarlijk?' vroeg ik.

'Alleen mijn ouders weten waar we heen gaan. We verblijven in het zomerhuisje van mijn oom ergens achteraf, en zelfs hij weet niet eens dat wij daar zijn. Hij denkt dat mijn ouders gaan, en hij is er zelf niet omdat hij op zakenreis is. Wat vind je ervan? Wil je erheen?'

Ik knikte. Hij zei dat we meteen konden vertrekken; zijn moeder had voor mij een koffer gepakt.

We namen de auto van meneer Musavi, een witte Peugeot, en waren voor tien uur al onderweg.

'Hoe ben je op dit idee gekomen?' vroeg ik Ali.

'Je hebt ooit eens gezegd dat je veel van de Kaspische Zee hield, en ik wilde er een paar dagen met ons tweeën tussenuit. We moeten allebei even weg van Evin. Het huisje was vóór de revolutie van een van de ministers van de sjah. Die man heeft met zijn familie het land verlaten in ongeveer dezelfde periode als de sjah. De Rechtbanken van de Islamitische Revolutie legden beslag op zijn huis, of eigenlijk paleis, in Teheran en op zijn zomerhuisje bij Ramsar, en verkochten die per opbod. Mijn oom heeft het huisje voor een zeer gunstige prijs gekocht.'

'Het zal wel heel mooi zijn.'

'Ja. Je zult wel zien. Vertel eens waarom je zoveel van de Kaspische kust houdt.'

Ik vertelde hem dat ik er vele gelukkige zomers had doorgebracht. In Teheran was alles saai en kleurloos, maar aan zee was alles vol leven.

Door het open raampje streek de koele lucht langs mijn gezicht. Aan het begin van de reis rook ik alleen maar stof en uitlaatgassen, maar naarmate de auto vorderde op de kronkelweg door de Elboersbergen, raakte de nachtlucht steeds meer vervuld van de geur van heldere beekjes, populieren en esdoorns. Voor mij was dit de geur van een verloren wereld, van vrijheid, geluk en al het goede wat niet meer bestond.

'Toen je aan het front was en ik in 246 zat, hoorde ik dat mijn vriendin Taraneh Behzadi tot de doodstraf was veroordeeld,' zei ik.

'Taraneh Behzadi? Klinkt me niet bekend in de oren.'

'Jij was niet haar ondervrager. Zij vertelde me dat haar ondervrager Hossein was, van de vierde divisie. Ik dacht dat je haar misschien kon helpen. Ik heb zuster Maryam gevraagd of ik je kon spreken en toen zei ze dat je naar het front was.'

'Marina ik kan niet ingrijpen in de zaken van andere divisies. Zelfs als een van jouw ondervragers was het niet gemakkelijk om strafvermindering voor je te krijgen.'

'Ze is al dood. Ze is terechtgesteld.'

'Wat erg.'

'Meen je dat?'

'Ja, het is erg dat het zo ver moest komen. Maar de islam heeft wetten; die heeft ze overtreden en daarom is ze gestraft.'

'Maar was haar overtreding erg genoeg om een executie te rechtvaardigen?'

'Het is niet aan mij om daarover te beslissen. Ik kende haar niet eens. Ik weet niet wat ze had gedaan.'

'God geeft het leven en hij is de enige die het mag wegnemen.'

'Marina, je hebt alle reden om geschokt te zijn. Ze was je vriendin en je wilde haar helpen. Maar zelfs als ik hier was geweest, had ik haar waarschijnlijk onmogelijk kunnen redden. Ondervragers en zelfs rechtbanken maken weleens een fout. Ik heb mensen weten te helpen die volgens mij een veel te hoge straf hadden gekregen, maar het is me niet altijd gelukt. Ik heb toch geprobeerd Mina te helpen? Maar het was tevergeefs.'

'Taraneh verdiende het niet om te sterven.'

Ik zag alleen Taranehs grote lichtbruine ogen en haar trieste glimlach voor me. Ali hield zijn ogen op de weg gericht.

'Ik heb iets vreselijks gehoord en ik moet je vragen of het waar is of niet,' zei ik.

'Wat?'

'Geloof jij dat maagden na hun dood naar de hemel gaan?'

'Marina, ik weet waar je heen wilt met deze vraag.'

'Geef alsjeblieft antwoord.'

'Nee, dat geloof ik niet. De beslissing wie naar de hemel gaat en wie naar de hel is aan God, niet aan mij. Jonge meisjes worden niet verkracht vóór hun terechtstelling. Je moet niet alles geloven wat ze zeggen.'

Het was te donker en ik kon zijn gezicht niet duidelijk zien, maar zijn ademhaling ging sneller.

'Jíj bent bijna terechtgesteld. Ben jij soms verkracht?' vroeg hij.

'Nee,' zei ik en ik wilde eraan toevoegen 'niet ervóór, maar bijna zes maanden later,' maar ik zag ervan af.

'Marina, ik begrijp dat je geschokt bent over de dood van je vriendin, maar ik verzeker je dat ze niet is verkracht.'

Ik vond niet veel troost in zijn woorden.

Om ongeveer twee uur in de nacht arriveerden we bij het zomerhuisje. Ali stapte uit en deed een grote smeedijzeren poort open; onder een groen bladerdak reden we verder over een verharde oprit. Het beboste terrein was veel groter dan dat van mijn ouders aan de Kaspische Zee, maar vreemd genoeg leek het er toch ook veel op. Het getsjirp van krekels kwam naar binnen door de open raampjes. De wind wervelde tussen de bladeren en de takken, en wierp golven van zilveren schaduwen over de voorruit. Pas toen we parkeerden, hoorde ik eindelijk de zee; de golven sloegen tegen de kust en doordrongen de nacht met hun vertrouwde ritme.

Het witte gebouw van twee verdiepingen was tweemaal zo groot als het zomerhuisje van mijn ouders en aan weerszijden van de ingang stond een stenen leeuw ter grootte van een forse hond. Ali maakte de voordeur open en we liepen naar binnen. De woonkamer was ingericht met stoelen in Franse stijl en salontafels met een glazen blad, en alle vloeren waren bedekt met Perzische tapijten van zijde. Een brede trap die me deed denken aan *Gejaagd door de wind* leidde naar de bovenverdieping met zes slaapkamers. Ali koos de grootste, die uitkeek op zee. In het midden van de kamer stond een kingsize sleebed. Verder stonden er een grote toilettafel met laden van verschillende afmetingen, een grote kleerkast en twee nachtkastjes. Alles was stofvrij en onberispelijk schoon, en daarom vermoedde ik dat Ali's oom hier kortgeleden met zijn gezin was geweest. Ik schoof de witte, kantachtige gordijnen opzij en deed een van de twee ramen open; de zilte bries blies door mijn haar. Ik vroeg me af wat er van de oorspronkelijke eigenaars van het huis was geworden. Ze moesten het hier prachtig hebben gevonden en zouden het vreselijk missen, waar ze ook waren.

'Je naam staat op de lijst voor voorwaardelijke vrijlating,' zei Ali terwijl hij achter me kwam staan.

'Wat houdt dat in?'

'Dat houdt in dat je over ongeveer drie maanden officieel vrij zult zijn.'

Officieel vrij. Wat een merkwaardige term. Zou ik ooit echt vrij zijn? Ik wist niet wat het woord 'vrijheid' voor hem betekende. Hij had mijn vrijheid voorgoed van me afgenomen. Ik zei niets.

'Ben je niet blij dat te horen?'

'Ik weet het niet, Ali. Ik weet niet meer wat ik moet denken. Zelfs als ik officieel vrij ben, zal ik niet kunnen gaan en staan waar ik wil.'

'Jawel. We gaan naar huis. De situatie wordt al beter. Tegen de tijd dat jij wordt vrijgelaten, zal het veilig zijn om naar huis terug te keren.'

Hij pakte mijn schouders vast, draaide me met mijn gezicht naar zich toe en raakte mijn wangen aan.

'Waarom huil je?'

'Ik weet het niet. Herinneringen, denk ik. Ik kan het niet helpen.'

Zijn blik was meestal ondoorgrondelijk, maar soms sprak er een vreemd, intens verlangen uit dat me beangstigde. Ik keek omlaag. Toen ik weer opkeek, stond hij met zijn rug naar me toe uit het raam te kijken.

'Marina, haat je mij nog steeds?' vroeg hij, terwijl hij zich naar mij toekeerde.

'Nee, niet meer. In het begin heb ik je gehaat, maar nu niet meer.'

'Zul je ooit van me houden?'

'Ik weet het niet, maar ik weet wel dat zolang jij in Evin werkt en je baan onder meer bestaat uit het pijnigen van mensen, ik niet van je zal kunnen houden. En vergeet niet dat je me tot een huwelijk gedwongen hebt. Ik ben jouw gevangene.'

'Je moet niet denken dat ik jou gevangenhoud.'

'Maar zo is het wel.'

'Nee, zo zie jij het.'

'Hoe bedoel je?'

'Begrijp je het dan niet? Je was al bijna dood en ik heb je het leven teruggegeven. Dacht je echt dat je zomaar weg kon? Dacht je dat Hamehd en de anderen daar genoegen mee hadden genomen? Je bent naïef. Ik wilde je, maar ik ben niet egoïstisch. Als er een manier bestond, had ik je laten gaan, en dan had ik me daarna waarschijnlijk door het hoofd geschoten. In zekere zin zijn we allebei gevangenen.' Hij legde zijn armen om me heen. 'Vóór de revolutie ben ik drie jaar politieke gevangene geweest. Ik weet wat het betekent naar huis terug te willen. Maar ik zal je iets zeggen: jouw "thuis" is niet hetzelfde als toen je wegging, en zelfs als dat wel zo zou zijn, dan ben jij niet meer dezelfde. Je familie zal je nooit begrijpen; de rest van je leven zul je eenzaam zijn. Waarschijnlijk is het zonde van de tijd dat ik je dit allemaal vertel, omdat je nog te jong en te goed van vertrouwen bent. Je kunt nergens heen. De enige plek ter wereld waar je hoort is bij mij, en de enige plek voor mij is bij jou.'

We gingen naar bed, maar ik kon niet slapen en keek naar het maanlicht op de vloer. Ali sliep met zijn rug naar mij gekeerd. Zijn linkerschouder rees en daalde met elke ademhaling. Ik had Taraneh verteld dat ik niet was verkracht voordat ze me meenamen voor de executie, en dat was de waarheid. Maar Hamehd en de bewakers wisten dat ik christen was, en in hun gedachtegang zou ik, maagd of niet, sowieso naar de hel gaan. En Taraneh wist dat ook, maar ze had me toch die vraag gesteld. Weliswaar had ze haar doodstraf aanvaard, maar ze zocht wanhopig steun bij de geringste geruststelling dat ze met waardigheid zou sterven. Ali had me verteld dat de jonge meisjes niet werden verkracht voordat ze voor het vuurpeloton kwamen te staan. Maar hij geloofde ook niet dat hij mij had verkracht. In zijn ogen had hij me tot een huwelijk gedwongen voor mijn eigen bestwil. Misschien had hij onder het mom van sigheh meisjes verkracht zonder er verder bij na te denken. Ik wilde graag geloven dat hij nooit zoiets had gedaan, dat ik de enige was die hij ooit tot wat voor huwelijk dan ook had gedwongen, maar ik kon op geen enkele manier de waarheid achterhalen.

Ik gleed het bed uit en liep naar de zee. Kleine golfjes kabbelden tegen de rotsige kust, en sterren dreven langs tussen zilvergrijze wolken, waarvan de parelachtige gloed in het wateroppervlak werd weerkaatst. De Kaspische Zee riep me als een oude vriend. Ik dacht dat ik het aankon, dat ik de zwaarte van het verlies dat op me drukte kon dragen. Maar ik kon nergens iets goeds in ontdekken. Nu riep de zee mij, en ik wilde gaan. Die vreselijke drang, dat sterke verlangen om te verdwijnen. Ik liep de golven in. Ze waren net zo warm als ik me herinnerde. Hier kon ik een herinnering worden, maar dan zou alles wat ik in mijn hart bewaarde verloren gaan.

'Het leven is kostbaar, laat het niet gaan, leef het.' De stem van de engel.

'Ik had je nodig. Ik heb je geroepen en je kwam niet. En nu zeg je mij dat ik het niet moet laten gaan? Wat precies moet ik niet laten gaan?'

'Het leven is kostbaar, laat het niet gaan, leef het.'

'Wat doe je als ik met mijn hoofd onder water ga en water inadem in plaats van lucht? Laat je me ditmaal sterven en verwijt je me dan dat ik heb toegegeven aan de wanhoop en het verdriet? Of bezorg je me glimlachend een schuldgevoel over alles wat ik heb gedaan en wat ik heb nagelaten, en laat je me dan verder leven in deze kwelling?'

De wind blies langs me heen en woei naar de bossen en het dal van de Witte Rivier. Daarna dreef hij stilletjes door de woestijn om zijn weg te vinden naar de oceaan.

Druipend liep ik terug naar het huisje. Ali stond bij de poort aan de strandzijde. Hij huilde. Waarom kon ik niet gewoon van hem houden en het verleden loslaten? Ik moest me overgeven aan het ritme van het bestaan, als een kind dat ontdekt hoe het in water kan blijven drijven.

'Ik werd wakker en je was weg,' zei hij, terwijl hij me van het vochtige zand optilde en als een kind naar binnen droeg.

Na vijf dagen in het zomerhuisje keerden we terug naar Evin. Er was niets veranderd. Vier weken verstreken en toen, eind augustus, voelde ik me ontzettend misselijk. Nadat ik enkele dagen had overgegeven, nam Ali me mee naar de huisarts van zijn moeder. Zij voerde een paar tests uit en vertelde me vervolgens dat ik acht weken zwanger was. Het was niet eens bij me opgekomen dat ik zwanger kon zijn. Toen ik ermee instemde om met Ali te trouwen, had ik alleen aan de gevolgen van mijn besluit gedacht voor mijn eigen leven, dat van mijn ouders en van Andre. Ik had nooit over kinderen nagedacht. Nu was er nog een leven waarop het invloed had: dat van een onschuldig kind. Een kind zou mij nodig hebben, op mij vertrouwen, en of ik het wilde of niet, het zou zijn vader nodig hebben.

Ali wachtte op mij in de auto. Hij was dolgelukkig toen ik hem het nieuws vertelde.

'Ben je blij?' vroeg hij me.

Zijn vraag bracht me in verwarring. Ik was niet blij en dat was niet eerlijk. Het kindje in mij wist niets van mijn leven. Het had alleen behoefte aan mijn liefde en aandacht. In zekere zin was ik zijn engel. Hoe zou ik het mijn rug kunnen toekeren?

'Ik ben blij,' zei ik, 'maar ik ben ook verward.'

'We gaan naar mijn ouders. Ik wil het ze meteen vertellen.'

Ik wist dat mijn ouders het ook moesten weten, evenals Andre. Wie zou de eerste steen werpen?

Zodra we bij het huis van zijn ouders kwamen, belde Ali naar Akram. Zijn ouders waren ook dolgelukkig en ik vond het fijn dat ze zo blij waren. De hele avond door gaf zijn moeder me adviezen over de verschillende stadia van de zwangerschap. Ik had het gevoel dat ik Ali's moeder beter kende dan mijn eigen. Ik verlangde zo wanhopig naar een normaal leven en geluk dat ik wenste dat ik mezelf kon vergeten en van Ali kon houden. Maar dat was onmogelijk. Ik zou hem nooit kunnen vergeven wat hij had gedaan, niet alleen tegenover mij, maar ook tegenover anderen.

'Je moet hier bij ons blijven,' zei Ali's moeder tegen me. 'Je hebt rust nodig en je moet goed eten.'

Ik sloeg het aanbod af, maar zij drong aan. Meneer Musavi kwam tussenbeide. 'Ze moet doen wat ze zelf wil,' zei hij. 'Ze is hier meer dan welkom. Dit is haar thuis evenzeer als dat van Ali, maar misschien wil ze bij haar man zijn. Zwangerschap is geen ziekte. Het zal heus wel goed met haar gaan.'

Akram arriveerde, en omhelsde en kuste mij. Zij was ongeveer over vier weken uitgerekend, en haar buik leek veel te dik voor zo'n kleine vrouw. We gingen naar haar vroegere slaapkamer om onder vier ogen te kunnen praten.

'Marina, ik ben nog nooit in mijn leven zo blij geweest! Dit is geweldig! Onze kinderen zullen samen opgroeien. Ze zullen bijna even oud zijn.'

Ik wendde me van haar af.

'Wat is er?' vroeg ze.

'Niks. Ik voel me gewoon de hele tijd misselijk.'

'Ben je blij dat je zwanger bent?'

Die vraag wilde ik niet horen, laat staan beantwoorden. Het deed me pijn omdat ik wist dat ik niet blij was. Ik had geprobeerd het te zijn, maar ik was het niet. Ik wilde het kind niet – en dat deed pijn.

'Volgens mij wil je het kind niet.'

'Nee, maar zo wil ik me niet voelen. God weet dat ik het heb geprobeerd.'

'Het is niet jouw schuld. Je bent bang. Kom eens voelen, het kindje beweegt.'

Ze legde mijn hand op haar buik en ik voelde de baby schoppen.

'Jouw kindje zal net zo groeien en zich binnen in jou bewegen. Het is het mooiste gevoel ter wereld. Geef het een kans. Ik weet zeker dat je meer van dit kind zult houden dan je je kunt voorstellen. Ik zal je overal wel mee helpen. Je hoeft je geen zorgen te maken. En Marina, Ali houdt echt van je, jij bent alles voor hem.'

Akram was een echte zus voor mij geworden en of ik het wilde of niet, ik hoorde nu bij Ali's familie. Ik had bij hen het gevoel dat ze meer van mij hielden en beter voor mij zorgden dan mijn eigen familie, en door hun liefde voelde ik me schuldig omdat ik besefte dat ik ook van hen hield. Maar liefde behoorde je geen beschaamd gevoel te geven. Liefde was geen zonde, maar was dat voor mij wel geworden. Hield dat in dat ik op een dag ook van Ali zou gaan houden? Hield dat in dat ik mijn ouders en Andre volledig had verraden?

Die nacht lagen Ali en ik wakker in een duistere cel.

'Marina, morgen neem ik ontslag,' zei hij.

Ik was verrast dit te horen, maar het was niet geheel en al onverwacht. Ook al sprak Ali zelden met mij over zijn werk, ik verbleef in Evin en ik had gezien hoe zijn frustratie was gegroeid. Ik had dat vooral gezien na de dood van Mina. Ik had Ali de schuld gegeven van wat er met haar was gebeurd, en ik was ervan overtuigd dat hij meer had moeten doen om haar te redden, maar ik had ook zijn hulpeloosheid gevoeld. Hij had de strijd tegen Hamehd verloren.

'Waarom?' vroeg ik.

Hij wilde er niet over praten, maar ik vond dat ik het recht had om het te weten. Hij vertelde me dat hij een forse aanvaring had gehad met Assadollah-e Ladjevardi, de openbare aanklager van Teheran die aan het hoofd stond van Evin. 'Assadollah en ik zijn jarenlang vrienden geweest,' zei hij. 'Hij heeft ook in Evin gevangengezeten in de tijd van de sjah, maar hij is nu te ver doorgeslagen. Ik heb geprobeerd iets in Evin te veranderen en dat is me niet gelukt. Hij wilde niet luisteren.'

Ik had Ladjevardi tweemaal gezien. Hij was een keer voor een rondleiding gekomen in het naaiatelier waar ik werkte. En een keer stapte ik juist uit Ali's auto toen Ladjevardi, die net in een andere auto wilde stappen, op ons af kwam lopen en ons hartelijk begroette. Ali stelde me aan hem voor en hij zei dat hij over me had gehoord en blij was me te ontmoeten. Hij wenste ons veel geluk en zei dat hij trots op me was vanwege mijn bekering tot de islam.

'Ik heb je een goed leven beloofd toen we trouwden,' zei Ali, 'en dat zullen we ook hebben, ver weg van deze plek. Ik ga bij mijn vader werken en dan kunnen we een normaal leven leiden. Jij bent sterk, geduldig en dapper geweest, zoals ik wel van je had verwacht. Nu is het tijd om naar huis te gaan. Ik heb alleen nog ongeveer drie weken nodig om allerlei zaken te regelen.'

Plotseling was het vertrek uit Evin een reële mogelijkheid geworden, maar ik was helemaal niet blij. Ik wist dat ik als vrouw van Ali altijd een gevangene zou blijven.

'Ik moet mijn ouders inlichten,' zei ik. Ik kon mijn huwelijk niet eeuwig geheimhouden, zeker niet nu er een baby op komst was.

In de verte hoorden we een paar geweerschoten. Ali vertelde me dat hij vaak terugdacht aan de nacht waarin ik bijna was doodgeschoten.

'Als ik ook maar een paar seconden later was gekomen, was je dood geweest. Ik heb het je nooit verteld, maar soms heb ik er nachtmerries van. De droom is altijd hetzelfde: ik ben er, maar ik ben te laat. Je bent dood en zit helemaal onder het bloed.'

'Zo had het moeten gaan.'

'Nee! God heeft me geholpen jou te redden.'

'Maar de anderen dan? Er zijn ook mensen die van hén hielden en niet wilden dat ze stierven, net zoals jij niet wilde dat ik stierf.'

'De meesten hebben het aan zichzelf te danken,' zei hij.

Ik wilde hem door elkaar schudden. 'Nee, je ziet het verkeerd! Je bent maar een mens. Kun je zeggen dat je alles over hen wist? Voor een beslissing over leven of dood is een volledig inzicht in de wereld nodig, dat wij niet hebben. Alleen God kan zo'n beslissing nemen, omdat alleen hij alles weet.'

Ik huilde en moest rechtop gaan zitten om lucht te krijgen.

'Het spijt me,' zei hij. 'Ik praat het geweld niet goed, maar soms heb je geen keus. Als iemand een pistool tegen je hoofd houdt en je de kans krijgt om je te verdedigen en als eerste te schieten, dan doe je dat. Of wil jij sterven zonder terug te vechten?'

'Ik zal geen ander mens doden.'

'Dan winnen de slechte mensen en verlies jij.'

'Als het nodig is iemand te doden om te winnen, verlies ik liever. Maar anderen die getuige zijn van mijn dood of ervan horen, zullen dan weten dat ik ben gestorven omdat ik weigerde toe te geven aan haat en geweld, en zij zullen het zich blijven herinneren en misschien zullen ze op een dag een vreedzame manier vinden om het slechte te verslaan.'

'Marina, je leeft in je eigen idealistische wereld, die niets van doen heeft met de realiteit.'

Ik bleef die nacht wakker nadat hij in slaap was gevallen. Ik kreeg de indruk dat Ali begon in te zien dat geweld zinloos was – dat het martelen en terechtstellen van tieners nooit tot iets goeds kon leiden en God nooit zou kunnen behagen. Misschien had hij me daarom wel van de dood gered en was hij daarom met me getrouwd. Ik was zijn vreemde, wanhopige daad van verzet tegen alles wat er gaande was in Evin.

Op maandag 26 september gingen Ali en ik voor het avondeten naar zijn ouders. Er waren twee weken verstreken sinds zijn ontslagname en onder het eten vertelde hij me dat we over ongeveer een week uit Evin zouden vertrekken en teruggaan naar het huis dat hij voor ons had gekocht.

Om ongeveer elf uur namen we afscheid en liepen naar buiten. Ali's ouders kwamen niet met ons mee naar buiten omdat het een koude avond was. De metalen deur tussen hun voortuin en de straat knarste toen Ali hem openduwde, en het slot gaf een luide klik toen de deur achter ons dichtviel. We liepen naar de auto, die bijna dertig meter verderop geparkeerd stond, waar de straat iets breder was. In de verte blafte een hond. Plotseling weerklonk het harde geluid van een motor. Ik keek op en zag hem om de hoek op ons afkomen. Er zaten twee donkere figuren op, en zodra ik hen zag, wist ik instinctief wat er gebeuren ging. Ali wist het ook en duwde me weg. Ik verloor mijn evenwicht en viel op de grond. Er werden schoten afgevuurd. Gedurende een moment, dat zich uitstrekte tussen leven en dood, werd ik omgeven door de zijdeachtige zachtheid van een gewichtloze duisternis. Daarna viel er een vaag licht in mijn ogen en drong een doffe pijn door tot in mijn botten. Ali lag boven op me. Ik kon me nauwelijks bewegen, maar ik slaagde erin me naar hem toe te draaien.

'Ali, is alles goed met je?'

Hij kreunde en keek me aan met ogen vol van schrik en pijn. Mijn lichaam en benen voelden merkwaardig warm aan, alsof ze in een deken waren gewikkeld.

Zijn ouders renden op ons af.

'Snel!' gilde ik, 'bel een ambulance!'

Zijn moeder rende weer naar binnen. Haar witte chador was op haar schouders gevallen, zodat haar grijze haar zichtbaar werd. Zijn vader knielde naast ons.

'Gaat het goed met je?' vroeg Ali mij.

Mijn lichaam deed wel wat zeer, maar ik had geen erge pijn. Ik zat helemaal onder zijn bloed.

'Met mij is het goed.'

Ali greep mijn hand. 'Vader, breng haar weer naar haar familie,' wist hij nog uit te brengen.

Ik hield hem dicht tegen me aan. Zijn hoofd rustte tegen mijn borst. Als hij me niet had weggeduwd, zou ik zijn geraakt. Hij had mijn leven nogmaals gered.

'God, laat hem alsjeblieft niet doodgaan!' huilde ik.

Hij glimlachte.

Ik had hem gehaat, ik was kwaad op hem geweest, ik had geprobeerd hem te vergeven en ik had tevergeefs geprobeerd hem liefde te geven.

Hij haalde moeizaam adem. Zijn borstkas ging op en neer en viel toen stil. Om ons heen ging de wereld door, maar wij waren achtergebleven, aan de andere kant van een onverbiddelijke kloof. Ik wilde tot voorbij de duistere diepte van de dood reiken en hem terughalen.

De knipperende lichten van een ambulance... Een scherpe pijn in mijn onderbuik... En de wereld om me heen verdween in duisternis...

Ik stond in een weelderig bos met mijn kindje in mijn armen. Het was een prachtig jongetje met grote donkere ogen en blozende wangen. Hij graaide met zijn handje, greep mijn haar vast en kirde. Ik lachte en toen ik opkeek, zag ik de engel des doods. Ik rende op hem af. Hij toonde zijn warme, vertrouwde glimlach, en ik werd vervuld van zijn zoete geur. Ik had het gevoel alsof ik hem de dag ervoor nog had gezien, alsof hij me nooit had verlaten.

'Kom, we gaan wandelen,' zei hij en hij liep over een pad het bos in. Ik liep hem achterna. Het was een prachtige dag en het leek alsof het zojuist was gestopt met regenen: de bladeren van de bomen om ons heen glommen onder grote druppels water. Overal waren struiken met roze rozen en de lucht was zoet en warm. Ik was achteropgeraakt. Hij verdween achter een boom en daarom versnelde ik mijn pas om hem in te halen; toen trof ik hem zittend op mijn gebedsrots aan. Ik ging naast hem zitten.

'Je hebt een prachtige zoon,' zei hij.

De baby begon te huilen. Ik wist niet wat ik moest doen.

'Hij heeft waarschijnlijk honger. Je moet hem voeden,' zei de engel.

Alsof ik het al talloze malen eerder had gedaan, legde ik mijn zoon aan mijn borst, en hij nam die in zijn warme mondje.

Ik deed mijn ogen open. Een voor een vielen dikke druppels uit een doorzichtige plastic zak in een slangetje. Drup. Drup. Drup. Ik volgde het slangetje met mijn ogen; het was verbonden met mijn rechterhand. De kamer was donker op het zachte schijnsel van een nachtlampje na. Ik lag op een schoon, wit bed. Op een tafeltje naast mijn bed stond een telefoon. Ik reikte ernaar met mijn linkerhand en er schoot een scherpe pijn door mijn buik. Ik viel terug in de kussens en haalde diep adem. De pijn ging weg. Ik hield de hoorn bij mijn oor.

De lijn was dood. Tranen biggelden over mijn wangen.

De deur zwaaide open en een verblindend licht viel tot op mijn bed. Een vrouw van middelbare leeftijd met een witte hoofddoek en een witte manteau kwam de kamer in.

'Waar ben ik?' vroeg ik haar.

'Het is goed, liefje. Je ligt in het ziekenhuis. Wat kun je je nog herinneren?'

'Mijn man is dood.'

Mijn man is dood. Lieve God, waarom doet dit zoveel pijn?

De vrouw liep de kamer uit en ik deed mijn ogen dicht. *Hij is dood, weg, en ik voel me eenzaam. Verschrikkelijk eenzaam. Ik voel bijna hetzelfde als toen ik de soldaten het lichaam van Arash op een legertruck zag gooien. Maar ik hield van Arash en ik heb nooit van Ali gehouden. Wat is er met me aan de hand?*

Dit was verdriet, niet onderkend, maar wel aanwezig en intens.

Iemand riep mijn naam. Ik deed mijn ogen open en zag een man van middelbare leeftijd met een grijze baard en een kaal hoofd. Hij zei dat hij een arts was en vroeg me of ik pijn had, en ik zei van niet. Daarna deelde hij me mee dat ik mijn kindje had verloren. Toen bleef er helemaal niets meer van me over.

Ongeveer twee dagen lang wisselden nachtmerries, dromen en de werkelijkheid elkaar af zonder dat ik wist met welke van de drie ik te maken had. Ergens te midden van schimmige beelden en vage stemmen zag ik meneer Musavi aan mijn bed zitten. Ik raakte zijn schouder aan en hij keek me aan. De kamer was bezaaid met lichtvlekken van de zon.

'Dit is ons allemaal te veel,' zei hij huilend, 'maar we moeten ons overgeven aan de wil van God.'

Ik wenste dat ik de wil van God kon begrijpen, maar dat kon ik niet.

Meneer Musavi praatte door, maar zijn stem werd alsmaar zwakker totdat hij helemaal verdween. Ik droomde dat Andre en ik hand in hand over het strand liepen. Taraneh was er, evenals Sarah, Gita en Arash. Een moment later stond ik bij de deur van het zomerhuisje van mijn ouders en keek naar de oprit. Ali liep van me weg, terwijl hij me vaarwel wuifde. Ik rende uit alle macht achter hem aan om hem in te halen en riep zijn naam, maar hij was verdwenen.

Ik werd wakker met iets kouds op mijn voorhoofd. Akram stond naast mijn bed, en wat ik had gevoeld was haar koude hand. Ze had donkere kringen onder haar ogen en huilde zachtjes. Ik wist niet meer waar ik was. Ze vertelde me dat ik in het ziekenhuis lag. Ik vroeg haar of Ali echt dood was, en zij bevestigde dat. Snikkend kroop ze naast me in bed en legde haar arm om mijn schouder.

Toen ik eindelijk genoeg bij zinnen was, zei meneer Musavi tegen me dat hij een regeling zou treffen voor mijn vrijlating, maar dat hij te horen had gekregen dat hij me voorlopig naar Evin moest terugbrengen. Hij zei ook dat Ali enkele dagen voor zijn dood een testament had laten maken en al zijn bezittingen aan mij had nagelaten. Ik zei tegen meneer Musavi dat het me niet juist leek om iets mee te nemen wat aan Ali toebehoorde.

'Wil je nog steeds je familie niets over je huwelijk vertellen?' vroeg hij.

Ik gaf geen antwoord.

'Je hebt mijn zoon heel gelukkig gemaakt,' zei hij. 'Je verdient het om een nieuw leven te beginnen.'

Hij ging op een stoel naast mijn bed zitten, met een ketting van amberkleurige gebedskralen in zijn hand. Ik herkende die: het was Ali's gebedssnoer. Ik vroeg hoe het met Fatemeh khanoem ging, en hij zei dat ze zich sterk hield.

'Hoe gaat het met Akram?' vroeg ik.

'Ze is een paar dagen geleden bij je geweest en heeft geprobeerd met je te praten, maar het ging niet goed met je.'

'Ja, ze is hier geweest...' Ik herinnerde het me.

'Ze is bevallen van een jongen,' zei meneer Musavi met een wat trotse glimlach.

'Wanneer?'

'De weeën kwamen op gang nadat we haar het slechte nieuws over Ali hadden verteld.'

Akram lag in hetzelfde ziekenhuis. Ze had een zware bloeding gehad, die nu onder controle was, en het kindje had een beetje geelzucht gehad, maar dat werd al beter.

Voordat meneer Musavi me naar Evin terugbracht, nam hij me mee naar Akram en haar kleine jongen, die ze Ali had genoemd. Onderweg naar Akrams kamer kwamen we langs een groot raam van een zaal waar wel dertig baby's in kleine bedjes lagen te slapen of te huilen. Meneer Musavi wees naar een kleine baby met een rood, gerimpeld gezichtje die vreselijk lag te krijsen. Dat was kleine Ali. Ik vroeg of ik hem mocht vasthouden en de verpleegkundige bracht hem naar me toe. Hij hield op met huilen zodra ik hem in mijn armen wiegde, en begon aan mijn manteau te zuigen; hij had honger. Zonder mijn tranen te kunnen bedwingen bracht ik hem naar Akram en zij legde hem aan haar borst.

Mijn kindje was dood. Ik zou van hem hebben gehouden als hij had geleefd. Maar nu zou ik hem nooit voeden, nooit zijn luiers verschonen, nooit met hem spelen, en hem niet zien opgroeien.

Toen ik het kantoor van 246 in liep en mijn blinddoek afdeed, keek een bewaakster die ik nooit eerder had ontmoet mij aan. Ze was in de veertig en lachte een beetje spottend.

'De befaamde Marina, of moet ik zeggen Fatemeh Moradi-Bakht? Eindelijk ontmoeten we elkaar. Je moet één ding goed onthouden: ik ben hier nu de baas en je krijgt van nu af aan geen speciale behandeling meer. Je bent net als alle anderen. Begrepen?'

Ik knikte. 'Waar is zuster Maryam?'

'De zusters van de Revolutionaire Garde in Evin hebben een andere taak gekregen. Ik ben zuster Zeinab. Ik ben lid van de islamitische comités en wij hebben het hier nu voor het zeggen. Nog meer vragen?'

'Nee.'

'Ga naar je kamer.'

Het leven wist me altijd wel op mijn nummer te zetten. Het kon nog steeds erger. Maar ik was te moe om er nog een traan om te laten.

In kamer 6 had iedereen zich om me heen verzameld. De stem van Bahar klonk boven alle andere uit.

'Meisjes, geef haar wat ruimte. Marina, gaat het?'

Ik keek haar aan en alle stemmen stierven weg.

Toen ik weer bij bewustzijn kwam, lag ik op de vloer in een hoek met een deken over me heen. Bahar zat naast me in de Koran te lezen.

'Bahar.'

Ze glimlachte. 'Het leek wel of je in coma lag. Waar heb jij gezeten?'

Ik vertelde haar over de moordaanslag op Ali. Ze keek ervan op.

'Hij heeft zijn verdiende loon gekregen,' zei ze.

'Nee, Bahar. Dit heeft hij niet verdiend.'

'Haat jij hem dan niet om wat hij je heeft aangedaan?'

Waarom stelde iedereen mij die vraag?

'Hij was niet alleen maar slecht. Hij had ook zijn goede kanten. Hij was triest en eenzaam, en hij wilde de situatie veranderen en de mensen helpen, maar hij wist niet precies hoe, of misschien wist hij dat wel, maar kon hij dat niet, omdat mensen als Hamehd dat niet toelieten.'

'Je praat wartaal. Hij heeft je herhaaldelijk verkracht.'

'Ik was met hem getrouwd.'

'Wilde je met hem trouwen?'

'Nee.'

'Hij heeft je ertoe gedwongen.'

'Ja.'

'Ook wettelijk toegestane verkrachting is verkrachting.'

'Bahar, het is allemaal erg verwarrend. Volgens mij is het allemaal mijn schuld.'

'Niets is jouw schuld.'

Ik vroeg haar naar haar zoon Ehsan, en ze vertelde me dat hij een dutje deed. Ze had nog niets van haar man gehoord.

Ongeveer twee weken later werd mijn naam over de luidspreker omgeroepen. Meneer Musavi stond in het kantoor op mij te wachten.

Zuster Zeinab vroeg hem een document te ondertekenen waarop stond dat ik voor tien uur die avond terug moest zijn.

'Ik neem je mee naar mijn huis voor het avondeten,' zei hij zodra we het kantoor uitliepen.

'Deze nieuwe zusters zijn niet erg aardig.'

'Nee, helemaal niet.'

Meneer Musavi was wat afwezig terwijl we naar zijn auto liepen.

Toen we de poort waren gepasseerd, vroeg hij me of ik me al beter voelde, en ik zei van wel. Hij zei dat het ook met zijn familie en met hemzelf wat beter ging. God had hun kracht gegeven en Akrams kindje had hen volop in beslag genomen. Daarna haalde hij eens diep adem en zei dat hij had gehoord dat de aanslag op Ali het werk van bekenden was geweest. Ik kon het niet geloven.

'Hamehd?' vroeg ik.

'Ja. Hij is een van hen, maar het valt niet te bewijzen.'

Ik zei dat Ali me had verteld dat hij moeilijkheden had gehad met Assadollah-e Ladjevardi. Daarop zei meneer Musavi dat hij geloofde dat Ladjevardi opdracht tot de moord had gegeven.

'Kunt u iets doen om de verantwoordelijken voor de rechter te brengen?' vroeg ik.

'Nee, zoals ik al zei, er valt niets te bewijzen. Niemand zal willen getuigen.'

Meneer Musavi had zijn enige zoon verloren en de moordenaars, die de collega's van zijn zoon waren, gingen vrijuit. Dat deed hem verschrikkelijk pijn. Ik vond het op een trieste manier ironisch dat Ali bijna net zo was gestorven als de jonge mannen en vrouwen die in Evin werden geëxecuteerd: leden van dezelfde vuurpelotons die Gita, Taraneh en Sirus hadden gedood, hadden ook de trekker overgehaald om zijn leven te beëindigen.

'En je moet nog iets weten, Marina,' zei meneer Musavi. 'Ik heb geprobeerd je vrij te krijgen, maar dat is me niet gelukt.'

'Waarom niet?'

'Omdat de aanhangers van de harde lijn, zoals Ladjevardi, die veel invloed in Evin hebben, zeggen dat je niet naar je oude leefwijze mag terugkeren. Volgens hen zouden ze daarmee je geloof in de islam in de waagschaal leggen. Ze zeggen dat je de vrouw van een martelaar bent, dat je man werd gedood door de moedjahedien, dat je tegen de ongelovigen moet worden beschermd en dat je zo snel mogelijk met een goede moslim moet trouwen.'

Ik kon mijn oren niet geloven. 'Ik ga nog liever dood,' zei ik.

Hij schudde zijn hoofd. 'Zover hoeft het niet te komen, Marina. Ik heb mijn zoon beloofd dat ik ervoor zou zorgen dat je weer thuiskomt en dat doe ik ook. Ik zal de imam moeten opzoeken. Ik weet zeker dat ik hem kan overreden om je vrijlating te gelasten. Sommige mensen zullen kwaad worden en zullen hun best doen complicaties te veroorzaken, zodat het langer kan duren dan ik had verwacht, maar het komt goed. Je moet sterk zijn. Ik mag dan wel niet in staat zijn Ali's moordenaars voor de rechter te brengen, maar ik zal jou beschermen, omdat hij wilde dat ik dat zou doen.'

'Neemt u me mee naar Ali's graf?' vroeg ik.

Dat beloofde hij.

'Marina, heb je eigenlijk van hem gehouden?' vroeg hij plotseling.

Ik werd door die vraag verrast. Ik had nooit verwacht dat hij zo openhartig tegenover mij zou zijn.

'Niet zo lang voor zijn dood vroeg hij me of ik hem haatte, en ik heb hem gezegd dat dat niet zo was. Ik kan niet zeggen dat ik van hem hield, maar ik gaf wel om hem,' zei ik.

Ik was nog nooit zonder Ali naar het huis van zijn ouders geweest. Ik had steeds weer het gevoel dat hij zo de kamer binnen kon lopen.

Na het avondeten zei Ali's moeder dat ze onder vier ogen met me wilde praten. We gingen naar de oude slaapkamer van Akram. Ze deed de deur achter ons dicht, ging op het bed zitten en gebaarde dat ik naast haar moest komen zitten. Ze vertelde me dat meneer Musavi zijn best deed om me terug bij mijn ouders te krijgen, en ik zei dat ik dat wist.

'Ik weet dat hij het je heeft verteld, maar ik wilde je het ook zelf zeggen,' zei ze. 'Het was Ali's laatste wens dat je naar huis zou gaan, en die betekent veel voor ons.'

Ze zei dat ze nooit had verwacht dat Ali het zou overleven toen hij vóór de revolutie door de SAVAK was gearresteerd en naar Evin gebracht. Ze wist dat het een eer was de moeder van een martelaar te zijn, maar ze was doodsbang geweest. Ze had haar enige zoon niet willen verliezen. Toen hij naar het front ging, was ze nogmaals bang geweest, en bij zijn terugkeer was ze opgelucht geweest, in de overtuiging dat hij in Teheran veilig zou zijn.

'Maar kijk wat er is gebeurd,' snikte ze. 'De mensen met wie hij werkte, hebben hem een dolk in de rug gestoken. De mensen die geacht werden hem te beschermen. De mensen die hij vertrouwde. En daar is niets aan te doen. Hij heeft de sjah en de oorlog overleefd, en wordt dan zo vermoord. We kunnen nu alleen nog zijn laatste wens in ere houden. En dat doen we ook, dat beloof ik je. En we zijn ons er heel goed van bewust dat Akram haar zoon aan jou te danken heeft. De kleine Ali is een wonder. Hij is onze hoop.'

Er klonk een klop op de deur, en Akram kwam binnen met de kleine Ali in haar armen. Hij was gegroeid sinds ik hem in het ziekenhuis had gezien. Hij had volle blozende wangen en grote donkere ogen; hij was prachtig. Ik hield hem vast en dacht aan mijn eigen kindje. Ik was er dankbaar voor dat ik de kans had gehad mijn zoon vast te houden, al was het maar in een droom.

Enkele dagen later nam meneer Musavi me mee naar de begraafplaats Behesht-e Zahra, waar Ali begraven lag. Behesht-e Zahra ligt net ten zuiden van Teheran, niet ver van de snelweg naar Qom, een stad die beroemd is om zijn moslimscholen. Akram ging ook mee. Ze zat naast mij achterin, en gedurende de twee uur van de reis hielden we zwijgend elkaars hand vast. De weg was een donkere, strakke lijn die de woestijn doorsneed. Het had de avond tevoren geregend, maar nu trokken de wolken weg. Ik leunde met mijn hoofd achterover en liet de golven van licht en schaduw over me heen spoelen. Ik had eerder ook al vriendinnen en dierbaren verloren, maar Ali hoorde daar niet bij. Hij was anders dan de anderen die ik had gekend. Ik kon niet veranderen wat hij me had aangedaan of wat er tussen ons was gebeurd. Hij stierf op het moment dat hij afstand begon te nemen van de persoon die hij was geweest. Veel onschuldigen hadden binnen de muren van Evin hun leven verloren en waren begraven in een naamloos graf, en Ali was medeverantwoordelijk voor de verschrikkelijke dingen die daar waren gebeurd. Maar zijn dood was niet rechtvaardig. De aanhangers van de harde lijn die verantwoordelijk waren voor zijn dood, hadden hem vermoord omdat hij een bedreiging voor hen werd, omdat hij had geprobeerd de situatie te verbeteren, omdat hij had geprobeerd zich ervan los te maken.

Op de begraafplaats kon ik niet helder nadenken. De wereld was een warboel van onsamenhangende beelden geworden. Ik kwam weer tot mezelf toen Akram me zei dat we Golzar-e Shohadah betraden, het deel van Behesht-e Zahra dat aan de martelaren is gewijd. Het was bijna twaalf uur 's middags en de zon brandde, zelfs al stak er een zacht, koel briesje op; ik zweette. Hier en daar stonden wat boompjes, maar zover het oog reikte was de aarde bedekt met marmeren en betonnen grafstenen die liggend op de graven waren geplaatst. Om ons heen stonden tinnen standers met glazen ruitjes, kleine gedenktekens voor de doden. De meeste doden die hier lagen, waren in de oorlog omgekomen, en de meesten van hen waren heel jong gestorven.

Eindelijk hielden meneer Musavi en Akram halt. We waren bij Ali's graf gekomen. Zijn vader viel op zijn knieën en legde zijn handen op het witte marmer. Zijn schouders schokten en zijn tranen vielen op het glanzende oppervlak van de grafsteen en drupten op de inscriptie:

SEYED ALI-E MUSAVI
Moedig voorvechter van de islam
21 april 1954 – 26 september 1983

Akram legde haar handen op de schouders van haar vader en trok haar chador voor haar gezicht.

In de tinnen stander aan het hoofd van het graf stonden drie foto's van Ali. Op de eerste was hij acht of negen jaar, staand met zijn rechtervoet op een voetbal, zijn handen in de zij; hij glimlachte in de camera. Op de tweede was hij ongeveer zestien en had hij een dunne baard; hij keek erg serieus. Op de derde was hij zoals ik hem had gekend: een man met donker haar, een dichte, verzorgde baard, een vrij grote neus en trieste, intense donkere ogen. Rond de foto's waren een paar rode kunstrozen vastgelijmd, en aan weerszijden van de stander stond een pot met rode geraniums. Ik werd verblind door tranen. Ik ging op de met grind bedekte bodem naast het graf zitten en bad tientallen Weesgegroetjes voor hem, voor mijn man, een moslim die begraven lag op Golzar-e Shohadah, wat 'de bloementuin van martelaren' betekent. Ik wilde hem mijn vergeving schenken, maar ik wist ook dat het geen cadeautje was dat ik zomaar even kon inpakken met een rode strik eromheen en klaar. Het zou stukje bij beetje moeten komen. En ik wist dat mijn vergeving niet de pijn zou wegnemen die hij me had gegeven; die pijn zou ik mijn hele leven met me meedragen, maar mijn vergeving zou me helpen boven het verleden uit te stijgen en al het gebeurde onder ogen te zien. Ik moest hem laten gaan om zelf vrij te kunnen worden.

Enkele graven verder aan onze rechterzijde schrobde een oud gebocheld vrouwtje een marmeren grafsteen schoon met een gele spons die droop van het zeepwater. Daarna goot ze schoon water uit een fles over het graf en droogde het af met een witte doek. Toen de grafsteen vlekkeloos schoon was, ging ze naar het volgende graf en volgde hetzelfde ritueel. Een magere oude man in een wit overhemd en een zwarte pantalon zat op de modder tussen de twee graven en sprak een tekst uit, terwijl hij zijn gebedskralen door zijn vingers liet gaan en naar de vrouw keek.

Niemand zou ooit de graven van Taraneh, Sirus of Gita wassen of tinnen herdenkingstekens voor hen oprichten op de begraafplaats, waar vrienden, familieleden en vreemden naartoe konden gaan en aan hen denken, en een gebed aan hen konden opdragen. Maar ik had mijn herinnering aan hen, en nu ik het had overleefd, moest ik een manier vinden om die herinnering levend te houden. Mijn leven behoorde hun meer toe dan mij.

Ik stond op, opende het ruitje van Ali's herdenkingsstander, pakte mijn rozenkrans uit mijn zak en liet die daar voor hem achter.

Akram keek naar de rozenkrans.

'Wat is dat?' vroeg ze.

'Mijn gebedssnoer.'

'Wat mooi. Ik heb nog nooit zo'n gebedssnoer gezien.'

'Het is bedoeld om ermee tot Maria te bidden.'

Toen we naar de auto terugliepen, keek ik naar de grafstenen die de oude vrouw zo zorgvuldig had schoongemaakt. De oude man en zij waren al vertrokken. Het ene graf was van Reza Ahmadi en het andere van Hassan-e Ahmadi. Ze waren op dezelfde dag geboren en op dezelfde dag gestorven; het was een tweeling en ze waren allebei aan het front gedood.

Ik besefte hoezeer ik aan de dood gewend was geraakt. In mijn wereld eiste de dood meer zijn tol onder de jongeren dan onder de ouderen.

Nadat meneer Musavi Akram thuis had afgezet, bracht hij me terug naar Evin en zei tegen me dat hij zijn best zou doen mij zo snel mogelijk thuis te krijgen.

Eind oktober stuurde Sheida na afloop van een bezoek Kaveh mee met haar ouders. Hij was ruim anderhalf jaar, een actieve, lieve peuter die ons allemaal veel plezier had gegeven. Hij kon mijn naam nog niet uitspreken en noemde mij tante Manah. Toen Sheida zonder hem van haar bezoek terugkeerde, zag ze eruit alsof ze haar ziel had verloren. Ze ging in een hoek zitten en zat urenlang heen en weer te wiegen totdat ze eindelijk in slaap viel.

Een paar dagen later overhandigde ik alle bezittingen van Taraneh, die ik van haar bij haar ouders moest bezorgen, aan een goede vriendin, van wie de gevangenisstraf van anderhalf jaar er bijna opzat. Ik begon de hoop te verliezen dat ik ooit nog naar huis zou kunnen.

Op eerste kerstdag 1983 sneeuwde het. Vroeg in de ochtend zag ik door het tralievenster van onze kamer vederlichte vlokken dansen in de wind. Al snel waren de waslijnen en alle kleren die eraan hingen met witte rijp bedekt. Toen we op de binnenplaats mochten luchten, kwamen de meeste meisjes meteen weer binnen nadat ze hun wasgoed hadden opgehaald, omdat het te koud was. Onze rubberen slippers boden weinig bescherming tegen de elementen. Ik bood me als vrijwilliger aan om de kleren van Sarah en Bahar binnen te halen. Het was kouder dan ik had gedacht, maar ik genoot van de aanraking van de sneeuwvlokken op mijn gezicht. Er was niemand buiten. Ik deed mijn sokken en slippers uit en bleef zo bewegingloos mogelijk staan. De witte welvingen van de winter omvatten me, bedekten me en vulden de kleine ruimten tussen mijn tenen. Kerstmis. De dag dat Jezus was geboren. Een dag van vreugde en feest, van kerstliedjes, veel eten en cadeautjes. Hoe kon de wereld doorgaan alsof er niets was gebeurd, alsof de vele verloren levens nooit hadden bestaan?

Na een tijdje begonnen mijn voeten pijn te doen, en daarna werden ze gevoelloos. Ik zag mezelf in de nacht van de executies toen ik had moeten sterven, hoe ik in de diepste duisternis stond te wachten op de dood. Evin had me van thuis weggehaald, van wie ik was geweest; Evin had me meegenomen naar een wereld die de grootste angst te boven ging, en ik was er getuige geweest van intensere pijn dan mensen ooit zouden mogen ondergaan. Ik had eerder ook al verlies en verdriet gekend. Maar hier werd het verdriet een eindeloos voortwoekerend duister dat zijn slachtoffers in een voortdurende staat van verstikking hield. Hoe kon iemand hierna nog voortleven?

Ik moest stoppen met nadenken. Deze gedachten zouden me niets dan wanhoop brengen. Ik moest blijven geloven dat ik op een dag naar huis zou gaan.

Ongeveer drie maanden later, op de ochtend van 26 maart 1984, kraakte de luidspreker en werd mijn naam omgeroepen.

'Marina Moradi-Bakht moet naar het kantoor komen.'

Dit kon van alles betekenen. Ze konden me vrijlaten, me voor een vuurpeloton zetten... of misschien was meneer Musavi gekomen om me te bezoeken.

'Marina, je mag naar huis, ik weet het zeker,' zei Bahar.

'Hier valt niets te voorspellen.'

'Marina, Bahar heeft gelijk. Het is zover,' zei Sheida.

Sarah omhelsde me met een lach, terwijl de tranen over haar gezicht liepen. 'Marina, praat met mijn moeder. Zeg dat het goed met me gaat. Zeg haar dat ik op een dag thuis zal komen,' zei ze.

'Toe Marina, opschieten!' riepen de meisjes, terwijl ze me door de gang vooruitduwden.

Ik passeerde de traliedeur en keek, voordat ik de trap opging naar het kantoor, nog even om en zag de handen van mijn vriendinnen tussen de tralies door reiken en vaarwel wuiven. Ik wuifde terug. Zodra ik het kantoor betrad, riep zuster Zeinab de vertegenwoordigster van kamer 6 over de luidspreker op en zei dat ze mijn bezittingen moest meenemen.

'Je hebt gewonnen,' zei zuster Zeinab. 'Ik had nooit gedacht dat ze je zo snel naar huis zouden laten gaan.'

'Ik heb talloze vrienden verloren, ik heb mijn man verloren, ik heb mijn kindje verloren, en dan denkt u dat ik heb gewonnen?'

Ze keek omlaag.

Ik ging naar huis. Eindelijk ging ik naar huis.

Ali's vader en moeder, en Akram met haar baby zaten op mij te wachten in een kamertje nabij de poort. Meneer Musavi lachte naar me.

'Heb ik mijn belofte gehouden of niet?'

'Jazeker. Hoe hebt u dat voor elkaar gekregen?' vroeg ik.

'Ik heb met de imam gesproken. Ladjevardi had zich tegen jou uitgesproken, maar uiteindelijk heb ik de imam ervan weten te overtuigen dat het juist was om je vrij te laten.' Hij wachtte even. 'Zul je een goede herinnering aan mij bewaren?'

'Jazeker. En hoe zit het met u? Hoe zult u aan mij terugdenken?'

'Als een sterke en dappere dochter,' zei hij, terwijl hij zijn tranen afveegde. Hij zei tegen me dat ik hem moest bellen als er iets aan de hand was. Hij zei dat hij al het geld dat Ali voor me op de bank had nagelaten, een jaar lang zou vasthouden, voor het geval ik van gedachten veranderde en het toch wilde hebben. Hij had geprobeerd het zo gemakkelijk mogelijk voor me te maken, maar hij legde uit dat ik nog steeds voor een paar jaar het land niet uit mocht. Dat was vaste regel voor mensen die uit Evin werden vrijgelaten.

Ik vertelde meneer Musavi dat Ali mij had beloofd Sarah te helpen. Ik vroeg hem of hij Mohammad wilde aansporen om goed op haar te letten, en dat beloofde hij.

'Ik heb nog één goede raad voor je,' zei meneer Musavi. 'Ga niet op bezoek bij de families van al je vriendinnen uit de gevangenis. Een of twee kun je er wel opzoeken, maar niet meer. Hamehd zal je in het oog houden, en als je hem ook maar de geringste aanleiding bezorgt om je weer te arresteren, zal hij dat zeker doen. En als dat gebeurt, kan ik je misschien niet meer helpen. Blijf thuis. Trek geen aandacht.'

'Ik zal thuisblijven.'

Meneer Musavi bood aan mij met de auto naar Luna Park te brengen, waar mijn familie op me wachtte, maar ik bedankte hem voor zijn aanbod en zei dat ik liever ging lopen. Ik had frisse lucht nodig en wat tijd om me voor te bereiden op de ontmoeting met mijn ouders.

Luna Park, dat ongeveer twee kilometer ten zuiden van Evin lag, was een amusementspark. De overheid had een deel ervan overgenomen en ingericht als station voor pendelbussen die bezoekers van en naar de gevangenis vervoerden. Wanneer een gevangene werd vrijgelaten, moest zijn of haar familie op de dierbare wachten in het park.

Ik liep naar buiten. Het was een uiterst merkwaardig gevoel om te weten dat je gewoon naar huis kon lopen. Ik durfde nog steeds niet blij te zijn. Een windvlaag met koude regendruppels sloeg tegen me aan. Ik trok mijn zwarte chador recht en stapte behoedzaam de paar treden af die naar een stil, smal straatje leidden. Daar wachtte ik even en keek omhoog naar de wolken die op de krachtige wind voortdreven. Heel even kwam er een klein stukje van de lichtblauwe lucht vrij. Adembenemend. Al was het maar lichtjes blauw, het stak nog steeds met een levendige pracht af tegen de verschillende tinten grijs. Mijn ogen volgden de straat, om de hoek verscheen een witte auto. De bestuurder, een man van middelbare leeftijd, minderde snelheid en keek me aan, maar reed niettemin verder. Mijn sokken waren doornat in mijn rubberen slippers, en mijn voeten waren steenkoud.

Op een uitkijktoren stond een gewapende bewaker die de straat in het oog hield.

'Broeder, hoe kom ik bij Luna Park?' riep ik naar hem, en hij gebaarde naar het eind van de straat.

Overal lagen plassen water. Lichte rimpelingen verspreidden zich over het oppervlak, zodat de weerspiegelingen beefden, samenvielen en oplosten. Er waren niet veel voetgangers, maar zo nu en dan liep er iemand met snelle, vaste tred voorbij. Een zwarte paraplu danste in de lucht en bewoog zich doelgericht van mij vandaan. Op de hoek stond een magere, oude man in een haveloos pak voor een afbrokkelende muur van kleisteen. Zijn benige handen hield hij in gebed open voor zijn gezicht.

Wat zou ik mijn ouders vertellen? Dat ik in de afgelopen twee jaar was gemarteld, bijna dood was geweest, was getrouwd, weduwe was geworden en een kind had verloren? Hoe kon ik dat in vredesnaam onder woorden brengen? En Andre... Hield hij nog steeds van me ondanks de kloof in de tijd die ons scheidde?

Ik merkte een meisje op dat niet al te ver voor me uit liep. Ze droeg een grote plastic zak zoals die van mij, en haar rubberen slippers waren minstens drie maten te groot. Bij elke paar passen hield ze halt en keek ze om naar de bergen. Ze leek mij niet op te merken. Toen ze de hoofdweg bereikte en Luna Park in zicht kwam, stak ze niet de weg over, ook al stond het voetgangerslicht op groen. Ik hield een paar passen achter haar halt. Ze stond bij de oversteekplaats en keek hoe het verkeerslicht steeds weer versprong. De auto's reden langs, stopten en trokken weer op.

'Waarom steek je de weg niet over?' vroeg ik. Geschrokken draaide ze zich om en keek me aan in de regen. Ik glimlachte. 'Ik ben ook op weg naar huis vanuit Evin. We kunnen de weg samen oversteken,' bood ik aan.

Ze glimlachte onzeker. Terwijl we elkaars hand vasthielden, staken we de hoofdweg over. Haar hand was nog kouder dan die van mij.

Toen we bij de poort van Luna Park kwamen, hield een lid van de Revolutionaire Garde ons aan. Hij verwenste de regen. Hij vroeg ons naar onze naam, pakte een nat stuk papier uit zijn zak, controleerde het en liet ons door. We keken om ons heen. Met uitzondering van enkele grote kramen achteraan zag het park eruit als een lege parkeerplaats die werd bewaakt door leden van de Revolutionaire Garde. Ik bespeurde geen vertrouwde gezichten, maar mijn nieuwe vriendin rende naar een man en een vrouw die net waren aangekomen en allebei huilden. Een paar minuten later zag ik mijn ouders. Ik rende naar hen toe, hield hen vast, en kon hen niet meer loslaten. Onderweg naar de auto begon mijn moeder met haar paraplu te worstelen, die niet open wilde gaan.

'Maman, wat ben je aan het doen?'

'Die stomme paraplu is kapot.'

'We zijn al bijna bij de auto.'

'Je bent doornat. Ik wil niet dat je verkouden wordt.'

Ze wilde me beschermen tegen de regen. In de afgelopen twee jaar had ze niets kunnen doen om me te helpen. Ze was hulpeloos geweest, waarschijnlijk nog hulpelozer dan ikzelf. De paraplu was eindelijk open en ik nam hem aan, ook al waren we al bijna bij de auto.

Druipend van de regen stapte ik in de auto van mijn vader, waar Andre achter het stuur bleek te zitten. Hij draaide zich om en glimlachte. Zijn aanwezigheid hield in dat hij zijn belofte had gehouden en op me had gewacht; hij hield nog steeds van me. Eindelijk voelde ik me blij. Het vreemde was dat we vóór mijn arrestatie niet echt hadden geweten dat we van elkaar hielden; dat ontdekten we pas toen we elkaar kwijtraakten.

Mijn moeders stem galmde door de auto: 'Waarom hebben ze ons met dit slechte weer niet bij de gevangenispoort laten komen? Kijk nou toch! Jij wordt beslist ziek. Doe je sokken uit.'

'Maman, maak je geen zorgen. Het gaat goed met me. Echt. Ik verkleed me zo gauw we thuis zijn.'

'Ik heb nieuwe kleren voor je gemaakt. Ze hangen allemaal in je kast.'

In de tijd dat ik in de gevangenis zat, waren mijn ouders verhuisd naar de woning van een oude vriendin, een vriendelijke vrouw die Zenia heette en die alleen woonde in een grote, opgesplitste bungalow met vijf slaapkamers in een chique buurt. Beide partijen hadden baat bij deze regeling. Zenia was niet meer alleen en mijn ouders hoefden geen hoge huur voor een klein optrekje meer te betalen. De woonkosten waren drastisch gestegen in de jaren na de revolutie, en veel families met een modaal inkomen die geen eigen huis bezaten, hadden problemen om de huur op te brengen.

'Hoe is de verhuizing gegaan?' vroeg ik mijn moeder.

'Prima. We moesten wel wat spullen verkopen. Zenia heeft veel meubels en er was niet genoeg ruimte voor alles van ons. Andre was een engel en heeft ons op de dag van de verhuizing geholpen. Godzijdank heeft hij een stationwagen. Ik weet niet wat we zonder hem hadden gemoeten.'

'Heb je de stationwagen nog steeds?' vroeg ik Andre.

'Ja.'

Ik was verrast dat hij nog steeds dezelfde auto had, maar toen realiseerde ik me dat mijn tijd in Evin weliswaar een eeuwigheid leek, maar in feite slechts twee jaar, twee maanden en twaalf dagen had geduurd.

18

In Zenia's huis had ik een slaapkamer met een raam dat bijna de hele muur besloeg en op de achtertuin uitkeek. De muren en de gordijnen waren roze, mijn lievelingskleur, en er stonden twee leunstoelen dicht bij het raam. Ik liet mijn vingers over de zachte bekleding van de stoelen gaan en stelde me voor dat ik in een ervan een boek of een dichtbundel zat te lezen. Er was zelfs een kleine kaptafel die deel uitmaakte van een wandmeubel en daarop stonden twee foto's van mij in handgemaakte lijstjes uit Isfahan. Op een ervan was ik een jaar of acht en stond ik in een witte zonnejurk tegen mijn vaders glanzende blauwe Oldsmobile geleund, terwijl ik aandachtig in de camera keek met een onzekere, vragende glimlach op mijn gezicht. Was ik ooit zo jong geweest? Op de andere was ik dertien en zat ik op mijn fiets voor het huisje van mijn tante, met een blauw T-shirt aan en een witte korte broek, vol ongeduld om naar het strand te gaan om daar Arash te treffen. Beide foto's waren genomen door mijn broer.

In plaats van mijn oude bed stond er een slaapbank met bruine tweedstof in een hoek. Ik raakte alle meubels aan. Alles leek echt. Waarom had ik het gevoel dat ik droomde? Op de een of andere manier bestond mijn echte leven nog steeds in Evin; deze andere wereld waarin ik was binnengestapt, deze plek die ik mijn thuis had genoemd en waarnaar ik had willen terugkeren, was ongrijpbaar en vreemd. *Dit is echt. Ik ben thuis. Ik ben terug. Het is voorbij. De nachtmerrie is voorbij. Het is goed dat we verhuisd zijn. Dit is een nieuw begin. Ik moet het verleden vergeten.*

Ik haalde mijn opgevouwen kleren uit de plastic tas die ik van Evin had meegenomen. Ik overwoog of ik de hele inhoud van de tas in de afvalbak zou gooien, maar ik wist dat ik dat toch niet kon. Mijn witte bruidssjaal lag boven op de stapel. Ik had hem om mijn trouwring gewikkeld. Ik haalde diep adem en vouwde een voor een de zijdezachte plooien van de doek open. Ik zag weer voor me hoe Ali in mijn armen uit alle macht probeerde lucht te krijgen. Met de wens dat het leven eenvoudig was en dat mensen alleen goed of alleen slecht waren, pakte ik de ring weer in en stopte hem weg in een donkere hoek van mijn kast. Toen ging ik naar het raam. Het was opgehouden met regenen en het zonlicht viel in kantachtige gouden linten door de wolken. De achtertuin was een besloten ruimte dankzij een hoge bakstenen muur. Rond het lege zwembad stonden talloze kale rozenstruiken. Er klonk een zachte klop op de deur van mijn slaapkamer.

'Binnen.' Ik hield mijn ogen op de vredige tuin gericht.

Andre kwam binnen, ging achter me staan en legde zijn handen op mijn schouders. Ik werd me bewust van de geur van zijn eau de cologne en de warmte van zijn lichaam.

'Ik had me erop voorbereid dat je met een kind in je armen thuis kon komen en dan nog zou ik net zoveel van je hebben gehouden,' zei hij. 'Voor mij zou er niets veranderd zijn.'

Ik bewoog niet. Hij kon het niet weten van de baby, maar hij had gezegd wat ik het meeste nodig had om te horen. Ik vermoedde dat hij had gehoord dat meisjes in de gevangenis werden verkracht. Ik vocht tegen mijn tranen.

'Ik ben niet zwanger.'

'Ben je gemarteld?'

'Ja. Wil je weten waarom ik me bekeerd heb?'

Ik wilde dat hij wist wat er was gebeurd, maar wist niet hoe ik het hem moest vertellen.

'Dat hoeft eigenlijk niet, ik weet dat je het alleen hebt gedaan omdat je geen keus had. Toch?'

'Ja.'

'Ik hou van je.'

'Ik hou ook van jou.' Ik keek hem aan.

Dit was de eerste keer dat we dat tegen elkaar zeiden.

Hij sloeg zijn armen om me heen. Zijn lippen raakten de mijne en
voor enkele ogenblikken werd Evin niets dan een herinnering, niet in
staat om me gevangen te houden.

Die avond zaten we allemaal om de eettafel. Mijn moeder had een
stoofpot van rundvlees en knolselderij met rijst gemaakt. In het begin
overheerste de stilte in de eetkamer en werd die alleen verbroken door
het geluid van het zilveren bestek tegen het porselein of door een
kuchje.

'Godzijdank heeft het vandaag geregend. Het is al te lang droog geweest. Het gazon zag er echt treurig uit, maar het is nu enorm opge-
knapt.' Zenia doorbrak de stilte met haar warme, muzikale stem. Het
was een kleine, enigszins gezette vrouw met kort blond haar en donkere ogen.

'Hoe meer het nu regent, des te beter zullen de rozen bloeien,'
voegde Hushang *khan* eraan toe. Hij was een goede huisvriend van Zenia die met ons meeat.

Sisi, een van de drie katten van Zenia, zat onder de tafel en gaf kopjes tegen mijn been. Ik reikte omlaag om haar over haar kop te krab-
ben en ze spon.

Mijn vader zat het grootste deel van de tijd naar zijn eten te kijken,
maar zo af en toe liet hij zijn blik langzaam de tafel rondgaan en liet
die dan korte tijd op mij rusten. Ik probeerde te zien of er iets aan zijn
gezicht viel af te lezen. Maar zijn gezicht stond onbewogen zoals altijd. Hij had er verslagen uitgezien toen hij op bezoek kwam, maar nu
was ik terug en ging alles weer zijn gewone gang. Waarschijnlijk was
het voor iedereen gemakkelijker om te doen alsof ik nooit gevangen

had gezeten. Maar was dit zwijgen hun manier om mij te beschermen of om zichzelf te beschermen?

Ali's moeder had een stoofpot van rundvlees en knolselderij gemaakt op de avond dat hij vermoord werd. Hoe kon ik mijn familie over Ali vertellen, over mijn huwelijk en over zijn dood? Ik voelde me een vreemdeling, een gast om wie niemand echt iets gaf, maar die ze uit een gevoel van verplichting thuis hadden uitgenodigd. Als de avond voorbij was, werd ik geacht iedereen goedenacht te wensen en naar huis te gaan. Maar naar welk huis? Naar de familie Musavi, of naar Evin?

Ik kon die nacht niet slapen en keek naar de onbekende schaduwen op de muren. Ali had me twee keer gered op de avond dat hij stierf: één keer toen hij me tegen de grond duwde en daarna met zijn laatste woorden toen hij zijn vader vroeg me naar mijn familie te brengen. Zonder de steun van meneer Musavi had ik de rest van mijn leven in Evin doorgebracht. Of nog veel erger, Hamehd had mij, zoals meneer Musavi vertelde, aan een van zijn vrienden uitgehuwelijkt. Daaraan had ik niets kunnen veranderen behalve door zelfmoord te plegen.

Toen hij terugkeerde van het front had Ali tegen me gezegd dat hij Andre en mijn ouders zou arresteren als ik niet met hem trouwde. Ik had hem toen geloofd, maar nu hoorde ik een achterdochtig stemmetje binnen in mij. Stel dat dit alleen maar een dreigement was geweest. In dat geval had ik kunnen weigeren zonder iemand in gevaar te brengen. Wat zou er gebeurd zijn als ik nee had gezegd?

Nu ik veilig in mijn bed lag, was het veel gemakkelijker geworden om dapper te zijn.

De volgende dag zocht ik het hele huis af naar mijn boeken, die ik voor het grootste deel cadeau had gekregen van de oude boekhandelaar Albert, en het gouden kistje met het verhaal van mijn oma erin. Ik kon ze niet vinden. Ik ging naar mijn moeder. Ze zat in de huiskamer een sigaret te roken.

'Maman, ik kan mijn boeken nergens vinden. Waar zijn ze gebleven?'

Ze schudde haar hoofd en keek me vol ongeloof aan. 'Je boeken. Je hebt er dus nog steeds niets van geleerd, hè? Jouw boeken waren net een tikkende tijdbom. Weet je wel hoe bang we waren toen je werd gearresteerd? Ik heb alle boeken vernietigd die de bewakers niet hadden meegenomen. Het heeft me dagen gekost, maar ik heb ze weten weg te werken.' Ze kon ze niet verbranden, omdat we geen open haard of een plaatsje hadden. Daarom had ze stukje bij beetje de bladzijden er uitgescheurd en ze tot een pasta gewassen in de mangelwasmachine en die pasta had ze geleidelijk weer bij het huisvuil gedaan.

Ik viel in een stoel neer en dacht aan de prachtige woorden die in een lelijke pasta veranderd waren.

Gewassen boeken. Het geschreven woord verdronken, tot zwijgen gebracht.

The Chronicles of Narnia miste ik nog het meest. Albert had er zijn naam in gezet.

'Er stond een klein gouden kistje onder mijn bed. Wat is daarmee gebeurd?' vroeg ik mijn moeder.

'Dat wat je oma had geschreven? Denk eens goed na, Marina! Als de bewakers weer naar ons huis waren gekomen en dat hadden gevonden, vellen die met Russische teksten beschreven waren, wat zouden ze dan hebben gedacht volgens jou? Het zou ons jaren hebben gekost om te bewijzen dat we geen communisten waren.'

Ik nam het mijn moeder niet kwalijk. Ze was bang geweest. Dit was wat de Islamitische Revolutie met de mensen deed.

Verdriet was iets merkwaardigs. Het was er in vele soorten en maten, in vele varianten, en ik vroeg me af of iemand ze allemaal had omschreven en ze mooie namen had gegeven.

Binnenkort werd ik negentien en mijn moeder had een paar vrienden en familieleden uitgenodigd. Voordat de gasten kwamen, bekeek ik de kleren die in mijn kast hingen: zwarte, donkerblauwe en bruine kledingstukken die allemaal lange mouwen hadden en er allemaal even deprimerend uitzagen. Ik was geen tachtig. Ik wilde een felgekleurde, mouwloze jurk. Ik wilde die aantrekken, in de spiegel kijken en het meisje van vroeger terugzien. Ik wilde die jurk dragen en gewoon mijn oude leventje weer binnen stappen.

Ik ging naar mijn moeder en zei tegen haar dat de kleren die ze voor me had gemaakt heel mooi waren en dat ik er heel blij mee was, maar dat ik iets fellers en vrolijkers voor mijn verjaardag wilde. Ik vroeg haar of ik een van haar oude feestjurken mocht lenen: ze had altijd een roze strapless jurk gehad die ik prachtig vond. Ik wist dat die mij waarschijnlijk een beetje te groot zou zijn, maar dat kon ik wel oplossen. Ik had in Evin leren naaien. Mijn moeder vond het goed. Nadat ik ongeveer een halfuur achter de naaimachine in de weer was geweest, paste de jurk me prima. Ik perste mijn voeten in een paar schoenen met hoge hakken. Ik zou weer de baas worden over mijn eigen leven.

De gasten lachten, omhelsden en kusten me en zeiden dat ik er geweldig uitzag. Ik was heel blij om hen allemaal weer te zien, maar er was een voelbare afstand tussen ons, tussen het meisje dat weg was geweest en zij die een normaal leven hadden geleid. In elk gesprek viel wel een ongemakkelijke stilte.

'Marina, je ziet er snoezig uit. Hoe gaat het met je?' vroeg iemand dan.

'Heel goed, dank je wel,' antwoordde ik.

Dan glimlachten ze geforceerd en probeerden het ongemakkelijke gevoel te verbergen dat net zo duidelijk zichtbaar was als de kleur van hun ogen.

'O, die taartjes zien er heerlijk uit. Heeft je moeder die gemaakt?'

Het was hun schuld niet. Iedereen was beleefd en aardig, maar daar hield het op. Niemand wilde weten hoe het echt was. Een van de priesters, pater Nicola, was ook gekomen; hij speelde Russische volksliedjes op de accordeon en mijn ouders zongen mee. Het was goed om de lachende, vertrouwde gezichten van vrienden en verwanten om me heen te hebben, en de wijsjes uit mijn kindertijd te horen. Ali had gelijk gehad. Thuis was niet hetzelfde meer, omdat ik niet meer dezelfde was. De prettige, veilige onschuld van mijn kindertijd was voorgoed verloren.

Na het eten kwam mijn peettante Siran naast me zitten. Het was een wijze vrouw en ik had haar mening altijd op prijs gesteld.

'Hoe voel je je nu?' vroeg ze.

'Zo goed als nieuw,' antwoordde ik.

'Ik ben blij dat je nog steeds zo scherp uit de hoek kunt komen,' lachte ze. Ze was even elegant gekleed als altijd, in een crèmekleurige blouse en een bruine rok van fraaie snit. 'Wees maar trots op jezelf. De meeste mensen die uit Evin worden vrijgelaten, sluiten zich op in een kamer en praten lange tijd met niemand. Je hebt de kracht van je oma geërfd.'

Er klonk een wals en er dansten mensen om ons heen.

'Waarom vraagt niemand me iets over de afgelopen twee jaar?' vroeg ik haar.

'Het antwoord is heel eenvoudig. We zijn bang om ernaar te vragen omdat we bang zijn om het te weten. Ik denk dat het een soort afweer-mechanisme is. Als we er niet over praten en als we doen alsof het nooit gebeurd is, kunnen we het misschien wel vergeten.'

Ik had verwacht dat als ik eenmaal maar weer thuis was, het leven weer eenvoudig zou zijn, maar dat was niet zo. Ik had een hekel aan de stilte die me omringde. Ik wilde me geliefd voelen. Maar hoe kon lief-de zijn weg vinden door de stilte heen? Stilte en duister leken erg op elkaar: het duister was de afwezigheid van licht, en de stilte was de af-wezigheid van geluid, van stemmen. Hoe kon je nog je koers bepalen in die vergetelheid?

Na mijn verjaardag besloot ik me op mijn eindexamen te richten. Ik moest verder met mijn leven. Ik kon thuis leren en dan het examen maken. Hoewel Andre aan het afstuderen was in elektrotechniek, kwam hij me elke dag opzoeken en hielp hij me met wiskunde en na-tuurkunde. Hij vertelde me over zijn lessen, zijn docenten en zijn vrienden, en soms ging ik met hem mee naar zijn vrienden voor een gezellig avondje of een verjaardagsfeestje. Eigenlijk waren dat onze eerste afspraakjes.

In die tijd had de Revolutionaire Garde door de hele stad controleposten. Ze hielden auto's aan op verschillende tijdstippen, maar vooral 's avonds en hielden dan steekproeven. Het werd als een misdaad gezien als een man en een vrouw die niet verwant of verloofd waren met zijn tweeën in een auto zaten. Daarom had Andre voor de zekerheid aan de priesters gevraagd om ons een verklaring te geven waarin stond dat wij verloofd waren, ook al hadden we het nog niet over trouwen gehad. Die verklaring bewaarde hij altijd in zijn auto voor het geval we werden aangehouden en ondervraagd.

Ik studeerde ongeveer tien uur per dag, ofwel in mijn kamer, ofwel terwijl ik met een boek in de hand rondjes om het lege zwembad heen liep. Misschien besteedde ik onbewust wel al mijn tijd aan wiskunde en natuurkunde om niet aan het verleden te hoeven denken. Mijn vader was de hele dag aan het werk, zes dagen per week – hij werkte nog altijd op het kantoor bij mijn oom Partef –, mijn moeder bracht het grootste deel van haar tijd door in de rij voor de boodschappen, in de keuken of achter haar breiwerk, en ik bleef haar uit de buurt.

Toen we op een warme dag in de achtertuin zaten, schoof Andre zijn stoel dichter bij de mijne en sloeg zijn arm om mijn schouder. Mussen speelden om ons heen en in de lucht hing de zoete geur van rode, roze en witte rozen.

'Wanneer gaan we trouwen?' vroeg hij.

In Evin had Mohammad me gewaarschuwd dat ik niet met een christen mocht trouwen. Volgens de islamitische wet mag een islamitische vrouw niet met een christelijke man trouwen, maar mag een islamitische man wel met een christelijke vrouw trouwen. Het feit dat ik me gedwongen en onder uitzonderlijke omstandigheden tot de islam had bekeerd, was voor de regering irrelevant. Als ik officieel afstand deed van de islam en terugkeerde tot het christendom, verdiende ik het volgens islamitisch gebruik om te sterven.

'Je weet dat ik ter dood veroordeeld word als ze erachter komen dat we getrouwd zijn, en jij misschien ook wel,' zei ik.

Door de wind sloegen de bladzijden om van het wiskundeboek dat op tafel lag.

'Weet je nog toen we elkaar voor het eerst zagen? Die dag in het kantoor van de kerk?' zei hij. 'Het was liefde op het eerste gezicht. Vanaf dat moment wist ik dat jij de ware voor me was. En ik voelde dat ik voor je moest zorgen. Toen ze jou weghaalden, wist ik dat je terug zou komen. We horen bij elkaar. Het heeft zo moeten zijn.'

Ik raakte zijn zachte blonde haar aan en zijn gezicht, en ik kuste hem. 'Al die dagen in Evin wilde ik naar jou terugkeren. Hoewel ik wist dat het misschien nooit zou gebeuren, bleef ik hopen.'

Toen vertelde hij me voor het eerst dat mijn familie op 19 maart, een week voor mijn vrijlating, vroeg in de ochtend een telefoontje van Evin had gehad met de mededeling dat ze mij die dag zouden vrijlaten. Hij en mijn ouders waren onmiddellijk naar de gevangenis gegaan en hadden de hele dag gewacht, maar ze werden zonder enige verklaring weer weggestuurd. Ik was geschokt toen ik dit hoorde; waarom had niemand me dat eerder verteld? Was die vertraging soms weer voortgekomen uit de machtsstrijd tussen Ladjevardi en meneer Musavi? Als dat zo was, had meneer Musavi zeker een heel gevecht moeten leveren en ik was ervan overtuigd dat hij geen kans van slagen had gehad zonder de steun van ayatollah Khomeini.

'We waren ontzettend ongerust,' zei Andre. 'We wisten niet waarom ze van gedachten waren veranderd en de bewakers wilden niet met ons praten. Toen belden ze op 26 maart opnieuw en we haastten ons naar de gevangenis. Bij de poort zeiden ze dat we naar Luna Park moesten gaan en daar op je wachten. Ik parkeerde de auto op een parkeerplaats in de buurt van Luna Park en je ouders liepen daarvandaan verder. Ik wachtte in de auto. Ik was heel blij, maar ik wist dat er niets zeker was en daarom probeerde ik er niet te veel van te verwachten. Kort nadat je ouders vertrokken waren, kwam er een bebaarde man in burgerkleren naar de auto die me begroette met: "Salam aleikum". Ik groette hem terug. Ik dacht dat hij naar de weg wilde vragen of zoiets.

Maar de man boog zich naar mij toe en zei: "Denk erom dat je niet met Marina kunt trouwen." Ik vroeg hem wie hij was en hoe hij me kende, en hij zei dat dat er niet toe deed. Hij zei: "Ik waarschuw je: zij is moslima en jij bent christen en daarom kunnen jullie niet trouwen." Toen draaide hij zich om en liep weg.'

Nadat hij met de man had gesproken, was Andre geschokt en bang geweest. Weliswaar wist hij dat de bewakers op de hoogte waren van onze relatie doordat hij naar de kerk was gekomen toen ik daar vanuit Evin op bezoek was geweest, maar hij besefte pas op dat moment dat de gevangenisautoriteiten hem scherp in het oog hadden gehouden. Toen was zijn angst omgeslagen in woede. Het ging niemand iets aan met wie hij wilde trouwen. Hij hield van mij en dat was het enige wat er toe deed.

'Marina, ik begrijp de situatie,' zei hij. 'Ik weet dat het gevaarlijk is om met je te trouwen. Maar ik wil het doen. We mogen niet toegeven. We doen niets verkeerd. We houden van elkaar en willen graag trouwen. Hoe lang laten we ons nog in een hoek drukken? We moeten voor onze overtuiging uitkomen.'

Hij had gelijk.

Ik had het vermoeden dat de bebaarde man Mohammad was geweest. Ik wist heel goed dat dit huwelijk mijn doodsvonnis kon betekenen, maar ironisch genoeg moest ik mijn leven op het spel zetten om het weer van mij te laten zijn. In Evin was ik dicht bij de dood geweest en had Ali mij gered. Maar hij had me mijn leven niet teruggegeven, dat had hij voor zichzelf gehouden. Mijn leven was de prijs die ik had moeten betalen om in leven te blijven en ik moest ervoor vechten om het terug te krijgen.

Ik vertelde mijn ouders over mijn beslissing om met Andre te trouwen en zij vonden dat ik niet goed bij mijn hoofd was. Zelfs de meeste priesters vonden dat we niet moesten trouwen, maar wij stelden onze trouwdag vast op 18 juli 1985, ongeveer zestien maanden na mijn vrijlating uit Evin. Vrienden en familie probeerden ons herhaaldelijk tot andere gedachten te brengen. In een laatste poging vroegen mijn ouders Hushang khan om met mij te praten. Hij was een vriendelijke, wijze man en ze wisten dat ik veel respect voor hem had. Toen hij op een avond op de deur van mijn slaapkamer klopte, zat ik op mijn bedbank te lezen. Hij kwam binnen, deed de deur achter zich dicht en ging op een stoel zitten. Hij boog zich voorover met zijn ellebogen op zijn knieën gesteund en keek me recht in de ogen.

'Doe het niet.'

'Wat niet?'

'Trouw niet met Andre. Ik weet dat jullie van elkaar houden, maar het zijn moeilijke tijden. Het kan je dood betekenen. Geef het de tijd. De omstandigheden kunnen weer veranderen. Het is het niet waard om je leven hiervoor te verliezen.'

Zijn woorden maakten de woede los die ik in mij had opgekropt.

'U hebt het recht niet om mij te vertellen met wie ik wel of niet kan trouwen. U niet, mijn ouders niet en zeker de overheid niet. Ik doe wat ik wil. Ik doe wat goed is. Geen compromissen meer!'

Ik had nog nooit van mijn leven zo tegen iemand mijn stem verheven. Ik was nog nooit zo onbeleefd geweest tegen iemand die veel ouder was dan ik. Ik wist dat ik me slecht had gedragen. De kleur trok weg uit Hushang khans gezicht en hij liep de deur uit terwijl ik in tranen uitbarstte. Ik was niet van plan om de overheid mijn leven te laten bepalen. Ze hadden me opgesloten en me emotioneel en fysiek gemarteld. Ik was gedwongen me tot de islam te bekeren en met een man te trouwen die ik niet kende. Ik had mijn vriendinnen zien lijden en sterven. Nu moest ik doen wat goed was, om hun te laten zien dat ik ondanks mijn gedwongen bekering met de man zou trouwen van wie ik hield, zelfs al zou dat betekenen dat ik terug moest naar de gevangenis en dat mijn leven op het spel kwam te staan. Ditmaal zou ik me nergens in schikken. Ze hadden me niet kapot gekregen en dat zou hun ook nooit lukken.

De dag dat Andre en ik een trouwring gingen uitzoeken, probeerde ik hem over Ali te vertellen. Ik wist dat hij het zou begrijpen. We liepen in de juwelierswinkel rond en bekeken de vitrines. Hij had het recht om het te weten en ik wilde het hem vertellen. Mijn aandacht werd getrokken door een gouden trouwring die eruitzag als twee ringen die samenvloeien, en ik vroeg of ik hem mocht bekijken. We vonden hem allebei prachtig. Toen we teruggingen naar de auto zat er een parkeerbon op de voorruit. Andre zei tegen me dat dit zijn allereerste bon was en daar moesten we om lachen.

Toen we terug naar huis reden, vroeg ik me af waar ik moest beginnen. Ik moest bij het begin beginnen, bij het allereerste moment dat ik voet zette in Evin. Dan moest ik over elk ogenblik en elke afzonderlijke gebeurtenis vertellen. Nee, ik kon het niet. Ik kon niet helemaal teruggaan en alles opnieuw beleven.

Die zomer gingen mijn ouders voor een paar dagen naar het huisje en Andre en ik gingen met hen mee. Het huisje was net zo mooi en vredig als ik het mij herinnerde, maar de vreugde die ik daar altijd had ervaren, was nu alleen nog maar een herinnering. De eerste ochtend ging ik heel vroeg, toen iedereen nog sliep, naar de 'gebedsrots'. Alles leek er nog hetzelfde. De oude bomen bewogen zachtjes in de lucht en hun bladeren baadden in het licht van de opkomende zon. Mijn schoenen en broek waren nat van de dauw. Ik ging op de rots liggen en voelde het ruwe, vochtige oppervlak tegen mijn huid en dacht aan de dag dat Arash en ik hier hadden gebeden. Er was zoveel veranderd sinds die tijd. Ik haalde mijn eerste trouwring uit mijn zak, knielde bij de rots en probeerde een van de stenen eruit te wrikken, maar er was geen beweging in te krijgen. Ik probeerde het uit alle macht, maar de stenen zaten allemaal vastgemetseld. Mijn vingers deden er pijn van. Ik ging snel terug naar het huis. Behalve het gesnurk van mijn vader klonk er geen enkel geluid. Ik liep op mijn tenen de keuken in, pakte een mes en haastte me terug naar de rots. Deze keer slaagde ik erin om er drie stenen uit te halen en ik stopte de ring in de donkere holte. Ik stelde me voor dat hij daar door talloze gebeden werd omringd.

Toen mijn vader hoorde dat ik moslima was geworden, zei hij dat ik zijn dochter niet meer was. Dat vertelde mijn moeder me toen we weer terug in Teheran waren. Ze deed de vaat en keek me niet eens aan toen ze dat zei. Ik was niet verbaasd, maar ik was wel gekwetst. Ik had verwacht dat ik thuis bescherming zou vinden, maar de deuren werden voor mijn neus dichtgeslagen. De afstand tussen ons leek groter te worden. Ze droogde haar handen en liep de keuken uit. Zelfs als ik haar mijn geheimen had verteld, was ze nog niet in staat geweest mij te geven wat ik van haar verlangde. Ik had haar begrip nodig. Ze was zoals ze was. Haar visie op het leven en wat er werkelijk toe deed, verschilde volkomen van die van mij en ik durfde niet te beweren dat ik gelijk had en zij ongelijk. We waren verschillend en ik moest ophouden van haar te verwachten dat zij net zo zou denken als ik. Ik moest haar accepteren zoals ze was, omdat ik dat omgekeerd ook van haar verlangde. Ik kon niet begrijpen waarom ze me over mijn vaders hardvochtige reactie op mijn bekering had verteld. Mijn vader had er met geen woord tegen mij over gerept, maar ik vermoedde dat ze vond dat ik moest weten hoe hij werkelijk over deze kwestie dacht.

Mijn moeder hielp me met mijn make-up op de dag dat ik met Andre zou trouwen. Een van mijn tantes had mijn jurk gemaakt. Ik kon mijn tranen niet bedwingen toen ik hem uit de kast pakte. Het was moeilijk te bevatten dat ik deze dag nog mocht meemaken. Ik keek uit mijn slaapkamerraam naar de roze rozen in de achtertuin en ik bad voor alle vriendinnen van wie ik had gehouden en die ik had verloren. Ik miste hen allemaal.

Terwijl ik mijn jurk over de stoel naast het raam vlijde, dacht ik aan Ali en onze trouwdag, hoe benauwd ik was geweest. Vandaag was het anders, vandaag was mijn dag.

Ik vroeg me af of Andre en ik ooit kinderen zouden krijgen. Ik was doodsbang om weer zwanger te worden. Ik dacht vaak aan de momenten die ik in mijn droom met mijn kindje had beleefd. Zijn lachende ogen, zijn gegiechel, zijn kleine hand die in mijn haar greep en zijn kleine mond die gretig van me dronk.

Andre was vroeg in de ochtend vertrokken om vers fruit en frisdrank te kopen om mee naar de kerk te nemen. We hadden onze gasten uitgenodigd om na de huwelijksvoltrekking en de mis in het kerkgebouw te blijven voor een stukje taart en een hapje en een drankje. Om niet te veel aandacht te trekken, hadden we besloten dat ik vroeg naar de kerk zou gaan en daar mijn trouwjurk zou aantrekken.

Onder de klanken van de huwelijksmars begeleidde mijn vader mij door de volle kerk naar het altaar en ik was gelukkiger dan ik ooit in mijn leven was geweest. Op het altaar stonden grote bloemenmanden vol witte gladiolen en overal om ons heen waren lachende gezichten.

We namen foto's in de kerk en in de achtertuin van de kerk. We aten taart en kletsten met de gasten, en al snel was de tijd aangebroken om naar het kleine appartement te gaan dat Andre had gehuurd nadat zijn vader was gestorven en de tante die hem had grootgebracht, naar Hongarije was teruggekeerd. Het appartement met uitzicht op de Elboersbergen bevond zich ten noorden van Teheran in een flat op de heuvels langs de Jordanië-weg. Vlak voordat ik de kerk uit ging, deed ik mijn sjaal en mijn islamitische manteau over mijn trouwjurk aan en toen liepen we met zijn tweeën naar Andre's marineblauwe Fiat. We waren beiden gelukkig en bang en we hoopten er het beste van omdat we wel moesten; we hadden besloten ons eigen leven te leiden.

Bijna meteen na ons huwelijk kreeg Andre een baan bij het elektriciteitsbedrijf van Teheran en een paar maanden later huurden we een appartement met mijn ouders samen om de onkosten te delen. De Iraans-Irakese oorlog, die nu zijn vijfde jaar beleefde, begon te escaleren. Sinds het begin van de vijandelijkheden in september 1980 was de oorlog voornamelijk voorbijgegaan aan Teheran; de grote afstand die de stad van Irak scheidde, had onze bescherming betekend. De straat-

namen in de woonwijken veranderden in de namen van de jongemannen die aan het front waren omgekomen. Vóór mijn tijd in Evin
was dit proces van naamsverandering langzaam en weinig opvallend
geweest. Maar na mijn vrijlating kon ik zien dat er veel straatnamen
waren die als herinnering aan de oorlogsslachtoffers dienden.

Niet zo heel lang voordat Andre en ik trouwden, werden Teheran
en een paar andere grote steden steeds vaker het doelwit van luchtaanvallen. Geheel onverwacht kwam de eerste explosie heel vroeg op een
ochtend: op zo'n drie kilometer van Zenia's huis blies een raket een hele woonwijk op. We werden met een grote klap door elkaar geschud en
ik werd er wakker van. Hoewel ik op dat moment niet wist wat de oorzaak van het geluid was geweest, wist ik dat er iets vreselijks was gebeurd. Sindsdien loeiden de sirenes een paar keer per dag en een paar
keer per nacht. Niemand had een echte schuilkelder en de regering
had nooit de moeite genomen om schuilkelders te bouwen, zodat de
mensen dekking zochten op veilige plekken ver van de ramen. Met elke raketinslag werden velen gedood of verwond door glasscherven.

De dood was deel gaan uitmaken van het dagelijks leven. Een aantal inwoners verliet de stad en week uit naar kleinere steden en dor-
pen, maar de meesten konden nergens heen. Maar net zoals een rivier
altijd zijn weg vindt naar lagergelegen gebied, zelfs als hij zich door
bergkloven een weg moet banen, wist het leven de kortste weg naar
een normaal bestaan te vinden door zich koppig tegen de angst te verzetten. Ouders gingen naar hun werk en stuurden hun kinderen naar
school, maar ze omhelsden hen iets langer en namen wat geduldiger
afscheid. Een paar scholen waren verwoest bij de luchtaanvallen en
honderden kinderen waren gedood terwijl ze achter hun lessenaar zaten of op het schoolplein speelden. Aan het oorlogsfront zette Saddam
Hoessein inmiddels chemische wapens in, zoals sarin en mosterdgas,
waardoor er duizenden doden vielen.

Wanneer Andre en ik door de stad reden om naar de kerk te gaan of
naar het huis van een vriend, zagen we geregeld een groot eenzaam
gat waar de vorige dag een huis had gestaan. Soms was er een trap

overeind blijven staan te midden van de ruïne van het leven van een gezin en voerde hij spookachtig naar de achterliggende leegte, of wierp een met bloemetjesbehang beplakte muur zijn schaduw over het stof van de verloren levens.

Op een woensdagochtend ongeveer twee jaar na mijn vrijlating uit Evin rinkelde de telefoon. Ik stond op het punt om boodschappen te doen en had mijn portemonnee in mijn hand.

'Mag ik Marina spreken?' zei een onbekende stem.

'Daar spreekt u mee.'

'Marina, ik bel vanuit Evin.'

De wereld stond stil. Ik legde mijn portemonnee op de grond en zocht steun tegen de muur.

'We willen dat je zaterdag naar Evin komt om een paar vragen te beantwoorden. Zorg dat je om negen uur 's ochtends bij de hoofdingang staat en kom niet te laat.'

'Wat voor vragen?'

'Dat zul je wel merken. Vergeet het niet, zaterdag om negen uur 's ochtends.'

Ik kon me niet bewegen. Ik kon niet eens de hoorn neerleggen. Mijn leven na Evin was slechts een droom. Het was tijd om uit die droom te ontwaken en terug te keren naar de realiteit. Ze hadden tenminste niet naar Andre gevraagd. Uiteindelijk hing ik op en ging naar onze slaapkamer. Er was niemand thuis en ik had de tijd om weer op verhaal te komen. Ik probeerde te bedenken wat er kon gebeuren. Ik probeerde mezelf voor te houden dat er niets aan de hand was en dat het gewoon een controle was. Maar ik kon het niet. Uitgeput ging ik op bed liggen en viel in slaap. Ik werd wakker doordat mijn moeder mijn naam riep en mijn schouder aanraakte.

'Waarom slaap je met je sjaal om en je manteau aan?' vroeg ze.

Even kon ik het me niet herinneren. Toen vertelde ik het haar.

'Wat zeg je?' Ze keek alsof ze werkelijk niet had begrepen wat ik haar net had verteld.

Ik herhaalde mijn verhaal en ze trok wit weg.

Het enige wat ik kon doen was slapen. Ik kon niet aan Evin denken. Denken zou niet helpen. Soms wanneer ik wakker werd om naar het toilet te gaan of om een slokje water te drinken, zag ik Andre naast me zitten, die met een lijkbleek gezicht volkomen bewegingloos voor zich uit zat te staren. Hij wist dat hij niets kon doen, dat hij me moest laten gaan. Er was geen enkel geluid in huis. De stilte had ons opgeslokt als een walvis.

Op zaterdagochtend nam ik kort afscheid van Andre zonder hem aan te kijken. Ik wilde hem niet vasthouden omdat ik wist dat ik hem dan niet meer los kon laten. We hadden een keuze gemaakt en moesten daaraan vasthouden. Ik wist per slot van rekening dat dit kon gebeuren. Mijn vader bracht me met de auto naar de hoofdingang van Evin. Ik had bedacht dat het voor Andre te gevaarlijk was om me te brengen. Mijn vader was zwijgzaam. Ik zei dat hij direct moest vertrekken en keek hoe zijn auto om de hoek verdween. Ik vroeg me af of ze me zouden martelen. Maar waarom zouden ze dat doen? Voor hen was ik een moslima die zich tot het christendom had bekeerd en met een christen was getrouwd en daarom moest ik sterven. Ze wilden geen informatie uit me loskrijgen, dit ging om de doodstraf. Ik zal waardig sterven, dacht ik en pas toen deze gedachte me inviel, besefte ik dat dit gold zolang ik deed wat goed was, zolang ik mijn eigen overtuiging volgde. En ik twijfelde er niet aan dat Taraneh ondanks alles ook waardig gestorven was.

Terwijl ik mijn chador goed trok, ging ik naar een van de bewakers die bij de poort stonden en vertelde hem over het telefoontje. Hij vroeg me naar mijn naam en ging naar binnen. Na enkele minuten kwam hij terug en zei me hem te volgen. De zware metalen deur viel achter mij dicht. We waren een klein vertrek binnengegaan. Hij pakte de telefoon en draaide een nummer.

'Ze is er,' was het enige wat hij zei.

Dit kon de laatste dag van mijn leven zijn. Waarschijnlijk was Hamehd onderweg om me te onthalen. Ik beloofde mezelf om hem met opgeheven hoofd tegemoet te treden. De deur ging open en Moham-mad stapte naar binnen. Ik zuchtte van opluchting.

'Marina, wat fijn je weer te zien. Hoe is het met je?' zei hij.

'Heel goed, dank je. En met jou?'

'Dank zij God maak ik het goed. Kom maar mee.'

Ik liep achter hem aan naar buiten. Hij zei niet dat ik een blind-doek voor moest doen. Overal waren bloemen geplant, wat in Evin volkomen misplaatst leek. Hij leidde me een gebouw binnen en bracht me naar een kamer waar een bureau en zes stoelen stonden. Aan de muur hing een portret van Khomeini.

'Ga alsjeblieft zitten,' zei hij. 'Vertel eens, wat heb je allemaal ge-daan sinds je hier weg bent?'

'Niet zoveel. Ik heb het grootste deel van de tijd gestudeerd en ik heb mijn eindexamen gehaald.'

'Wat goed. En verder nog iets?'

'Niet echt.'

Hij schudde glimlachend zijn hoofd. 'Je zit weer zwaar in de pro-blemen en ik denk dat je wel weet wat ik bedoel, maar je hebt geluk dat je hier een paar vrienden hebt. Hamehd had plannen voor je, maar het is ons gelukt hem tegen te houden.'

'Wat bedoel je?'

'Hij is achter je tweede huwelijk gekomen en heeft geprobeerd je door de Rechtbanken van de Islamitische Revolutie ter dood te laten veroordelen. Maar je wist toch wel dat dit kon gebeuren?'

'Dat wist ik.'

'En toch heb je het gedaan?'

'Ja.'

'Noem je dat dapper of dom?'

'Geen van beide. Ik heb gewoon gedaan wat in mijn ogen goed was.'

'Nou, deze keer had je het geluk aan jouw kant. Onbuigzame figu-ren als Hamehd krijgen steeds minder steun in Evin. Ik denk dat men door de moord op Ali is gaan inzien dat de radicalen te ver zijn gegaan.

Ali had me op het hart gedrukt je niet uit het oog te verliezen als er iets met hem zou gebeuren en hoewel ik je handelwijze afkeur, ben ik mijn belofte aan hem nagekomen. Maar dit doe ik niet nog een keer. Ik heb je hier laten komen om je te waarschuwen de volgende keer wat beter over je daden na te denken.'

'Dat stel ik op prijs.'

'De familie Musavi heeft naar je geïnformeerd. Ik heb ze gezegd dat je hier vandaag zou zijn. Ze zijn hier voor jou.'

De deur zwaaide open en ze kwamen allemaal binnen. Ik was blij hen te zien. De kleine Ali was groot geworden; het was een schattig peutertje en hij keek me argwanend aan. Akram omhelsde me. We gingen allemaal zitten.

'Fijn dat je er zo goed uitziet, Marina. Gaat het goed met je?' vroeg meneer Musavi.

'Ja, dank u.'

'Je bent dus opnieuw getrouwd. Ben je gelukkig?'

'Ja, meneer.'

'Je bent erg koppig. Je had enorme problemen kunnen krijgen als we niet op je hadden gepast.'

'Ik weet het, meneer, en ik ben u er dankbaar voor.'

'Ik heb je geld niet aangeraakt en als je het wilt, is het van jou.'

'Nee, dank u. Ik red me wel.'

'Dit is je tante Marina, Ali. Geef haar maar een kusje,' zei Akram tegen haar kleine jongen. Hij liep langzaam op mij af.

'Kom hier, Ali,' zei ik. 'Je bent nu een grote jongen!'

Hij kwam dichterbij, kuste me op mijn wang en rende terug naar zijn moeder.

Mevrouw Musavi huilde en ik omhelsde haar. Mijn leven zou heel anders geweest zijn als Ali niet gestorven was. Dan zouden zij mijn familie zijn gebleven zoals ze dat vijftien maanden lang waren geweest. Ik had nooit gewild dat Ali iets naars overkwam. Ik had me schuldig gevoeld omdat ik niet van hem hield en ik had me schuldig gevoeld omdat ik hem niet haatte, maar nu was het voorbij en ik kon er niets aan veranderen. Mijn gevoelens jegens hem waren altijd een combinatie van angst, frustratie en onzekerheid geweest en dat zou altijd zo blijven.

Vanuit Evin liep ik naar de hoofdweg en hield een taxi aan. Ik leefde nog. Het was alsof de dood me weg probeerde te duwen, me probeerde te beschermen en ik begreep niet waarom. De wereld schemerde voor mijn ogen. Waarom had ik het overleefd terwijl dat voor zovelen niet het geval was? Sarah was niet vrijgelaten en ik had meneer Musavi naar haar moeten vragen, maar ik had mijn hoofd er niet goed bij gehad. Ik vroeg me af of hij iets voor haar had kunnen doen.

Zodra ik thuis de deur naar de tuin opendeed, lag ik in Andre's armen. Hij drukte me dicht tegen zich aan, hij beefde.

'Goddank, goddank! Is alles in orde? Ik kan niet geloven dat ze je hebben laten gaan. Wat is er gebeurd?'

Ik zei dat het om een routinecontrole ging zoals ze dat bij iedereen deden die in Evin had gezeten.

'Vroegen ze je ook of je getrouwd was?'

'Nee,' loog ik. Ik wilde hem niet ongerust maken en ik wilde niets uitleggen. 'Of ze weten het niet, of ze weten het en het kan ze niet echt schelen.'

'Betekent dit dat ze ons niet meer lastigvallen?'

'Dat weet ik niet, maar voorlopig zitten we wel even goed. Vergeet echter niet dat ze onberekenbaar zijn. Het is moeilijk te zeggen wat ze morgen zullen doen.'

Als radicalen als Hamehd meer macht en steun in Evin kregen, zou mijn situatie ingrijpend veranderen, dat wist ik maar al te goed.

Ik was doodsbenauwd voor de oorlog, niet alleen vanwege de raketaanvallen, maar ook omdat Andre over een paar maanden zijn militaire dienstplicht moest vervullen. Toen hoorden we van een speciaal overheidsprogramma dat mensen met een universitaire graad in staat stelde om drie jaar lang les te geven aan een universiteit in een afgelegen stad in plaats van de militaire dienstplicht te vervullen. Dat was onze enige hoop om Andre van het front weg te houden; hij was namelijk net afgestudeerd. Hij solliciteerde op het programma en werd aangenomen.

We moesten naar Zahedan verhuizen, een stad in zuidoostelijk Iran, dicht bij de grens met Pakistan en Afghanistan. Andre zou docent worden aan de universiteit van Sistan-Belutsjistan. Ongeveer een maand voordat hij zou beginnen, moest hij een reis naar Zahedan maken om de papieren rond te krijgen en de noodzakelijke voorbereidingen te treffen. We gingen samen omdat ik nog nooit in dat deel van het land was geweest en ik erg nieuwsgierig was naar mijn nieuwe woonplaats.

De vlucht van Teheran naar Zahedan duurde ongeveer anderhalf uur. Toen het vliegtuig de landing inzette, keek ik uit mijn raampje. Het leek net alsof de aarde te slapen was gelegd, bedekt met een sluier van zand. Ik ontwaarde een kleine, zachtgroene vlek in de verte en zag die groter worden in de serene eindeloosheid van de woestijn. Lemen en bakstenen gebouwen waren aan het zand ontsproten en reikten naar de kostbare schaduw van de schaarse bomen.

Het vliegtuig landde en we namen een taxi om de stad te bekijken. Het zonlicht dat niet werd gefilterd door luchtvervuiling of luchtvochtigheid was zo fel dat het vreemd en vijandig aandeed. De weg die het vliegveld met de stad verbond, was in bijzonder goede staat en deelde het vlakke landschap in tweeën als een oud litteken. In het centrum van Zahedan bevonden zich kleine winkels aan weerszijden van smalle straatjes; over de trottoirs liepen mannen en vrouwen in traditionele kleding – ruime slobberbroeken en lange overhemden voor de mannen, en met de hand geborduurde jurken tot op de enkels en losse sjaals voor de vrouwen. Ik had nog nooit een kameel van dichtbij gezien en hier stond er een langs de kant van de weg langzaam en geduldig op iets te kauwen en naar het verkeer te kijken met zijn grote verveelde ogen die het allemaal al weleens gezien leken te hebben. In de nieuwere, wat welvarender buurten werden grote huizen gebouwd met luxe bakstenen, maar hoe verder we naar het noorden reden, des te kleiner werden de huizen en des te vaker waren ze van kleisteen gebouwd. Aan de noordgrens van de stad lagen hoge rotsachtige heuvels met gaten die eruitzagen alsof ze de ingang van holen waren. De taxichauffeur vertelde ons dat mensen die holen hadden gegraven om erin te wonen. Ik zag een groep jongens in de bloedhete zon op blote voeten lachend achter een kapotte plastic bal aan rennen. De taxichauffeur vroeg ons naar de reden van onze komst en Andre vertelde dat hij aan de universiteit zou gaan lesgeven.

'De sjah heeft de universiteit hier gebouwd,' zei de chauffeur, 'en dat is heel goed voor ons geweest. Nu komen goedopgeleide mensen uit Teheran en andere grote steden hierheen om les te geven aan onze kinderen en de andere kinderen die hierheen komen vanuit vergelegen plaatsen.'

In maart 1987 laadden Andre en ik onze bezittingen in de auto en begonnen we aan onze reis van vijftienhonderd kilometer naar Zahedan. Na een paar uur leek onze kleine gele Renault 5 alleen op de wereld. Door de open raampjes sloeg de hete wind tegen mijn gezicht. Een zee van zand danste in gouden golven over de weg, en iets verder naar de horizon verdween de aarde in de luchtspiegeling van een trillende, zilveren oceaan. Urenlang trad er geen enkele verandering op in het landschap en was er geen enkele bocht in de weg. Wanneer we zo nu en dan halthielden om de benen te strekken, drong het zonder het constante geronk van de auto tot me door hoe stil het in de woestijn was. Aan zee hoorde je zelfs op een rustige dag altijd wel het ruisen van de branding, en in een bos hoorde je, zelfs al verkozen de dieren geen geluid te maken, altijd nog het geritsel van de bladeren. Maar hier heerste een absolute stilte. Bij zonsondergang loste de zon op in de kokendhete rode einder en dan viel de nacht, zacht en stil, ter afkoeling van de brandende wind. Ik had het gevoel alsof ik de fonkelende sterren kon aanraken, die met hun kleine pulserende lijfjes de nachthemel bezaaiden. Hier waren geen weerspiegelingen of echo's, hier lag land dat zo afgelegen en desolaat was dat het buiten het bereik van de tijd scheen te vallen.

De universiteit van Zahedan had op het universiteitsterrein een woonwijk voor de docenten aangelegd. De woningen waren niet luxueus, maar wel degelijk, comfortabel en schoon. We konden er in al onze levensbehoeften voorzien. Maar het kraanwater zat hier vol met mineralen en was niet drinkbaar, zodat we twee of drie keer per week tien minuten moesten rijden naar een waterzuiveringsinstallatie om grote containers met drinkwater te laten vullen.

Andre had het erg druk met zijn baan. Hij was aan het lesgeven of hij was thuis bezig lessen voor te bereiden en werkstukken te corrigeren. De eenzaamheid en de stilte van de woestijn hielpen mij het verleden aan de kant te zetten. De hele dag was ik in de weer met dingen als schoonmaken en koken, en wanneer het werk was gedaan, begon ik weer van voren af aan. Ik luisterde nauwelijks naar de radio, keek geen televisie en las geen boeken. Er waren helemaal geen boeken om te lezen, maar vreemd genoeg miste ik ze ook niet. Ik was gewoonweg uitgeput, als een marathonloper die urenlang had gelopen, die erin was geslaagd over de finish te kruipen en uiteindelijk was ingestort. Mijn geest deed alleen nog dingen die gedaan moesten worden. Hij herinnerde mij eraan mijn simpele taken uit te voeren: de was werd altijd gedaan, de vloeren waren onberispelijk schoon en het eten stond op het juiste tijdstip op tafel.

Andre had geweldige collega's op de universiteit. Soms kwamen we bij elkaar met hen en hun gezinnen, en ze waren allemaal heel aardig voor ons. Ze wisten niets over mijn verleden, en ik kon met hen kletsen over nieuwe recepten en ideeën voor de inrichting van het huis.

De oorlog was niet doorgedrongen tot Zahedan, dat heel ver van de grens tussen Iran en Irak lag, maar de raketaanvallen op Teheran en zeven andere steden gingen voort. Ik belde mijn moeder bijna dagelijks om te horen hoe het met hen was. Weliswaar was het een weldaad om 's nachts te kunnen slapen zonder explosies her en der die je aan stukken dreigden te blazen, maar ik voelde me een verrader. Ik smeekte mijn ouders om een tijdje bij ons in Zahedan te komen wonen, maar mijn vader weigerde en zei dat hij naar zijn werk moest. Ik vroeg hem om dan tenminste mijn moeder te laten komen, waarop hij zei dat er geen reden tot ongerustheid was: Teheran was een bijzonder grote stad en de kans om door een raket te worden getroffen was maar klein. Toen belde mijn moeder me op een ochtend.

'Maman, gaat het goed?'

'Prima. Ik zit nu een paar dagen bij Marie. Het is veiliger hier.'

Marie woonde in een hoge flat, niet ver van het appartement van mijn ouders in Teheran. Dit leek niet erg logisch.

'Maman, waar heb je het over? Híer in Zahedan is het veiliger. Teheran is onveilig, waar je ook bent.'

'Geloof me maar. Hier is het beter.'

'Maman, zeg nu meteen wat er aan de hand is, of ik stap op het eerstvolgende vliegtuig om er hoogstpersoonlijk achter te komen.'

'Gisterochtend is onze straat geraakt.'

Mijn ouders woonden aan een klein pleintje. Als een raket hun straat had getroffen terwijl mijn moeder thuis was, begreep ik niet dat ze ongedeerd was gebleven.

'Waar is hij precies ingeslagen?'

'Het eerste huis op de hoek.'

Vier huizen verderop, en zij was niet gewond geraakt?

'Hun huis is weggevaagd. Het is nu alleen nog maar een groot, donker gat alsof het er nooit is geweest. Ik kende de bewoners niet echt. Het waren rustige mensen van onze leeftijd. De man was op zijn werk. Zijn vrouw en zijn kleinzoon zijn gedood. Twee mensen in een voorbijrijdende auto zijn ook gedood. Een paar van hun buren zijn gewond, maar niet ernstig. Er was bijna niemand thuis; de mensen waren op hun werk of waren boodschappen aan het doen.'

Ik probeerde me de situatie voor te stellen die mijn moeder zojuist had beschreven, maar het lukte me niet.

'Die man kwam thuis en toen was zijn familie verdwenen,' vervolgde mijn moeder. 'Er is alleen nog maar een gat. Slechts een paar minuten voor de inslag klonk de sirene. Ik was in de keuken aan de telefoon met je tante Negar. Ze zei: "Daar gaat de sirene. Hang op en zoek een veilige plek." Ik perste me tussen de koelkast en de keukenkast. En toen kwam hij. Het was een harde klap. Boem! Ik dacht dat ikzelf was geëxplodeerd. Maar daarna was het doodstil, alsof ik doof was geworden. Ik kroop tevoorschijn. Overal lag glas. Sommige stukken waren in krakend stof veranderd. En de grotere stukken staken als pijlen in de muren. Het huis stond er nog, maar het was een grote bende. Ik vond delen van jouw kastdeur in de voortuin.'

De oorlog was eindelijk afgelopen in augustus 1988, toen ik bijna vier maanden zwanger was. De regering van Iran aanvaardde een resolutie van de Veiligheidsraad van de Verenigde Naties, waarna een staakt-het-vuren tussen Iran en Irak werd afgekondigd. Er was geen winnaar. Er waren meer dan een miljoen doden gevallen.

In de laatste jaren van de oorlog had de organisatie Mujahedin-e Khalq zevenduizend leden in Irak bijeengebracht om aan de zijde van het leger van Saddam te strijden en de regering van Iran te verzwakken. Ik kon niet begrijpen hoe de moedjahedien zich aan de zijde van iemand als Saddam konden scharen, die zoveel Iraniërs had afgeslacht. Kort na de afkondiging van het staakt-het-vuren vielen de moedjahedien die in Irak gelegerd waren de provincie Kermanshah in het westen van Iran binnen. Ze geloofden dat ze genoeg steun konden verzamelen om het islamitische regime ten val te brengen, maar de Revolutionaire Garde bracht hun zonder veel moeite een nederlaag toe. Vele moedjahedien werden gedood, en de overlevenden trokken zich terug in Irak. Daarna werden honderden gevangenen in Evin geëxecuteerd die ervan waren beschuldigd met de moedjahedien te sympathiseren.

In de eerste drie maanden van mijn zwangerschap was ik ontzettend misselijk en moest ik geregeld overgeven, maar vanaf de vierde maand ging het beter. Het kindje groeide. Al snel voelde ik het binnen in mij bewegen en ik moest ervan huilen, omdat ik besefte dat ik er nog meer van hield dan ik ooit voor mogelijk had gehouden. Ik wilde Andre een gezond kind geven.

Mijn moeder had aangeboden een paar dagen bij me te komen als de baby geboren was. De wieg stond al klaar en de kleertjes lagen keurig opgevouwen in de kast.

Aan het eind van mijn achtste maand ging ik naar het ziekenhuis voor een echoscopie. Zahedan was een kleine stad en toevallig was mijn gynaecoloog erbij toen mijn echoscopie werd uitgevoerd. Het hoofdje was te groot. De gynaecoloog dacht dat het kindje een waterhoofd had, een ernstige afwijking waarbij zich hersenvocht ophoopt in het hoofd van de foetus. De radioloog die de echoscopie uitvoerde, dacht echter dat de grootte van het hoofd op zich geen reden was om een waterhoofd te veronderstellen. Er hadden ook andere tekenen moeten zijn, maar die waren afwezig. Ik lag op bed te luisteren hoe de twee artsen over mijn kindje discussieerden.

'We moeten een gaatje in het hoofd boren en het kind eruit halen; het is geen keizersnede waard,' zei de gynaecoloog.

Andre en ik hadden er genoeg van. Ik was bang en kwaad. Ik zou mijn kind niet laten sterven, dat nooit weer. Ik wilde naar Teheran gaan voor een second opinion, maar de zwangerschap was al te ver gevorderd en de luchtvaartmaatschappij wilde mij niet laten vliegen. Een rit met de auto naar Teheran was echter veel te riskant. Stel dat het kindje ergens midden in de woestijn besloot te komen.

Een van Andre's collega's had een vriend op het kantoor van de luchtvaartmaatschappij, en hij kon zijn invloed aanwenden om tickets voor ons te kopen. Binnen de kortste keren waren we op weg naar Teheran, waar de gynaecoloog van een van mijn nichten me zou onderzoeken.

Van de luchthaven ging ik rechtstreeks naar het ziekenhuis. De arts liet nog een echoscopie uitvoeren en vervolgens kreeg ik te horen dat het prima ging met het kindje – het had gewoon een groot hoofd. Maar een natuurlijke bevalling werd afgeraden; daarom prikten we een datum voor een keizersnede: 31 december 1988. Ik was nog niet helemaal gerustgesteld. Stel dat ze het verkeerd zagen. Ik moest dit kindje beslist hier houden, in deze wereld. Ik moest het voeden en het horen huilen. Ik moest dit nieuwe leven veilig binnen in mij weten om geboren te worden en te leven.

Onze zoon Michael werd geboren op 31 december 1988. Toen ik na de operatie mijn ogen opendeed, had ik veel pijn, was ik misselijk en had ik een droge, bitter smakende mond. Andre vertelde me dat de baby het goed maakte. Met mijn zoon in mijn armen dacht ik aan Sheida en hoe bedroefd zij was nadat ze haar zoontje naar haar ouders had gestuurd. Nu begreep ik hoe verschrikkelijk ze zich moest hebben gevoeld.

Ayatollah Khomeini overleed op 3 juni 1989. Hij had kanker en was kort tevoren geopereerd. De mensen wisten dat zijn dood ophanden was. Toen ik in Zahedan het nieuws op de radio hoorde, zat ik rechtop in bed, terwijl ik de borst gaf aan Michael, die toen ongeveer vijf maanden was. De presentator huilde. Mijn twee jaar in Evin trokken in een flits aan mij voorbij. De revolutie had een einde moeten maken aan Evin, maar dat was niet gebeurd. Integendeel, de stille verschrikking van de gevangenis was alleen maar erger geworden en nog veel bloediger dan tevoren. Khomeini was verantwoordelijk geweest voor de vreselijke dingen die binnen die muren plaatsvonden. Hij was verantwoordelijk geweest voor de dood van Gita, Taraneh, Sirus, Layla, Mina en duizenden anderen. Maar op de een of andere manier was ik niet blij toen ik van zijn dood hoorde. In zekere zin had ik medelijden met hem. Wat voor nut had het een dode man te veroordelen? Ik was ervan overtuigd dat hij net als Ali niet alleen maar slecht was. Ik had gehoord dat hij van poëzie hield en zelf ook dichtte. Hij had de wereld veranderd, maar men zou de reikwijdte van zijn invloed pas kunnen vaststellen wanneer men in de toekomst op veilige afstand kon terugkijken en zijn acties en de resultaten daarvan kon analyseren. Ik bad voor de zielenrust van hen die na de revolutie hun leven hadden verloren en voor hun familieleden, dat ze de moed en de kracht mochten vinden om hun leven voort te zetten en van Iran een beter land te maken.

Michael was in slaap gevallen. Het was een prachtig kind. Hij had er geen benul van dat iemand die Khomeini heette het leven van zijn ouders ingrijpend had veranderd, en ik vroeg me af welke invloed Khomeini's dood op ons en op Iran zou hebben. Velen geloofden dat de islamitische regering zijn dood niet zou overleven, dat er een machtsstrijd tussen de verschillende facties van de regering zou losbranden die een einde aan de Islamitische Republiek zou maken.

Op de dag van de begrafenis van Khomeini, een snikhete dag, stroomden de straten van Teheran vol met een oceaan van zo'n negen miljoen mensen die allemaal in het zwart waren gekleed en in de richting gingen van de snelweg naar de begraafplaats Behesht-e Zahra. Wij keken naar de reportage op televisie. Ik had nog nooit zo'n grote menigte gezien – niemand waarschijnlijk. Ze huilden, weeklaagden en sloegen zich op de borst zoals de sjiieten altijd om hun martelaren rouwen. Ik kon alleen maar denken aan de onschuldige, jonge levens die verloren waren gegaan door de revolutie, door Evin. Maar de rouwenden leken zich daar niet om te bekommeren. Khomeini was hun imam, hun leider en hun held, de man die standvastig in opstand was gekomen tegen het Westen. Maar waarom was hij zo geliefd? Ik probeerde het te begrijpen. Was hun haat tegen het Westen zo diep geworteld dat ze het voor lief namen dat hun onschuldige kinderen werden gevangengezet en vermoord? Misschien had hun relatie met hem niets van doen met liefde, maar ging het om een angstige en van ontzag vervulde bewondering voor een man uit een arme familie door wie zij de macht en het gezag hadden gevonden om op te staan tegen een wereld die hen lange tijd had geïntimideerd.

De menigte omringde de truck die de houten kist van Khomeini vervoerde. Iedereen wilde een stukje van zijn lijkwade hebben en wilde een laatste blik op hem werpen. De truck leek in de zwarte menigte ten onder te gaan. Ordestrijdkrachten probeerden uit alle macht de rouwenden op afstand te houden door hen met water uit brandslangen te bespuiten, maar het was tevergeefs. Onder een sluier van mist, stof en hitte werden daarna het gegil en het geweeklaag overstemd door het geraas van een helikopter die de truck naderde en vlak ervoor landde. Khomeini's kist werd van de truck gehaald om hem over te brengen naar de helikopter, maar de menigte kreeg vat op de kist en hij brak. Talloze handen graaiden en scheurden stukken af van de witte lijkwade, zodat een van Khomeini's benen zichtbaar werd. Het lichaam werd uiteindelijk in de helikopter geplaatst, die eerst een paar keer op en neer moest bewegen om zich te ontdoen van de mensen die aan het landingsgestel hingen.

Enkele uren later werd een beter georganiseerde poging ondernomen om Khomeini's lichaam te ruste te leggen, en ditmaal met succes. Een paar legerhelikopters vlogen naar de begraafplaats. Uit een daarvan werd een metalen kist uitgeladen. Khomeini's met een lijkwade bedekte lichaam werd eruit gehaald – volgens sjiitisch gebruik legt men het lichaam alleen gehuld in een lijkwade in de grond – en werd uiteindelijk begraven tussen de duizenden andere martelaren van het land.

Maanden verstreken en het islamitische regime overleefde de dood van Khomeini. Ayatollah Ali-e Khamenei nam Khomeini's plaats in als de opperste leider van het land. Hij was al twee termijnen president geweest. Het terreurbewind ging voort. Het aantal arrestaties verminderde, niet omdat er meer vrijheid was, maar omdat iedereen wist welke hoge prijs je moest betalen als je je uitsprak tegen het regime. Degenen die hun mond open durfden te doen werden gewoonlijk onmiddellijk tot zwijgen gebracht. De vrouwen maakten 'betere' en 'slechtere' tijden mee. Nu eens verstevigde de Revolutionaire Garde een paar maanden lang zijn greep en tolereerde geen enkele make-up of slordige hidjab, en dan volgde weer een periode van een paar weken waarin je lippenstift mocht dragen en een paar haarlokken zichtbaar mocht laten.

Ook al wisten Andre en ik dat we nooit helemaal veilig zouden zijn in Iran, we waren niet in staat geweest het land te verlaten. Toen ik uit

Evin werd vrijgelaten, was mij verteld dat ik drie jaar lang Iran niet uit mocht. Deze beperking van de bewegingsvrijheid werd niet automatisch opgeheven wanneer de periode van drie jaar voorbij was. Eerst moest ik een paspoort aanvragen. De dienst die dat regelde zou me een brief geven waarmee ik naar Evin moest gaan om toestemming te vragen het land te verlaten. Andre mocht pas naar het buitenland nadat hij zijn drie jaar in Zahedan had voltooid. Mijn situatie lag ingewikkelder, maar alleen als ik het probeerde kon ik weten of het mogelijk was.

Ik vroeg een paspoort aan en mijn aanvraag werd afgewezen, zoals ik wel had verwacht. Ik ging met de brief die ik bij de dienst voor paspoorten kreeg naar Evin. Daar kreeg ik te horen dat ik alleen het land mocht verlaten na betaling van 500.000 toman – ruim 3500 Amerikaanse dollar – als borg die mijn terugkeer moest garanderen. Als ik binnen een jaar terugkeerde, zou het geld worden teruggestort. Als ik niet terugkwam, zou het aan de overheid vervallen. Destijds was Andre's salaris ongeveer 7000 toman – bijna 60 Amerikaanse dollar – per maand. We hadden niet genoeg geld.

Ik vroeg mijn vader ons het geld te lenen. Om mijn ouders te helpen hadden we ook na onze verhuizing naar Zahedan nog de helft van hun huur betaald. Mijn vader had inmiddels het zomerhuisje verkocht en had tweemaal zoveel geld op de bank als ik nodig had.

'Papa, ik vraag je alleen maar ons het geld te lenen,' zei ik tegen hem. 'Ik heb je nooit eerder om geld gevraagd. Zodra we in een vrij land worden geaccepteerd en we een baan vinden, betalen we je geleidelijk terug.'

'Denk je dat het daar allemaal zo gemakkelijk is?' vroeg hij. 'Het leven is moeilijk. Hoe weet je nou dat je gaat slagen?'

'Ik weet het omdat we hard kunnen werken en omdat God groot is. Hij zal ons helpen.'

Mijn vader lachte. 'Ik zal je eens een verhaaltje vertellen,' zei hij. 'Twee vissers gingen in een bootje de zee op. Het was mooi weer toen ze van wal staken, en het water was kalm. Toen ze eenmaal ver op zee waren, sloeg het weer om. Al snel zaten ze midden in een grote storm. "Wat doen we nu?" vroeg de een aan de ander, terwijl hun bootje heen en weer werd geslingerd. "We moeten tot God bidden om ons te redden, omdat Hij groot en machtig is en ons uit deze benarde situatie kan redden," zei de ander. "God mag dan groot zijn, beste vriend, maar dit bootje is klein," zei de eerste, en ze verdronken allebei.'

Ik kon mijn oren niet geloven. Hoewel hij niet op de hoogte was van alles wat me in de gevangenis was overkomen, wist hij toch dat ik een politieke gevangene was geweest en dat ik in Iran geen enkele toekomst had. Ik moest voortdurend in angst leven en vanwege mijn politieke verleden mocht ik niet naar de universiteit. Ik had zijn hulp nodig en hij was in staat mij die te geven, maar dat weigerde hij.

'Je geeft meer om je geld dan om mij!' zei ik. 'Ik heb je gezegd dat ik het je terug zal betalen en dat doe ik ook. Ik zou het je niet vragen als ik niet ten einde raad was.'

'Nee,' zei hij.

Uiteindelijk moest ik de bittere waarheid over mijn vader onder ogen zien: hij zou nooit een offer voor mij brengen. Ik wist niet waarom hij zo was. Mijn hele leven had ik het gevoel gehad dat er een afstand tussen ons was, maar ik had dat altijd genegeerd omdat ik meende dat hij gewoon niet iemand was die zijn ware gevoelens gemakkelijk toonde. Ik kon me niet herinneren dat hij iemand ooit liefde of affectie had getoond, zelfs mijn moeder of mijn broer niet. Mijn hele leven had ik met een schuin oog naar vaders gekeken die van hun dochter hielden en openlijk uiting gaven aan hun gevoelens, vaders die zich geweldige offers getroostten voor hun kind. Ik had de gedachte geweerd dat mijn vader anders was. Ik had me altijd voorgehouden dat hij aardig, genereus en liefhebbend was.

Ik dacht aan meneer Musavi. Ik wist dat ik de telefoon kon oppakken en hem bellen, en ik twijfelde er niet aan of hij zou me het geld geven dat Ali me had nagelaten. Maar dat wilde ik niet; voor mij was het nodig dat dat deel van mijn leven voorbij was. Ik wenste dat mijn familie me op dezelfde manier zou behandelen als de familie van Ali had gedaan. Maar ik wist dat mijn wens nooit in vervulling zou gaan.

Andre's vader had in de laatste jaren van zijn leven in een meubelfabriek gewerkt. Met de hulp van de eigenaar van die fabriek hadden hij en nog een paar medewerkers geïnvesteerd in een stuk land om er een klein appartementengebouw te bouwen. Toen Andre's vader overleed was dit project nog niet gestart, maar Andre stortte wel steeds geld bij. Op een dag kregen we een telefoontje van een dame die op de fabriek werkte en zij liet ons weten dat er met de bouw van de flat was begonnen. We spraken met haar over onze plannen om naar het buitenland te gaan en over onze financiële problemen. En toen bood zij aan ons aandeel over te nemen en ons 500.000 toman meer te betalen dan wat we al hadden geïnvesteerd. Dat was nu net het aanbod dat we nodig hadden.

Andre ontving zijn paspoort na afloop van onze drie jaar in Zahedan. Ik ging naar Evin, overhandigde de borg en kreeg het mijne. We hadden gehoord van een katholiek vluchtelingenbureau in Madrid en besloten naar Spanje te gaan. We kochten onze vliegtickets, deden alles wat we bezaten van de hand, wat niet zoveel was, en wisselden de opbrengst in voor Amerikaanse dollars. Er was nog steeds geen garantie dat we ook werkelijk konden vertrekken. Op de luchthaven hield de Revolutionaire Garde talloze mensen tegen die met een geldig paspoort naar het buitenland wilden gaan. We konden ons pas echt vrij voelen als ons vliegtuig de Iraanse grens was gepasseerd.

Onze vlucht zou vrijdag 26 oktober 1990 vroeg in de ochtend vertrekken, en mijn ouders zouden ons rond middernacht met de auto naar de luchthaven van Teheran brengen. Michael, die bijna twee jaar was, kreunde en wrong zich allerlei bochten toen ik hem wilde aankleden, maar zodra de auto zich in beweging zette, viel hij rustig in mijn armen in slaap. De stad was verlaten. Ik zag de vertrouwde straten voorbijglijden. Eerst de smalle woonstraatjes van Davudieh, waar we na onze terugkeer uit Zahedan hadden gewoond, en daarna de grote, brede straten met winkels. Ik had herinneringen aan bijna elke straat en elke hoek. Mijn leven in Iran had me gemaakt tot wie ik was.

Ik liet nu een deel van mijn hart, een deel van mijn ziel achter. In dit land waren mijn dierbaren te ruste gelegd – en ik moest het verlaten. Hier was geen toekomst voor ons, alleen het verleden. Ik wilde dat mijn kinderen het huis konden zien dat ooit mijn thuis was geweest. Ik wilde hun de weg laten zien waarlangs ik naar school ging, het park waar ik speelde, en de kerk die me het geschenk van het geloof en de vrede had gegeven. Ik wilde dat ze de blauwe Kaspische Zee zouden zien, de brug die beide zijden van de haven verbond, en de rijstvelden die in de schoot van de hoge bergen lagen. Ik wilde dat ze de woestijn kenden, zijn wijsheid en zijn eenzaamheid. Maar ik wist dat dat waarschijnlijk nooit zou gebeuren. Voor ons was er geen terugkeer mogelijk.

Toen we het Azadi-plein passeerden met het grote witte monument – een symbool van Teheran dat in de tijd van de sjah was gebouwd en dat als een poort tot de stad was geworden –, besefte ik dat dit een definitief afscheid was. Ik wierp een laatste blik op de met sneeuw bedekte toppen van het Elboersgebergte, die nauwelijks zichtbaar afstaken tegen de nachtelijke hemel.

Bij de luchthaven parkeerden we de auto en liepen vervolgens zwijgend naar de terminal. In de wetenschap dat er langdurige veiligheidscontroles werden gehouden, waren we er al uren vóór het vertrek. Leden van de Revolutionaire Garde openden alle bagage en doorzochten die nauwkeurig. Het was verboden om antiek, te veel sieraden of te grote sommen geld mee naar het buitenland te nemen. Alles verliep gladjes en ik wuifde mijn ouders vaarwel. We huilden allemaal.

Ons vliegtuig van Swissair steeg op in de koude, donkere lucht van de vroege ochtend. Al snel passeerden we de grens, de meeste vrouwen deden hun hidjab af en maakten zich op. Terwijl ik naar de constante, geruststellende dreun van de motoren luisterde, sloot ik mijn ogen en vroeg me af of er een dienst 'gevonden voorwerpen' in de hemel zou zijn. Ik had veel spullen achtergelaten. Een daarvan was een zilveren sieradendoosje dat mijn oma, praktisch als altijd, had gebruikt om suiker in te bewaren en dat ze op de keukentafel had staan. Het was een geschenk van haar man geweest. Ik was er altijd van overtuigd geweest dat ze telkens wanneer ze suiker in haar thee schepte, even werd herinnerd aan alles wat ze samen hadden meegemaakt. Verder waren er de fluit van Arash, de halsketting die hij me nooit had kunnen geven, en mijn eerste trouwring. Misschien waren ze niet echt verloren en zou ik ze op een goede dag allemaal terugvinden onder de bemoste stenen van mijn gebedsrots in een vreemd bos vol engelen.

Epiloog

Nadat we acht dagen in Madrid hadden doorgebracht en daarna tien maanden in Boedapest in afwachting van onze officiële documenten, bracht een vliegtuig van Swissair ons naar de luchthaven van Zürich. Daar stonden we op 28 augustus 1991 in de rij te wachten om aan boord van het vliegtuig naar Toronto te gaan. Ik had Michael een paar woordjes Engels geleerd en had hem verteld over een mooi land dat Canada heette, waar 's winters veel sneeuw viel en we grote sneeuwpoppen konden maken, en waar de zomers warm en groen waren en we in blauwe meren konden zwemmen. Hij stond vlak bij me, terwijl hij met grote ogen van opwinding mijn hand vasthield. Enkele Canadese scholieren stonden in dezelfde rij vóór ons. Ik benijdde hen en vroeg me af hoe het zou voelen Canadees te zijn.

'Ik zal blij zijn als we weer in Toronto zijn,' zei een van hen.

'Ik ook,' zei een ander. 'Het was hier geweldig hoor, maar thuis is het toch het allerbest.'

Op dat moment wist ik, terwijl ik naar die tieners met hun stralende zorgeloze lach keek, dat het goed met ons zou gaan in Canada. Het zou ons nieuwe thuis zijn, waar we vrij zouden zijn en ons veilig zouden voelen, waar we onze kinderen zouden zien opgroeien, en waar we ons thuis zouden voelen.

Op de ochtend van 31 maart 2005 werd ik gebeld door Michelle Shepard, een goede vriendin die journalist bij de *Toronto Star* is en over het Midden-Oosten, terrorisme en veiligheidskwesties schrijft. Ik was blij haar te horen, maar ze zei dat ze me iets moest vertellen.

'Je kunt maar beter even gaan zitten,' zei ze.

Dat deed ik. Ze vertelde me over het rapport van dr. Shahram Azam aangaande de verwondingen van Zahra. Ik wilde dat ik Zahra had kunnen redden. Ik wilde dat ik met haar gestorven was. Maar met mijn dood zou niemand iets zijn opgeschoten. Ik had een verhaal te vertellen. Zahra had de politieke gevangenen van Iran een naam en een gezicht gegeven; nu was het aan mij om hun woorden te geven.

Dankbetuiging

Eerlijk gezegd weet ik niet waar of hoe te beginnen. Misschien moet ik nieuwe woorden bedenken, omdat al die woorden van dank te gewoon klinken en bij lange na geen recht doen aan het gevoel dat ik wil uitdrukken.

Andre, de liefde van mijn leven: ik geloof echt dat jij de eerlijkste en trouwste mens bent die God ooit heeft geschapen. Jouw goedheid overstijgt de natuurwetten. Jij bent aan mijn zijde gebleven en hebt me de hoop en de kracht gegeven om te overleven. Ik weet hoe moeilijk het voor je was om te accepteren dat ik mijn hart moest volgen en dit boek moest schrijven, maar je bent me altijd blijven steunen. Dank je voor je niet-aflatende liefde, vertrouwen en vergeving.

Michael en Thomas: bedankt dat jullie er zijn, dat jullie me het geschenk van het moederschap en de liefde hebben gegeven. Door jullie ben ik een compleet mens geworden. Bedankt dat jullie je vitaliteit en verwondering met mij delen en dat jullie zoveel geduld hebben gehad gedurende de lange uren dat ik aan het schrijven was.

Beverley Slopen, mijn geweldige agent en wonderdoener: jij kwam mij redden, maakte dit boek tot werkelijkheid en stelde de wereld ervoor open. Jouw deugdelijke raad loodste me door moeilijke tijden. Ik zal mijn dankbaarheid aan jou nooit ten volle kunnen overbrengen.

Mijn fantastische redacteuren en uitgevers – Diane Turbide en David Davidar (Penguin/Canada), Eleanor Birne en Roland Philipps (John Murray Publishers/Groot-Brittannië), en Liz Stein en Martha Levin (Free Press/Verenigde Staten): dank voor jullie geweldige steun, attente opmerkingen en scherpzinnige vragen. Jullie waren ervan overtuigd dat ik mijn verhaal moest vertellen en wezen mij de weg met jullie wijsheid.

Jim Gifford: jij kwam op wonderbaarlijke wijze in mijn leven, moedigde me aan en werd mijn leraar en vriend. Dankzij jou heeft mijn manuscript zich uiteindelijk ontwikkeld tot een boek. Ik sta voorgoed bij je in het krijt.

Michelle Shephard: jij maakte het voor mij mogelijk even afstand te nemen en via jouw woorden naar mijn verhaal te kijken. Je liet me dieper in mijn geheugen graven en stelde me in staat me details te herinneren waarvan ik dacht dat ik me die onmogelijk kon herinneren, en je hielp me datgene onder ogen te zien wat ik onbewust probeerde te mijden. Jij hebt een speciaal plekje in mijn hart.

Rachel Manley: hoe hard ik ook mijn best doe om uit te leggen wat jij voor mij betekent, het zal me nooit lukken. Ja, jij bent mijn mentor, maar je bent ook veel meer dan dat. Je bent als een goede moeder geweest, een boezemvriendin en een lievelingszus. Ik zal altijd naar je opkijken. Dank je voor je steun en de mooiste en verrassendste beoordeling van dit boek die ik ooit heb ontvangen. Je bent een groot schrijfster, dichteres en lerares, en een absoluut onafhankelijke geest.

Scott Simmie: we weten allebei veel van verlies, strijd en verdriet, en we hebben allebei vrijheid, geluk en troost gevonden in het geschreven woord en in de onverwachte geur van rozen en narcissen, een geur die leven en warmte schenkt aan de grote eenzaamheid die de dood achterlaat.

Joan Clark: jij moet wel een engel zijn, omdat ik je goedhartigheid op geen andere wijze kan verklaren. Jouw aandacht voor detail is fenomenaal. Jij hielp me orde te scheppen in mijn fragmentarische herinneringen, zodat ik met mijn manuscript een grote stap voorwaarts kon zetten. Jouw vriendschap is een dierbare zegen.

Steven Beattie: wanneer de moed mij in de schoenen zonk, kwam jij uit de puinhopen tevoorschijn en gaf me nieuwe hoop. Bedankt dat je bleef geloven in dit werk en in mijn vermogen het tot een goed einde te brengen. Bedankt voor al je correcties, onschatbare adviezen en steun.

Olive Koyama: dank je dat je me de juiste vragen stelde en me aanmoedigde.

Eerwaarde pater Nicola, pater Antoniazzi en pater F.: u kennen is een geschenk. Dank u voor het niet vergeten van wat er is gebeurd, voor het vertellen van wat u zich herinnert, en voor de inspiratie door uw woorden. Met speciale dank aan pater Nicola, die ons uitnodigde hem in Bethlehem te komen opzoeken, wat een hoogtepunt in mijn leven is geworden, en die de Italiaanse vertaling verzorgde van het artikel dat Michelle Shephard over mijn verhaal schreef in de *Toronto Star*.

Lee Gowan: jij hebt mij het meeste bijgebracht op het gebied van schrijven. Het is mijn droom om zo te kunnen schrijven als jij. Je hebt me opgebeurd wanneer ik de hoop verloor dat ik het ooit af zou krijgen. Jij hebt me de mogelijkheid gegeven zover te komen. Dank voor je grenzeloze vriendelijkheid en onbaatzuchtige vriendschap.

Gillian Bartlett: jij hielp me met overtuiging te schrijven. Ik heb nooit iemand gekend die zo vriendelijk, energiek, genereus en wijs is als jij. Jouw levenslust werkt aanstekelijk voor iedereen om je heen en maakt de wereld beter en gelukkiger.

Karina Dahlin, Kim Echlin, Kent Nussey en al mijn vrienden en docenten aan de School of Continuing Studies van de University of Toronto: zonder jullie hulp en steun was dit boek nooit mogelijk geweest. Jullie zijn allemaal net zo vol vuur als ik over de literatuur en wat die kan bereiken. Jullie delen mijn geloof dat je door je mond open te doen onze door geweld aangetaste wereld iets beter kunt maken.

Martha Batiz Zuk en Sonia Worotynec: bedankt voor jullie vriendschap, voor jullie vertrouwen in mijn werk, voor al jullie onschatbare feedback die me helderheid gaf wanneer ik niet wist hoe ik verder moest gaan. En bedankt voor al jullie e-mails die me in contact hielden met de rest van de wereld tijdens mijn werk aan het manuscript. Jullie zijn mijn redders. Martha, jij beurt me altijd op wanneer ik het moeilijk heb. Als ik een zus kon kiezen, zou jij boven aan mijn lijst staan.

De dames van de boekenclub – Romana Dolcetti, Karen Eckert, Neva Lorenzon, Flavia Silano, Joanne Thomson en Dorothy Whelan: we lezen al veertien jaar samen, en wat hebben we veel meegemaakt samen! Jullie namen me op in jullie club toen ik een eenzame vreemdeling was; jullie behandelden me als een van jullie, alsof ik een uit het oog verloren nichtje was; jullie deelden gevoelens, opvoedkundige tips en succesrecepten met me. Jullie lazen de allereerste versie van mijn manuscript, die nog onafgewerkt en onevenwichtig was, en jullie vriendelijke aanmoediging was een enorme stimulans voor mij.

Mary-Lynn VanderWielen: bedankt dat je me het gevoel gaf hier thuis te horen en dat je mijn eerste versie nauwgezet hebt geredigeerd.

Lynn Tobin: bedankt dat je als een zus voor me bent geweest. Ik koester onze vriendschap.

Verder veel dank aan mijn baas, collega's en de vaste klanten van Swiss Chalet voor hun steun, hartelijkheid en begrip.

En Zahra Kazemi. Jouw brute dood heeft het feit bevestigd dat het verhaal van de politieke gevangenen in Iran moet worden verteld. Jij gaf ons een naam en een gezicht, en dankzij jou is de wereld nu op de hoogte van de verschrikkingen van Evin. Rust in vrede.

Dit boek is voor al mijn hambands.

Ik hou jullie allen in gedachten. Ik mis jullie allemaal. Ik hou van jullie allemaal.

Vergeef me alsjeblieft mijn langdurig zwijgen en mijn vele andere fouten.